Latviešu tautas piedzīvojumi

Uldis Ģērmanis

Latviešu tautas piedzīvojumi
I—IV

2. izdevumam īpaši darinātas ĒRIKA MAGONA ilustrācijas un vāks, DAUMANTA TOMSONA kartes.

2. izdevumam īpaši sastādīts alfabētisks personu, vietu un notikumu rādītājs

1. izdevums 1959. gadā (Daugava)
2. izdevums 1974. gadā (Ceļinieks)

SATURA RĀDĪTĀJS

PRIEKŠVĀRDS — Lapp. 9

SENIE LAIKI — 11

1. Ziemeļu ledus izveido latviešu zemi — 14
2. Lielais ceļojums uz ziemeļiem — 16
3. Zemkopji un karavīri — 18
4. Aizmirstie piedzīvojumi — 20
5. Mirdzošie ieroči — 22
6. Citi laiki, citi ieroči — 25
7. Robežas un kaimiņi — 29
8. Tautas ceļo, latgaļi ienāk Latvijā — 32
9. Divās frontēs — 34
10. Senās latviešu ciltis — 35
11. Kurši - latviešu vikingi — 38
12. Kurši turpina uzbrukt — 43
13. Bagātā Zemgale — 44
14. Latgaļi sardzē pret austrumiem — 48
15. Pārkrievotie vikingi vada krievu uzbrukumus — 49
16. Krievu veltīgā cīņa — 51
17. Vācieši soļo uz austrumiem — 54

VIDUSLAIKI — 57

18. Lībieši nomazgā kristību Daugavā — 60
19. Kā radās teika par Imantu — 62
20. Bīskaps Alberts gatavojas uzbrukumam — 63
21. Skaldi un valdi — 65
22. Tālavieši slēdz bīstamu savienību — 68
23. Jersikas pēdējais karalis — 71
24. Kurši un zemgaļi nojauž briesmas — 75
25. Pāvests grib dibināt brīvas latviešu valstis — 78
26. Viestura cīņas — 80
27. Zobenbrāļu iznīcināšana — 82
28. Jaunas cīņas un miera līgumi — 86
29. Zemgales karalis Nameisis — 87
30. Uguns un nakts — 91
31. Latvieši un igauņi vienā valstī — 94
32. Ar zobenu un arklu — 96
33. Bruņinieki kļūst lauksaimnieki — 98
34. „Vīru vai ķīlu" — 100
35. Latvieši Rīgā — 102

36	Leiši sadragā ordeņa armiju	104
37	Livonijas kārtas un „zemes dienas"	106
38	Tatāru varas mantinieks	107
39	Bruņinieki un zemnieki satriec krievus un tatārus	109
40	Pēc Pletenberga uzvaras	111
41	Jāņa Briesmīgā asins darbi	113
42	Izpārdošana Māras zemē	116

JAUNIE LAIKI 119

43	Kur zobeni zemi dala	122
44	Dokuments, ko neviens nav redzējis	123
45	Cīņa par ļaužu dvēselēm	125
46	Jaunas cerības posta laikā	127
47	Vidzemnieki kļūst zviedru karaļa pavalstnieki	129
48	Bet muižnieki vēl turas	132
49	Zemnieku karalis Kārlis XI	134
50	Grāmata ar krustu un latviešu Mozus	137
51	Svētās Māras paspārnē	140
52	Kurzemes kuģi izbrauc pasaules jūŗās	142
53	„Par varenu, lai būtu tikai hercogs"	146
54	Gaisma no Kurzemes	148
55	Lielā sazvērestība	150
56	Latviešu atbalsts jaunajam karalim	153
57	„Vidzemē nav vairs ko postīt"	155
58	Augstā spēle austrumos un „Melnais jātnieks" Vidzemē	157
59	Muižnieku varas un „šķidrās maizes" laiki	159
60	„Nu nāk latvju pestītājs!"	162
61	Latviešu cīņas Rīgā un nemieri Vidzemē	165
62	Kāda valsts iet bojā	168
63	„Vecais zirgs ar jauniem sedliem"	171
64	Kā gāju putni	173
65	Ko Baltijas vācieši neredz	176
66	Latvieši sāk atgūt savu zemi	178

VISJAUNĀKIE LAIKI 183

67	Eiropas tautas mostas	185
68	Jaunie latviešu vadoņi	187
69	Jaunlatviešu cīņa	190
70	Vadību pārņem Rīgas latvieši	193
71	Latvieši atrod savu karogu	195
72	Tautas karoga nesēji	198
73	Krievi atklāj savus īstos nolūkus	202
74	Jauni laiki, jaunas domas	204
75	Ceļa soma ar bīstamu saturu	207

76	Cīņas nojauta gadsimtu mijā	210
77	Latviešu Lielā revolūcija	212
78	Tauta pārņem varu	214
79	„Bēgot nošauts..."	217
80	Zaudējumi un ieguvumi	219
81	Latvija kļūst kaujas lauks	221
82	„Pulcējaties zem latviešu karogiem!"	224
83	Cik vērts ir latviešu strēlnieks?	231
84	Strēlnieku bataljoni kļūst par pulkiem	234
85	Izklīdinātie un apspiestie	237
86	Gatavošanās uzbrukumam	239
87	Strēlnieki pārrauj vācu fronti	242
88	Dvēseļu putenis	245
89	Februāra revolūcija un pavēle Nr. 1	248
90	Strēlniekiem jāglābj bēgošā krievu armija	252
91	Par vienotu Latviju	255
92	Lielais pārgājiens	257
93	Gals un sākums	260
94	„Latvijas pilsoņi!..."	264
95	Tie, kas nešaubās	267
96	Lielnieciema tvaikos	270
97	Līgumu un sazvērestību laikmets	274
98	Apvērsums Liepājā un „baltais terrors" Rīgā	277
99	Muižnieki zaudē cīņu	281
100	Daugavas sargi un Lāčplēša diena	285
101	Strēlnieki satriec cara virsnieku pulkus	291
102	Latvija slēdz mieru ar divām lielvalstīm	294
103	Pēc pēdējās kaujas	298
104	Pieminiet svešumā raktos!	301
105	Likums, kas nostiprina valsti	305
106	Tēvzemes tēvu darbs	307
107	Latvija kļūst likumīgi atzīta valsts	310
108	Doma par lielo Baltijas savienību	313
109	Latvijas lats	315
110	Zemes atjaunotāji	317
111	Jaunā rūpniecība	319
112	Līdzīgi saulei	323
113	Tie, kas dod skaistumu dzīvei	326
114	Valsts bruņotie spēki	331
115	Demokratiskais laikmets	336
116	Pasaules grūtie laiki	341
117	Apvērsuma priekšvakarā	344
118	15. maija apvērsums	347
119	Prezidenta Ulmaņa laikmets	350
120	Hitlers tirgojas ar tautu brīvību	355

121	Pirmais solis uz padošanos	358
122	Staļins pievāc laupījumu	362
123	Padomju vergu valstī	365
124	1941. gada jūnija notikumi	369
125	Latvieši „Austrumzemē"	373
126	Latvieši Austrumu frontē	378
127	Neuzvarētā Kurzeme	382
128	Divas pasaules	388

KARTES

Senās Latviešu ciltis 12.-13. g.s.	13
Senie dzintara ceļi	23
Baltu valodu robežas	31
Latvijas pilskalni	37
Slāvu un vikingu uzbrukumi baltu ciltīm	52
Māras zeme	59
Livonija 16. g.s. vidū	114
Livonijas sadalīšana 1582. gadā	121
Latvija 17. g.s.	139
Latvijas brīvvalsts	263
Austrumzeme - Ostland	375

NOSLĒGUMS 393

INDEKSS 397

Latviešu tautas piedzīvojumi *ir stāsts par to, kā pirms daudziem gadu tūkstošiem Skandinavijas ledus izveidoja to zemi, ko ģeogrāfijas kartēs tagad sauc par Latviju.*

Tie stāsta par to, kā latviešu sentēvi, lauzdamies uz ziemeļiem, nonāca šinī zemē un sasniedza Baltijas jūŗu.

Tie stāsta par neskaitāmām cīņām, ko viņi izcīnīja šinī zemē un ārpus tās — grūti atrast otru zemi, kuŗas dēļ būtu tik daudz kaŗots. Vairākas reizes latviešu varaskārajiem kaimiņiem izdevās uz laiku ieņemt šo zemi, bet neviens nespēja to paturēt. Atkal un atkal cēlās latviešu vīri, lai ar ieročiem rokās atbrīvotu savu tēvu zemi. —

Daudz senu varonīgu tautu vairs nav. Drošsirdīgie goti, kas kādreiz ieņēma seno Romu, ir izgaisuši bez miņas. No vandāļiem un burgundiem ir pāri palikuši tikai dažu apgabalu nosaukumi — Andalūzija Spānijā un Burgundija Francijā. Lielā ģermāņu tauta franki atstājuši tikai savu vārdu — Francija. Tā tas noticis arī ar daudzām citām tautām. Latviešu kareivīgo brāļu tautu, senos prūšus, vāciešiem gadu simteņu gaitā izdevās pārvācot. Prūsija deva vāciešiem vēlāk viņu labākos karavīrus, un 19. gadu simtenī tā apvienoja lielāko daļu vāciešu vienā valstī.

Arī latviešu tauta cieta lielus zaudējumus gadu simteņu ilgajās cīņās, bet viņa nepadevās un izturēja. Tāpēc ir gods būt par šīs tautas locekli. Mūsu uzdevums, lai kur mēs atrastos, ir cīnīties par mūsu tautas pastāvēšanu un viņas tiesībām. Šī cīņa ir mūsu laime, jo dod mērķi mūsu dzīvei. Nelaimīgi ir cilvēki, kam nav šādu lielāku mērķu. Nicināti no visiem ir ļaudis, kas izvairās no cīņas un nodod savu tautu.

Kur radies latviešiem šis spēks izturēt un beigās uzvarēt? Tas nav bijis tikai viņu roku un muskuļu spēks vien, bet lielā mērā viņu spēcīgais gars un gaišais prāts. Mēs nezinām otras tautas, kam būtu tik daudz senu dziesmu, kur ielikta senā tautas gudrība un vērojumi. Nav daudz tautu, kas tā centušās pēc skolām un izglītības kā latvieši. To apliecina un apbrīno arī sveštautieši. Mēs par to varam būt lepni. —

Bet mīlēt savu tautu nenozīmē nonicināt citus. Katrai tautai ir kaut kas vērtīgs un īpatnējs. Tieši daudzo un dažādo tautu dēļ mūsu pasaule ir tik interesanta. Pavisam nožēlojams un nepievilcīgs būtu dārzs, kur augtu tikai vienas šķirnes puķes.

Daudzās cīņas, kas izcīnītas dažādo tautu starpā, ne vienmēr novedušas pie mūžīga naida. Daudzi no latviešu tautas senajiem ienaidniekiem ir kļuvuši tagad tās draugi. —

Šis stāsts pārspēj dažu labu dēku un piedzīvojumu romānu, un tomēr tas ir tikai stāsts par kādas tautas un valsts likteni.

Par to stāsta „Latviešu tautas piedzīvojumi".

SENIE LAIKI

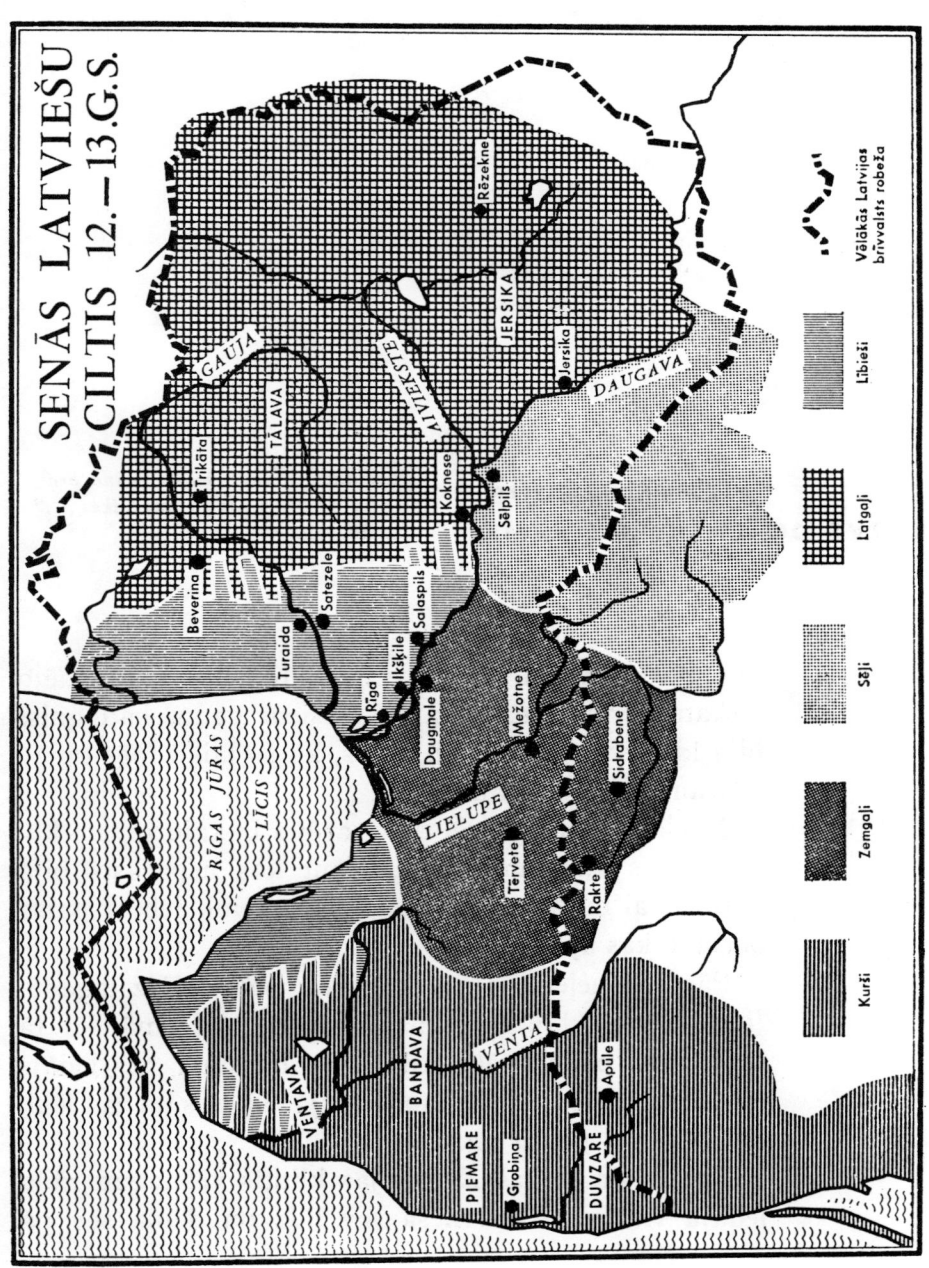

1
ZIEMEĻU LEDUS IZVEIDO LATVIEŠU ZEMI

„Nāc līdzi, Vidvut, manu jauno brāl,
Lai tev no kalna rādu viņus laikus..."
(J. Medenis)

Mūsu tēvu zeme dabūja savu tagadējo izskatu pirms daudziem tūkstošiem gadu, kad gaiss bija kļuvis tik auksts un mitrs, ka šo laiku mēs tagad saucam par ledus laikmetu.

Neviens pētnieks vēl nav varējis izskaidrot, no kurienes šis aukstums cēlās. Kaut kas neparasts bija noticis vai nu ar sauli, vai ar pašu zemi, jeb ar gaisa okeanu, kas apņem to.

Pāri Ziemeļeiropai un Viduseiropai — līdz tagadējai Berlīnei klājās varena ledus sega. Domā, ka tā sasniegusi pat vairāku kilometru biezumu. Šis ledājs bija vispirms izcēlies Skandinavijas kalnos un tad lēni, bet nemitīgi plūdis uz priekšu.

Rievas un švīkas Zviedrijas klintīs vēl tagad rāda ledāja virzienu. Tas nesa sev līdz un dzina sev pa priekšu milzīgus smilšu, māla un akmeņu daudzumus. Tādā ceļā Skandinavijas granīta un gneisa gabali nokļuva mūsu zemē. Daži no tiem bija pat krietnas zemnieka mājas augstumā, un ļaudis senos laikos sauca tos par velna jeb milžu akmeņiem, jo nezināja, kā tie cēlušies.

Zvēri un cilvēki glābās Eiropas dienvidos, bet arī tur bija aukstāks nekā tagad. Skarbi vēji pūta no ziemeļiem un nesa sev līdz putekļu un smilšu mākoņus, jo zeme ledāja tuvumā bija kaila un neaizsargāta. Šie putekļi nogūlās Dienvideiropas stepēs — tā radās tur tagad tik auglīgā zeme.

Gadu tūkstoši pagāja, un pamazām atkal kļuva siltāks. Milzīgā ledus sega sāka kust, un spēcīgas ūdens straumes izgrauza plašas ielejas, meklējot ceļu uz jūru. Citās vietās, ledus atliekām izkūstot, radās neskaitāmi ezeri. Ledāja sadzītās lielās smilšu un akmeņu kaudzes palika un veidoja pakalnus un augstienes. Dažās vietās tās aizsprostoja ceļu senajām upēm, un tām vajadzēja lauzt sev jaunu gultni. Radās krāces un ūdens kritumi. No kūstošā ledāja mutuļoja straujas „ledus upes", kas nesa līdz nogludinātus un ūdenī noslīpētus oļus, smiltis un mālus. No tiem izcēlās gareni oļu uzkalni, smilšu un mālu nogulumi.

Pazūdot ledus smagajai segai, zeme vietām pacēlās augstāk un tur, kur agrāk bija jūra, radās sauszeme. Daudz un dažādu notikumu pilna bija daba šajās tālajās dienās. Tie bija mūsu zemes jaunības gadi — strauji un nemierīgi. Tāpat tas bija pārējās zemēs ap Baltijas jūru.

Tanī laikā radās mūsu līdzenumi un augstienes, un daudzie ūdeņi.

Tas viss notika vairāk nekā pirms 10.000 gadiem.

2
LIELAIS CEĻOJUMS UZ ZIEMEĻIEM

„Pirms vēl sniegs bij sācis kust,
Nāca sīki gāju putni."
(J. Rainis)

Ledus segai kūstot un pazūdot pāri Baltijas jūŗai uz ziemeļiem, mūsu zemē ieradās pirmie iecejotāji. Tie bija tādi, kas bija pieraduši pie aukstuma un tāpēc sīksti un izturīgi. Tikai tādi toreiz varēja apmesties šinī zemē, jo laiks joprojām bija vēss. Vēl turpat netālu ziemeļos atradās kūstošā ledus siena.

Paši pirmie ieradās augi un stādi, kādus tagad var atrast Ziemeļeiropas un Ziemeļamerikas tundrās. Tie bija ķērpji un sūnas, mazi sagriezušies purva bērziņi un dažādi krūmāji. Šie tundras augi ceļoja uz ziemeļiem, atdodami savu veco mājvietu tādiem, kam labāk derēja siltums.

Tā Eiropas augi, ledājam dilstot, bija sakustējušies. Viņi devās tālā ceļā, lai atkal ieņemtu zemi, kas bija kļuvusi brīva no ledus. Viņu priekšpulks bija šie mazie, neizskatīgie, bet sīkstie un bezbailīgie tundras augi.

Arī mūsu dienās augu ceļošana nav beigusies (viens no pazīstamākiem ceļotājiem, piemēram, ir egle), bet to vairs nevar salīdzināt ar šo seno — lielo ceļojumu.

Šis ceļojums sacēla kājās arī dzīvnieku valsti. Zvēri jau no senseniem laikiem bija saraduši katrs ar zināmiem stādiem un kokiem. Un viņi sekoja saviem klusajiem, vecajiem paziņām pa pēdām.

Tāpēc tie bija tundras zvēri un dzīvnieki, kas citiem pa priekšu ienāca mūsu zemē. Tur bija polārais zaķis, polārā lapsa, daudzi sīkāki zvēriņi, putni un pats galvenais — ziemeļbriedis.

Bet pakaļ ziemeļbriedim uz ziemeļiem devās viņa

mednieks. Tā pirmie cilvēki nonāca tagadējā Latvijā. Mums ir pierādījumi par šo cilvēku dzīvi mūsu zemē no vidējā akmens laikmeta (apm. 7000.—3000. g. pr. Kr.).

Gaiss turpināja kļūt arvien siltāks. Priede un bērzs steidzās ieņemt plašus apgabalus uz ziemeļiem. Tiem sekoja vesela rinda lapu koku — ozols, liepa, goba, alksnis, apse, kļava, osis, lazda u. c. Tundrai bija jāturpina ceļot tālāk, līdz tā sasniedza savu tagadējo apvidu. Arī ziemeļbriedim bija jāaiziet. Staltradzis briedis, alnis, stirna, mežcūka, meža vērsis (sumbrs) ieradās ganīties Latvijas mežos un mežu pļavās. Vilks, lapsa, lūsis tiem sekoja, arī brūnais lācis iečāpoja viņiem līdz.

Daļa seno mednieku turpināja savu ceļu uz ziemeļiem, bet citi palika uz vietas. Viņi labprāt apmetās upju un ezeru krastos, jo bija reizē mednieki un zvejnieki. No koka, kaula, raga un akmens tie taisīja savus ieročus un rīkus. Viņi bija pieradinājuši suni, kas tos pavadīja medībās un palīdzēja sargāt viņu apmetnes. Citu mājlopu tiem nebija, arī zemi viņi nemācēja kopt.

Vairākas viņu apmetnes no jaunā akmens laikmeta (3000.—1500. g. pr. Kr.) ir atrastas mūsu zemē. No tām mēs varam spriest par šo mednieku ieročiem un dzīves veidu. Mēs zinām arī, ka viņi prata gatavot māla traukus, ko tie izrotāja, iespiežot mālā mazas bedrītes. Tāpēc šos izrotājumus sauc par bedrīšu un zobiņu jeb ķemmes ornamentu.

Līdzīgus darba rīkus un traukus zinātnieki ir atraduši ļoti plašā apgabalā: apmēram no Vislas upes līdz Jeņisejai Sibirijā. Tāpēc jādomā, ka tā bija viena un tā pati tauta jeb radniecīgas ciltis, kas apdzīvoja šo lielo telpu, kaut arī viņi, kā jau mednieki, dzīvoja ļoti izkliedēti.

Bet šie mednieki un zvejnieki nebija vēl latviešu sentēvi. Tikai trīs tautas tagadējā Eiropā (somi, igauņi un ungāri) un dažas tautiņas Padomju Savienībā ir cēlušās no šīm senajām ciltīm, ko mēs tagad saucam par somiem-ugriem.

3
ZEMKOPJI UN KARAVĪRI

*"Runāj' cirvji, runāj' kapļi,
Paši brāļi nerunāja."*
(Tautas dz.)

KĀDREIZ, PIRMS kādiem 4000 gadiem (ap 2000. g. pr. Kr.), Eiropā atkal bija jaužams nemiers. Ap šo laiku par jaunu sakustējās kāda tautu saime, kas jau agrāk bija sūtījusi izceļotājus no sava vidus.

Šo pirmtautu tagad mēdz saukt par indoeiropiešiem. Tie bija viņi, kam bija lemts ieņemt Eiropas lielāko daļu un aiziet līdz Irānai un Indijai. Par viņu pēcnācēju savstarpējo radniecību liecina līdzība šo tautu valodās. Ar laiku izklīstot uz visām debess pusēm, tie nāca sakaros ar citām tautām un arvien vairāk atsvešinājās viens no otra.

Ja šodien latvieši satiekas, piemēram, ar angļiem, frančiem, vāciešiem vai krieviem, tad tie nevar saprast viens otra valodu. Un tomēr viņi ir šo seno indoeiropiešu tālie radinieki.

Neviens nevar pateikt, kur īsti atradās šīs pirmtautas dzimtene, un kā šī tauta izcēlās. Tikai tik daudz ir zināms, ka sākumā tie nedzīvoja ne pārāk tālu uz dienvidiem, ne uz ziemeļiem. Par to liecina vārdi indoeiropiešu tautu valodās, kas apzīmē augus, dzīvniekus, darba rīkus.

Senvēstures pētnieki (archaiologi) ir atklājuši, ka ap otro gadu tūkstoti pr. Kr. kāda jauna tauta ienāk

Latvijas rietumu un dienvidu daļā — tagadējā Kurzemē un Zemgalē. Tajā laikā tur parādās ieroči, darba rīki un trauki, kas ir pavisam citādi kā senajiem medniekiem un zvejniekiem. Atnācēji neizrotāja savus traukus, iespiežot mālā mazas bedrītes, bet viņu ornaments atgādina auklas nospiedumu. Tāpēc to sauc par auklas ornamentu. Viņiem līdzi bija akmens kapļi, un tas rāda, ka tie prata kopt zemi. Bez tam ir uzglabājušies viņu cirvji. Tiem ir slaida, skaista forma, meistara rokas darināta, un tie ir rūpīgi noslīpēti. Skatoties no sāniem, viņi atgādina laivu, un tos parasti apzīmē par laivas cirvjiem. Šie cirvji nebija domāti malkas skaldīšanai — tie bija kaujas cirvji.

Tauta, kas ieradās mūsu zemē, bija reizē zemkopji un karavīri. Šīs īpašības viņi saglabāja cauri gadu tūkstošiem. Līdzīgas senlietas no šī laikmeta atrastas arī tagadējā Lietuvā un Prūsijā.

No šiem seno laiku zemkopjiem un karavīriem vēlāk izcēlās baltu tautas — latvieši, leiši un senie prūši.

Tā, pirms 4000 gadiem, mūsu sentēvi jeb pirmbalti ienāca tagadējā Latvijā. Viņiem radniecīgas ciltis ir izplatījušās vēl tālāk uz ziemeļiem, jo laivas cirvji ir atrasti, piemēram, arī Somijā. Bet ziemeļu apgabali galu galā nonāca somu-ugru rokās.

Gadu tūkstošiem balti un somi-ugri ir bijuši kaimiņi. Tie ir dzīvojuši gan miermīlīgi un daudz ko aizguvuši viens no otra, gan izcīnījuši sīvas cīņas savā starpā.

Varbūt, ka šajās cīņās arī dzima tas naids un ilgie asins atriebības kari („vaidu laiki"), kas vēlāk gadu simteņiem plosījās latviešu un igauņu starpā.

Taču pienāca reiz laiks, kad abas tautas apvienojās ieroču brālībā, lai kopīgi sargātu savu brīvību (skat. 97. un 99. nod.). Bet līdz tam vēl ceļš bija tāls.

4
AIZMIRSTIE PIEDZĪVOJUMI

"Visapkārt kā noslēpums drūmi guļ sils,
Tur glāžu kalns mirgo, tur ūdens pils."
(J. Rainis)

Nav neviena, kas mums varētu pastāstīt par šiem tautu pārgājieniem, viņu dēkām un piedzīvojumiem, satiekoties ar zvēriem un svešiem cilvēkiem lielajos mežos, kas toreiz klāja Eiropu. Neviens tur nav aprakstījis notikumus ilgajā akmens laikmetā, kas Ziemeļeiropā beidzās tikai ap 1500. g. pr. Kr. Eiropieši vēl neprata rakstīt.

Mēs tagad savukārt neprotam daudz ko tādu, ko šie senie ļaudis prata un varēja. Mums būtu ilgi jāvingrinās un jāmācās, lai mēs no tā materiāla, kas bija mūsu sentēvu rīcībā, varētu izgatavot sev ieročus un darba rīkus, un lai mēs neaizietu bojā cīņā ar dabas spēkiem, zvēriem un naidīgām ciltīm.

Nav šaubu, ka atpūtas brīžos — varbūt jo sevišķi vakaros, kad viņi sēdēja pie saviem ugunskuriem, tie pārrunāja savus piedzīvojumus. Vecākie droši vien, tāpat kā tagad, atcerējās senos laikus un savu tēvu-tēvu cīņas un darbus. Radās seni stāsti, teikas un dziesmas. Bet gadu tūkstošu gaitā daudz kas aizmirsās, daudz kas pārveidojās, un nākošās paaudzes daudz ko nesaprata.

Daži sensenie izteicieni, domas un gudrības paglābās tautu valodās. Tiem, kam laimējas tos pareizi iztulkot, uz brīdi paveras kāda aina no aizgājušo paaudžu dzīves, viņu domām un uzskatiem. Bet tas ir tikai tik daudz, cik šķemba no nogrimuša kuģa.

Tomēr, šķiet, mēs vēl šodien neesam brīvi no tā, ko pārdzīvoja un izjuta mūsu tālie ciltstēvi. Dažreiz miegā mūs pārņem pēkšņas bailes — mums liekas, ka mēs krītam it kā no augsta koka. Daudzreiz mūsu senčiem nācās pārnakšņot draudīgā meža koku zaros, kad apkārt ložņāja plēsīgi zvēri. Nevajadzēja daudz, lai miegā pazaudētu līdzsvaru. —

Tāpat kādreiz bija liels risks vienam doties pāri lielākam klajumam. Ja tur uzbruka kāds, kas bija stiprāks un plēsīgāks, tad grūti bija glābties un paslēpties. Dažus cilvēkus vēl tagad pārņem nesaprotamas bailes, ejot pāri kādam tukšam laukumam. Iespējams, ka atmiņas par sen aizmirstām dēkām vēl dzīvo kaut kur dziļi zem mūsu apziņas.

Bieži vien, sveicinot otru cilvēku, mēs, neko nedomājot, drusku paceļam labo roku. Varbūt tā ir tā pati kustība, kas radās pirms gadu tūkstošiem, kad senais cilvēks pacēla labo (stiprāko) roku, lai rādītu, ka tanī neslēpjas ierocis, un ka viņš tuvojas otram kā draugs. —

Uzticamākais liecinieks par vissenākajiem laikiem tomēr ir pati zeme. Tā ir gan klusa, bet tā neprot arī melot. Tur ir uzglabājušies seno cilšu ieroči un darba rīki. Zeme glabā arī viņu kaulus.

Tādā kārtā ir saglabāta daļa no aizmirstiem laikiem un tautām, viņu cīņām un darbiem, viņu ceļiem un robežām. Senvēstures pētnieki ir daudz un pacietīgi strādājuši, lai atraktu un noskaidrotu to, ko zeme pasargājusi no iznīcības un pazušanas. Zinātni, kas ar to nodarbojas, sauc par archaioloģiju, kas latviski nozīmē — mācība par vissenākajiem laikiem.

Tā ir mūsu tēvu zeme, no kuŗas mēs dabūjām zināt, ka mūsu sentēvi ienākuši viņas robežās kādreiz jaunajā akmens laikmetā.

5
MIRDZOŠIE IEROČI

"Bet viņi (aisti, t. i. balti) pētī arī jūŗu, un vienīgie no visiem salasa seklās vietās un jūŗas krastā dzintaru..."
(Romiešu vēsturnieks Tacits)

Gadu simteņi nāca un gāja. Arvien vairāk līdumu bija radies mežu vidū. Jaunie atnācēji cirta un dedzināja un ar saviem akmens kapļiem uzplēsa nekad vēl neskarto zemi.

Zvēri nemierīgi ostīja dūmus, kas cēlās no šiem izcirtumiem, un atkāpās dziļāk mežu biezokņos. Bet vakaros parasti apklusa kņada un troksnis ļaužu mītnēs. Tad ziņkārīgākie, kā lapsa un lācis, izlīda mežmalā, ošņāja un pētīja, un dažreiz sacēla kājās suņus, kas sargāja līdumnieku mantu un lopus.

Taču mežu un purvu vēl bija daudz. To vidū cilvēku iekoptie lauki bija tikai kā mazas saliņas. Zvēriem vēl piederēja zemes lielākā daļa.

Grūti bija ceļot tanīs laikos, kad nebija ne ceļu caur biezajiem mežiem, ne tiltu pār upēm un gravām. Bezgala lēni un tikai gadījuma dēļ atklīda ziņas par citām zemēm un tautām, par jauniem notikumiem un atklājumiem.

Vieglāk bija tikt uz priekšu pa upēm, nekā lauzties caur mežiem un purviem. Gadījās, ka enerģiski ļaudis arī toreiz uzņēmās tik lielu risku kā ceļošanu.

Tie bija seno laiku tirgotāji, kas devās bīstamos ceļojumos, lai iegūtu mantas, kādu nebija pašu zemē.

Ziemeļu zemēs bija daudz un dažādu zvērādu, Baltijas jūras krastos varēja atrast arī neredzētus dārgus akmeņus. Tos izsvieda jūra pēc ziemeļu un ziemeļrietumu vētrām, un, kad tos pacēla un turēja pret gaismu, tie mirdzēja kā saule.

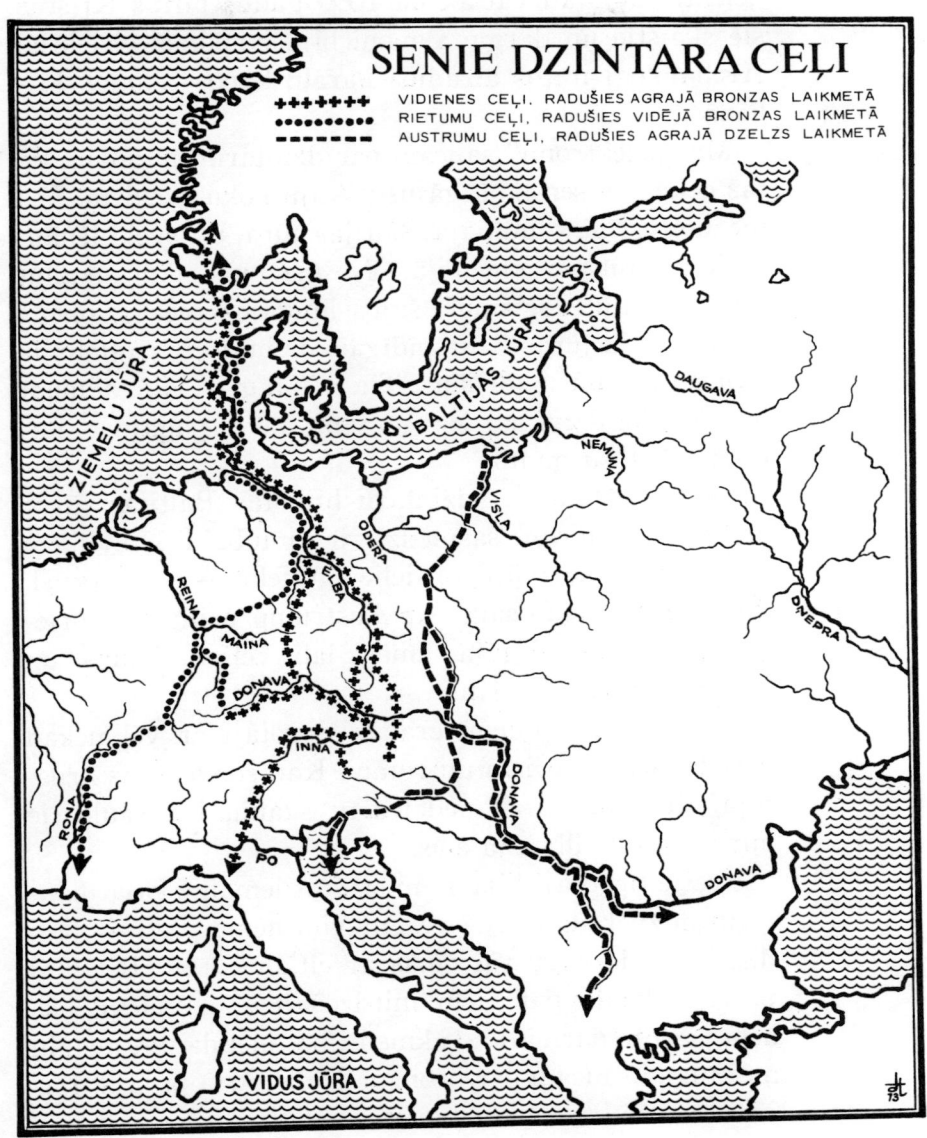

Senie grieķi nosauca šo akmeni par „elektronu". No šī vārda arī cēlās tagad tik pazīstamais nosaukums „elektrība". Jau vairāk kā 1000 gadus pirms Kristus šie skaistie un dārgie akmeņi bija nonākuši Grieķijā. Archaiologi ir tos atraduši karaļu kapos senajās Mikēnās.

Mēs „elektronu" saucam par dzintaru un zinām, ka tas cēlies no sen bojā gājušu skuju koku sveķiem. Šos mežus reiz pārpludināja Baltijas jūra, un sveķi lēnām sacietēja un pārakmeņojās. Ne mazums sīku kukaiņu un augu bija nogrimuši šajos lipīgajos sveķos, pirms tos pārklāja jūra. Caurspīdīgais dzintars ir paglabājis viņus līdz mūsu dienām. Tie vēl tagad šajā akmenī izskatās kā dzīvi, lai gan no viņu nāves pagājuši simtiem tūkstošu gadu.

Sevišķi bagāts ar dzintaru bija tas Baltijas jūras krasts, kuru pirmie sasniedza rietumu balti. No viņiem cēlās niknie karotāji un lielie jātnieki — senie prūši. Šo zemi vēl tagad sauc par Austrumprūsiju. No turienes pa Vislas upi gāja samērā labs ceļš uz Vidus- un Dienvideiropas zemēm.

Kādreiz pie viņiem ieradās tirgotāji ar vēl nekad neredzētiem ieročiem un rotām. Kad šos ieročus krustoja, tie skanēja ar nedzirdētu skaņu, bet saulē tie mirdzēja un žilbināja acis.

Svešie tirgotāji bija ar mieru tos iemainīt pret dzintaru un zvērādām. Arī vergus viņi ņēma pretī — ļaudis, kas bija sagūstīti cīņās ar citām ciltīm. Bet viņi prasīja daudz par šiem mirdzošajiem ieročiem, kas nebija vairs darināti no akmens, bet metala. Šo metalu mēs tagad saucam par bronzu. Tādā kārtā pie Baltijas jūras sākās bronzas laikmets.

Tas notikās apmēram ap to laiku, kad Ēģiptē valdīja

varenais faraons Tutmess III, kuŗu mēdz saukt arī par Ēģiptes Napoleonu (apm. 1500. g. pr. Kr.). Ar zobena varu viņš izpleta savas valsts robežas līdz pat Eifratas upei un Mazāzijas kalniem.

Ļoti iespējams, ka ēģiptieši bija pirmie, kas, ceļojot caur Zīnaja pussalu, iemācījās kausēt vaŗa rūdu. Varbūt tas notika kādā vakarā, sēdot pie ugunskura, kur nejauši bija iemesti daži rūdas gabali. Tiem ugunī kūstot, pelnos palika dažas spīdošas lodītes. Kāds asprātīgs ēģiptietis vēlāk atrisināja noslēpumu, kā šīs spožās lodītes cēlušās.

Bet vaŗš bija mīksts metals un nebija sevišķi derīgs ieročiem un darba rīkiem. Taču tas kļuva daudz cietāks, ja tam piekausēja drusku alvas. Šī lielā izgudrotāja vārds mums nav zināms, bet viņa darba rezultāts — jaunais sakausējums, bija bronza.

Ziemeļu zemēs bronzas laikmetu skaita apm. no 1500. līdz 500. gadam pr. Kr.

"Viss atspīd padebesis
Ar tērauda zobeniem".
(Tautas dz.)

6
CITI LAIKI, CITI IEROČI

Ne jau visi varēja iegādāties jaunos, mirdzošos ieročus un rotas. Gadu simteņiem ilgi vēl turpināja lietot arī no akmens darinātus rīkus. Gluži tāpat tas ir mūsu dienās. Arī tagad daudzi cilvēki strādā ar samērā vienkāršiem darbarīkiem, kamēr citi to paveic ar modernām mašīnām.

Vecie akmens ieroči galu galā nemaz nebija tik slikti, salīdzinot ar jaunajiem. Tie, protams, bija neveiklāki un nebija tik skaisti, bet labs akmens cirvis bija tomēr cietāks par jauno metalu.

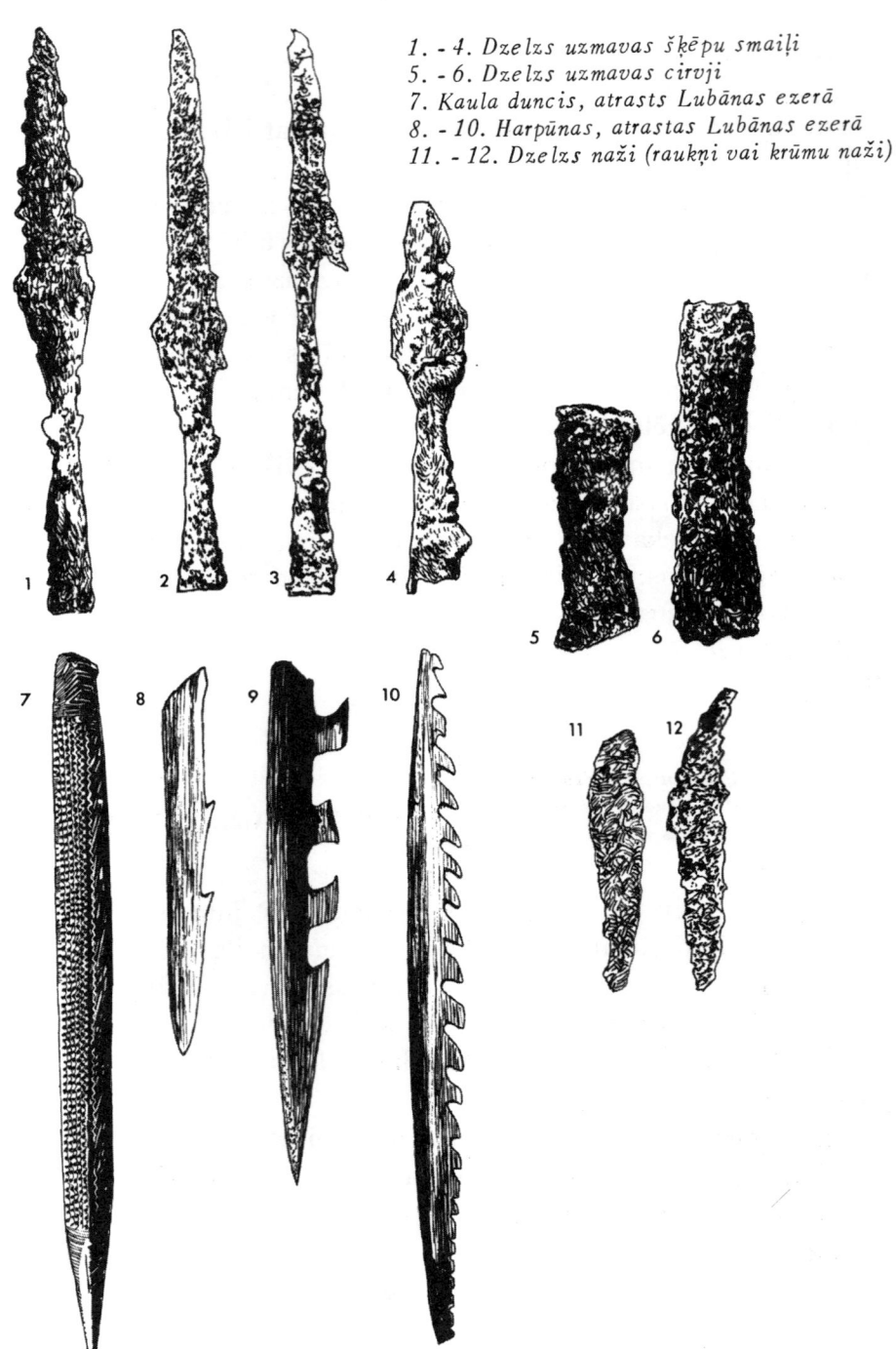

1. - 4. Dzelzs uzmavas šķēpu smaiļi
5. - 6. Dzelzs uzmavas cirvji
7. Kaula duncis, atrasts Lubānas ezerā
8. - 10. Harpūnas, atrastas Lubānas ezerā
11. - 12. Dzelzs naži (raukņi vai krūmu naži)

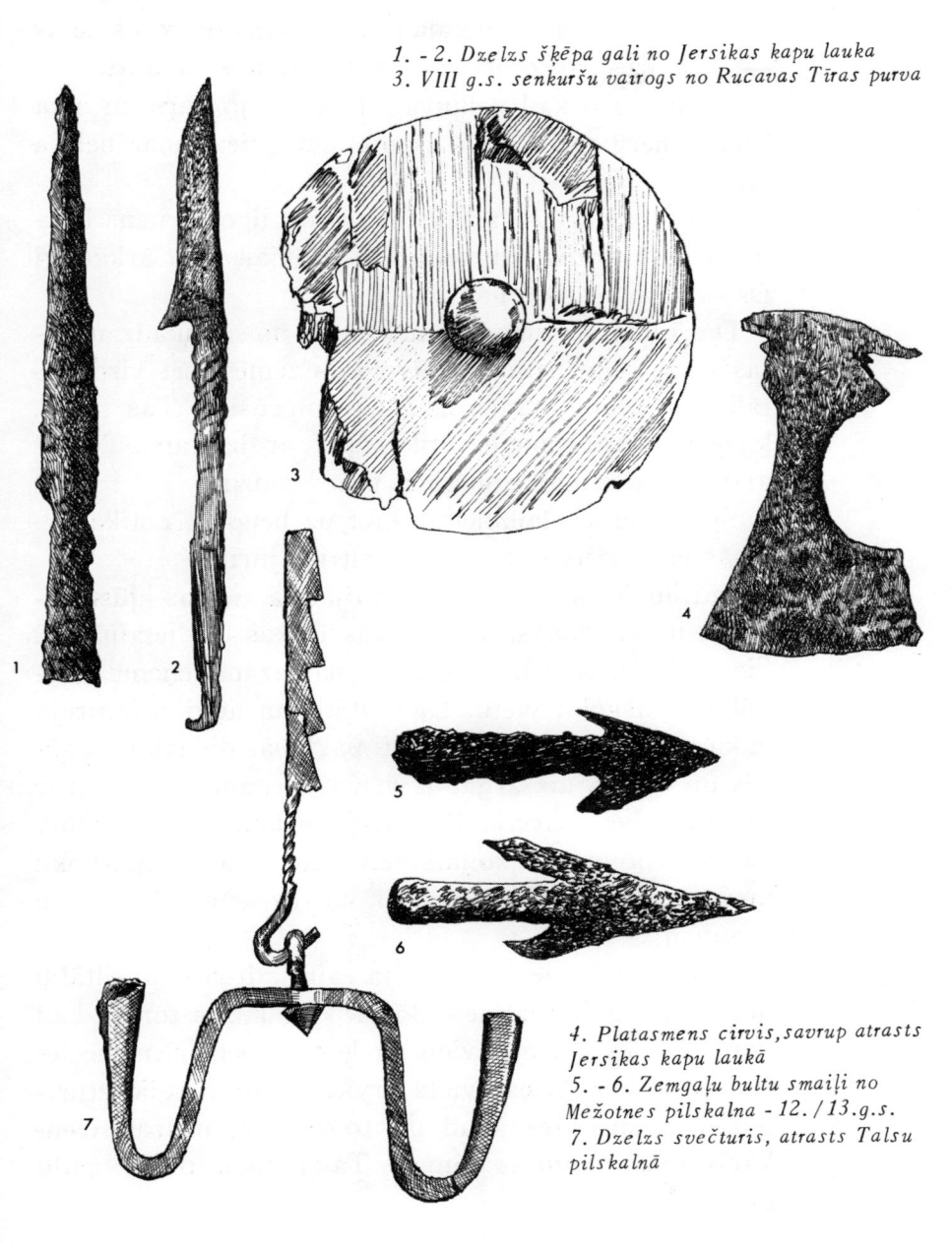

1. - 2. Dzelzs šķēpa gali no Jersikas kapu lauka
3. VIII g.s. senkuršu vairogs no Rucavas Tīras purva
4. Platasmens cirvis, savrup atrasts Jersikas kapu laukā
5. - 6. Zemgaļu bultu smaiļi no Mežotnes pilskalna - 12./13.g.s.
7. Dzelzs svečturis, atrasts Talsu pilskalnā

Tāpēc bronzas lietas daudziem nozīmēja tikai sevišķu greznumu. No šī metala tad arī gatavoja rotas lietas — sprādzes, aproces, gredzenus, saktas, adatas.

Šīs lietas nekad nekļuva īsti lētas, jo varš un alva bija samērā reti metali. Baltu zemēs tie nemaz nebija atrodami.

Ja salīdzina daudz tūkstošu gadu ilgo akmens laikmetu ar bronzas laikmetu, tad pēdējais bija ārkārtīgi īss — tikai ap 1000 gadu.

Dažādi ieroči un greznuma lietas no šī laika ir atrastas visās seno baltu apdzīvotajās zemēs, bet visbagātākie atradumi tomēr ir Austrumprūsijā. Tas tāpēc, ka seno prūšu zeme bija tik bagāta ar dzintaru. To tad arī varēja izlietot apmaiņai pret bronzu.

Spožo ieroču laikmetam ejot uz beigām, notika lielākas pārvērtības zemēs ap Baltijas jūŗu.

Jau ilgāku laiku cilvēki manīja, ka ziemas kļūst gaŗākas un bargākas, bet vasaras īsākas un lietainākas. Skuju koki, sevišķi egle, sāka pamazām ieņemt vārīgāko lapu koku vietu. Daži stādi un augi neizturēja laika pārmaiņu un iznīka, citi paglābās dienvidu nogāzēs un vairāk aizsargātās vietās. Nedaudzi no tiem ir saglabājušies Latvijā līdz pat šim laikam, kā atmiņa par to seno un siltāko laikmetu, kad lielajos lapu koku mežos izgāja medībās vīri ar mirdzošiem šķēpiem un cirvjiem.

Viņu pēcnācējiem vajadzēja vairāk drēbju un siltāku mājokļu. Daži zinātnieki domā, ka tas bija toreiz, kad gaŗās bikses kļuva nevien modernas, bet arī nepieciešamas un kad kviešu vietā arvienu vairāk sēja izturīgākos rudzus. Mēs tagad, par to runājot, mēdzam vienkārši teikt: mainījās klimats. Tas notika ap 500. gadu pr. Kr.

Tanī pašā laikā parādījās arī jauni ieroči. Tie nemirdzēja tik spoži kā agrākie, bet drūmi laistījās tumši iezilganā krāsā. Kaut kas draudīgs un noslēpumains bija šinī metālā, kas akmenī izšķīla spožas dzirkstis.

Tā bija dzelzs, un ir pamats domāt, ka to vispirms sāka lietot Mazāzijā.

Ap to laiku, kad senie grieķi smagās cīņās atsita persu lielvalsts uzbrukumu, un varonīgais Spartas karalis Leonīds krita pie Termopilu aizas, dzelzs kļuva pazīstama mūsu zemē.

Vēl šodien mēs joprojām dzīvojam dzelzs laikmetā, lai arī tik daudz kas ir mainījies.

"Kas kait man nedzīvot
Liela meža apakšā!
Visapkārt oši, kļavi,
Vidū saule lidināja"
(Tautas dz.)

7
ROBEŽAS UN KAIMIŅI

JAUNĀKAJOS laikos ir vairākkārt mēģināts ģeografiskās kartēs iezīmēt seno cilšu un tautu dzīves vietas, robežas un pārvietošanās virzienus. Ja salīdzina savā starpā zinātnieku zīmētās kartes, tad atklājas, ka tās bieži atšķiŗas viena no otras. Tas nozīmē, ka vēl joprojām nav skaidrības par daudzām lietām, un uzskati tādēļ ir dažādi.

Visa nelaime ir tā, ka seno laiku cilvēki neprata izgatavot ģeografiskas kartes, un tāpēc mums daudz kas palicis nezināms. Pat tad, kad viņi jau mācēja darināt ieročus un darba rīkus no dzelzs, karšu zīmēšana tiem nebija pazīstama.

Cik mums zināms, tad senie grieķi jau pirms Kristus dzimšanas sekmīgi nodarbojās ar ģeografiju. Bet viņu mēģinājumi vēlāk netika turpināti, un pagāja vairāk nekā tūkstoš gadu, kamēr tos iesāka par jaunu.

Senie grieķi arī zināja, ka kaut kur ziemeļos ir jūra, kuŗas krastā atrod dzintaru, bet īstas skaidrības par lieliem mežiem klāto Eiropas ziemeļu daļu viņiem nebija.

Taču tāpat kā tagad, tā arī pagājušos laikos turienes tautām bija zināmas robežas un savi zināmi kaimiņi, ar kuŗiem iznāca visādas darīšanas, bieži vien — cīņas un strīdi.

Senie balti nebija nekāda klaiņotāju tauta. Viņi samērā maz pārvietojušies un jaukušies ar citām tautām. Tāpēc arī savās valodās un, piemēram, svētku parašās tie daudz ko saglabājuši no ļoti seniem laikiem. Ievērojami sveštautiešu zinātnieki tādēļ vēl tagad nodarbojas ar baltu valodu pētīšanu un to salīdzināšanu ar citām indoeiropiešu valodām.

Var diezgan droši teikt, ka baltu vissenākās dzīves vietas atradās vairāk uz dienvidiem un austrumiem nekā vēlākās. Tā tad viņi visumā ir virzījušies uz ziemeļrietumiem.

Bez tam ir skaidrs, ka agrāk viņi ieņēmuši daudz plašākus apgabalus nekā tagad. Austrumos dažas viņu ciltis dzīvojušas apmēram līdz tagadējai Maskavai. Par to liecina daudzu upju nosaukumi Krievijā un Baltkrievijā. Taču šie apgabali bija visai reti apdzīvoti, un vēlāk tur iespiedās svešas ciltis.

Ļoti seni kaimiņi baltiem bija somu-ugru tautas, kas dzīvoja uz ziemeļiem un ziemeļaustrumiem no baltu dzīves vietām. Domā, ka tieši no baltiem somu-ugri iemācījās zemkopību, kas tiem agrāk bija sveša. Bet arī daudz cīņu tika izcīnīts šo tautu starpā.

Uz dienvidiem no baltiem, mežainā un purvainā apgabalā starp Karpatu kalniem un Dņepras upi, šķiet,

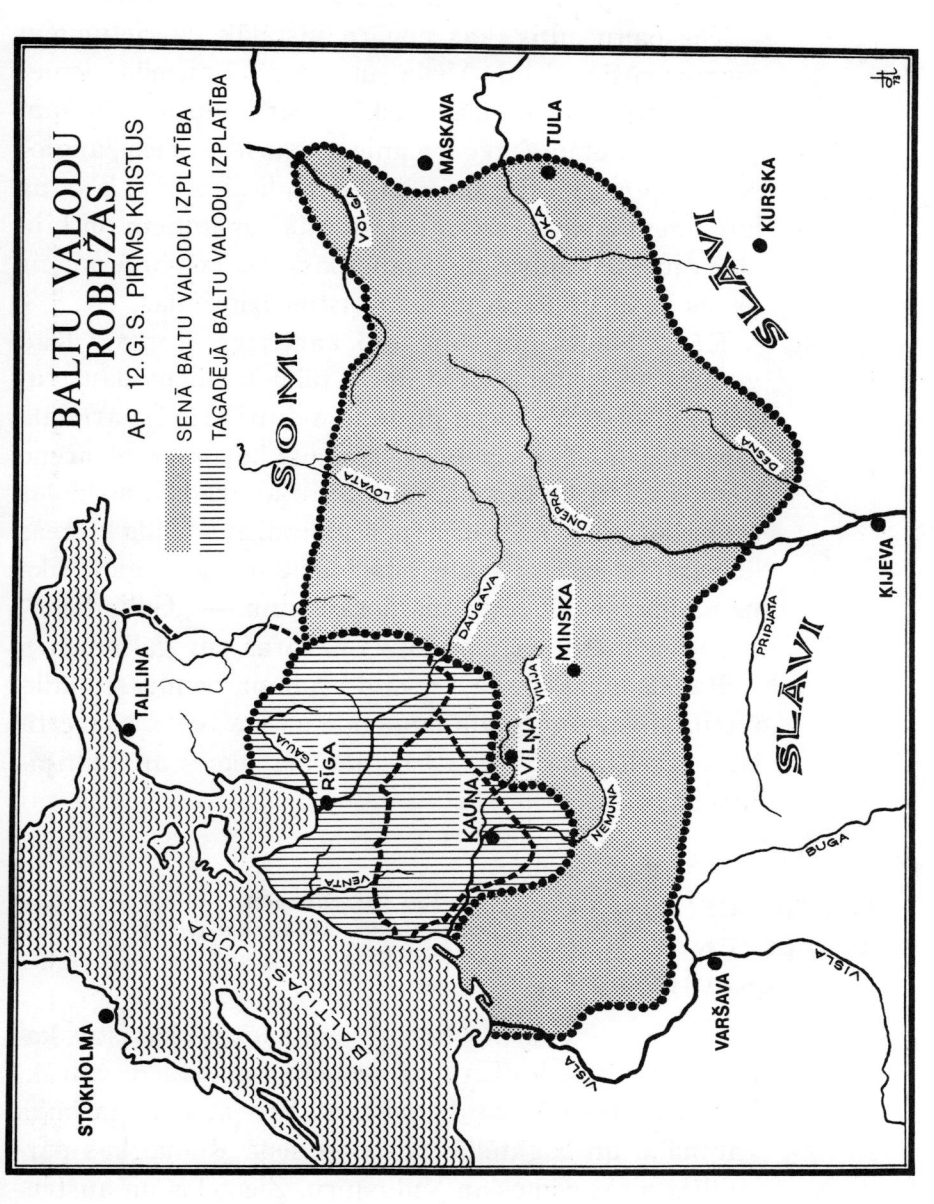

dzīvojuši senie slavi (no tiem cēlās krievi, ukraiņi, baltkrievi, poļi, čechi, slovaki, serbi, kroati u. c.).

Tās baltu ciltis, kas nonāca vistālāk uz rietumiem (senie prūši) — līdz Vislas upei, un kā pirmās sasniedza Baltijas jūŗu, vēlāk saskārās ar kādu no senajām ģermāņu tautām (no ģermāņiem cēlušies vācieši, anglosakši, dāņi, zviedri, norvēģi, holandieši u. c.). Tie, ar ko viņiem iznāca sastapties, saucās par gotiem un bija atceļojuši pāri jūŗai no Skandinavijas. Tas bija noticis dažus gadu simteņus pirms Kristus dzimšanas.

Kā prūši, tā goti bija ļoti kareivīgas tautas. Kad goti ap 200. gadu pēc Kr. devās tālāk uz dienvidaustrumiem līdz pat Melnajai jūŗai, tiem līdzi aizgāja arī daļa senprūšu. — Goti izcīnīja daudzus kaŗus pret vareno Romas valsti, un šais kaujās piedalījās arī daļa no kādas senprūšu cilts, ko sauca par galindiem. Kāds Romas ķeizars, lai izceltu savus nopelnus kaŗā, 253. gadā lika uz naudas iekalt sev goda nosaukumu — „Galindicus" (kas nozīmētu, ka viņš guvis uzvaras par galindiem).

Bet šīs cīņas un kaŗi ievadīja jaunu, nemierīgu laikmetu. Nākošajos gadu simteņos notika lielas pārvērtības visā Eiropā. Tās atbalsojās arī zemēs ap Baltijas jūŗu.

8
TAUTAS CEĻO, LATGAĻI IENĀK LATVIJĀ

„*Barbaru pasaule pēkšņi varenā satraukumā Izlēja Gallijas klajos visas ziemeļu tautas...*"
(Sidonijs, 5. g. s.)

PIRMAJOS GADU simteņos pēc Kristus kareivīgas tautas no Eiropas ziemeļu apgabaliem vairākkārt bija devušās uz dienvidiem. Tur atradās tā laika varenākā un bagātākā valsts — senā Roma, kas pārvaldīja visas zemes ap Vidusjūŗu. Ziemeļos un austrumos romieši mēģināja aizsargāt robežas, ko veidoja Donavas un Reinas upes. Vairākus gadu simteņus tas viņiem visumā izdevās.

Bet 4. g. s. beigās romiešu robežas tika pārrautas, un svešas tautas sāka ieplūst Romas valstī. Iemesls šim pārrāvumam bija kādas neredzēti mežonīgas jātnieku tautas iebrukums Eiropā no austrumiem. Šie iebrucēji gandrīz visu savu dzīvi pavadīja zirgu mugurās, uzbrūkot un kaujot tos, kas tiem gadījās ceļā. Viņus sauca par huņņiem, un tie radīja tādas izbailes, ka veselas tautas pameta savas dzīves vietas un bēga uz rietumiem un dienvidiem, ielaužoties Romas valstī.

Huņņu uzbrukums ievadīja tā saukto „lielo tautu staigāšanu", kas turpinājās vairākus gadu simteņus. Nemiers un nedrošība šajā laikā jūtama Eiropā, daudzas robežas mainījās un vairākas tautas (arī senie goti) aizgāja bojā asiņainos karos.

Senie slavi, kas dzīvoja uz dienvidiem no baltiem, nonāca briesmīgo austrumu jātnieku varā. Kad huņņu vara sabruka, citi stepju jātnieku pulki (avari) iebruka Eiropā. Tad slavi pamazām sāka virzīties projām uz rietumiem un ziemeļiem.

Rietumos viņi ieņēma plašus apgabalus līdz pat Elbas upei, kurus ģermāņu tautas bija pametušas „lielajā tautu staigāšanā". Ziemeļos slavi iespiedās baltu tautu austrumu apgabalos un nonāca saskarē ar somiem-ugriem.

Slaviem uzmācoties, kāda baltu cilts atstāja savas dzīves vietas austrumos no Latvijas tagadējās robežas un, virzoties gar Daugavu, ienāca Latgalē un austrumu Vidzemē. Tā viņi pievienojās tiem baltiem, kas jau senāk bija ienākuši Kurzemes un Zemgales dienvidu daļā.

Šie jaunie atnācēji pazīstami ar latgaļu jeb letgaļu vārdu, un viņi atspieda somus-ugrus tālāk uz ziemeļiem. Tas notika apmēram ap 600. gadu pēc Kr.

Bet arī tās baltu ciltis, kas bija apmetušās Kurzemē un Zemgalē, turpināja spiesties ziemeļu virzienā.

Tikai Kurzemes pussalas ziemeļu daļa un ziemeļrietumu Vidzeme palika somu-ugru rokās.

9
DIVĀS FRONTĒS

"Sarkan' bija vakarpuse,
Rīta puse sarkanāka."
(Tautas dz.)

REIZĒ AR SLAVU uzmākšanos no dienvidiem un austrumiem, baltiem 7. gadu simtenī nācās izcīnīt kaujas arī pret uzbrucējiem no ziemeļiem un rietumiem. Tie bija tagadējo zviedru senči, kas šai laikā sāka mēģināt nostiprināties Baltijas jūras dienvidu krastā.

Turpmāk cīņas un sakari ar Skandinavijas tautām — zviedriem un dāņiem kļuva arvien dzīvāki. Līdz ar to uzglabājušās plašākas un skaidrākas ziņas par baltu ciltīm, viņu nosaukumiem, kaujām un piedzīvojumiem, sevišķi pēc 800. gada.

Skandinavu teikas, iekaltie uzraksti viņu kapu akmeņos, ceļotāju un misionāru rakstītās liecības, kā arī izrakumi senajās nometņu un piļu vietās atklāj mums daudz no tā, kas līdz tam bija neskaidrs un nedrošs.

Kaut arī tad vēl nav iespējams atbildēt uz visiem jautājumiem, taču šīs ziņas līdzīgi starmetim pāršķeļ vēstures tumsu, un mēs ieraugām gan ieroču zibēšanu, gan kuģus ar bruņotiem vīriem, kas šķērso Baltijas jūŗu. Mēs skatām savukārt mūsu sentēvus tālos jūŗas braucienos, uzbrūkot Skandinavijas krastiem, dzirdam trauksmes signālus un redzam dūmus paceļamies no degošām, svešām pilsētām.

Ir pienācis laiks, kas atstājis drošas ziņas par senajām latviešu ciltīm, un varam tās saukt vārdos.

„Daugav' abas malas
Mūžam nesadalas:
I Kurzeme, i Vidzeme,
I Latgale mūsu."
(J. Rainis)

10
SENĀS LATVIEŠU CILTIS

Šajā stāstā līdz šim runāts par senajiem baltiem, tāpēc ka tagad tā mēdz apzīmēt latviešu, leišu un seno prūšu senčus. Taču baltu nosaukums ir jauns vārds, kas radies tikai pagājušā gadu simtenī.

Romieši, kas augsti vērtēja dzintaru, ko tie ieguva, tirgojoties ar senajiem baltiem, sauca tos par aistiem. Domā, ka šis vārds nozīmē „austrumu tautas", tas ir tautas, kas dzīvoja uz austrumiem no ģermāņiem. Katrā ziņā „aisti" ļoti līdzinās „austrumu" nosaukumam ģermāņu valodās (angļu „east", vācu un zviedru „öst").

Slavenais romiešu vēsturnieks Tacits raksta (98. g. pēc Kr.), ka aisti kopj čaklāk savus laukus nekā ģermāņi savā laiskumā. Viņi esot arī vienīgā tauta, kas vācot dzintaru. —

Taču mūsu sentēvi sevi nesauca ne par aistiem, ne par baltiem, bet dalījās vairākās ciltīs ar dažādiem nosaukumiem. Sevišķi, sākot ar 9. g. s., viņiem nācās arvienu vairāk saskarties ar zviedriem un dāņiem. Tāpēc šinī laikā ziņas par senās Latvijas iedzīvotājiem kļūst skaidrākas un pilnīgākas.

Latvijas ziemeļu novados — ziemeļrietumu Vidzemē un Kurzemes pussalas ziemeļos joprojām dzīvoja kāda somu-ugru tauta, ko sauca par lībiešiem jeb līviem.

Kurzemes lielākā daļa atradās rietumlatviešu cilts — kuršu rokās. Viņi arī devuši nosaukumu šim Latvijas apgabalam — Kursa, Kurzeme. Kuršiem bija lemts kļūt par drosmīgiem jūras braucējiem, un viņu vārds kļuva pazīstams tālu svešās zemēs. Kuršu novadi dienvidos robežojās ar seno prūšu un dienvidaustrumos ar zemaišu (rietumleišu) apgabaliem.

Uz austrumiem no kuršiem, tajā auglīgajā līdzenumā, pa kuŗu tek Lielupe ar tās pietekām, dzīvoja lepnie un bagātie zemgaļi. Varbūt šis vārds nozīmē „ziemgaļi" — tie, kas no baltiem pirmie bija nonākuši vistālāk uz ziemeļiem. Zemgaļi kļuva slaveni ar savām cīņām pret krieviem un vāciešiem. Viņu kaŗš ar pēdējiem ilga turpat 100 gadu.

Starp Zemgali un Daugavu atradās sēļu novadi. Domā, ka sēļi bija tuvi radinieki senajiem latgaļiem, kas dzīvoja Latgalē un austrumu Vidzemē. Latgaļu kaimiņi rietumos bija lībieši, ziemeļos — lībiešiem radniecīgie igauņi, bet austrumos krievi (kriviči).

Latgaļiem bija jākļūst par Latvijas austrumu robežu sargiem. Par viņu cīņām vēl tagad liecina daudzie pilskalni viņu novados.

No latgaļiem, sēļiem, zemgaļiem un kuršiem turpmākajos gadu simteņos izveidojās latviešu tauta. Par latviešiem laika gaitā kļuva arī lībieši.

Bet mūsu seno cilšu vārdi joprojām dzīvo Latvijas apgabalu nosaukumos.

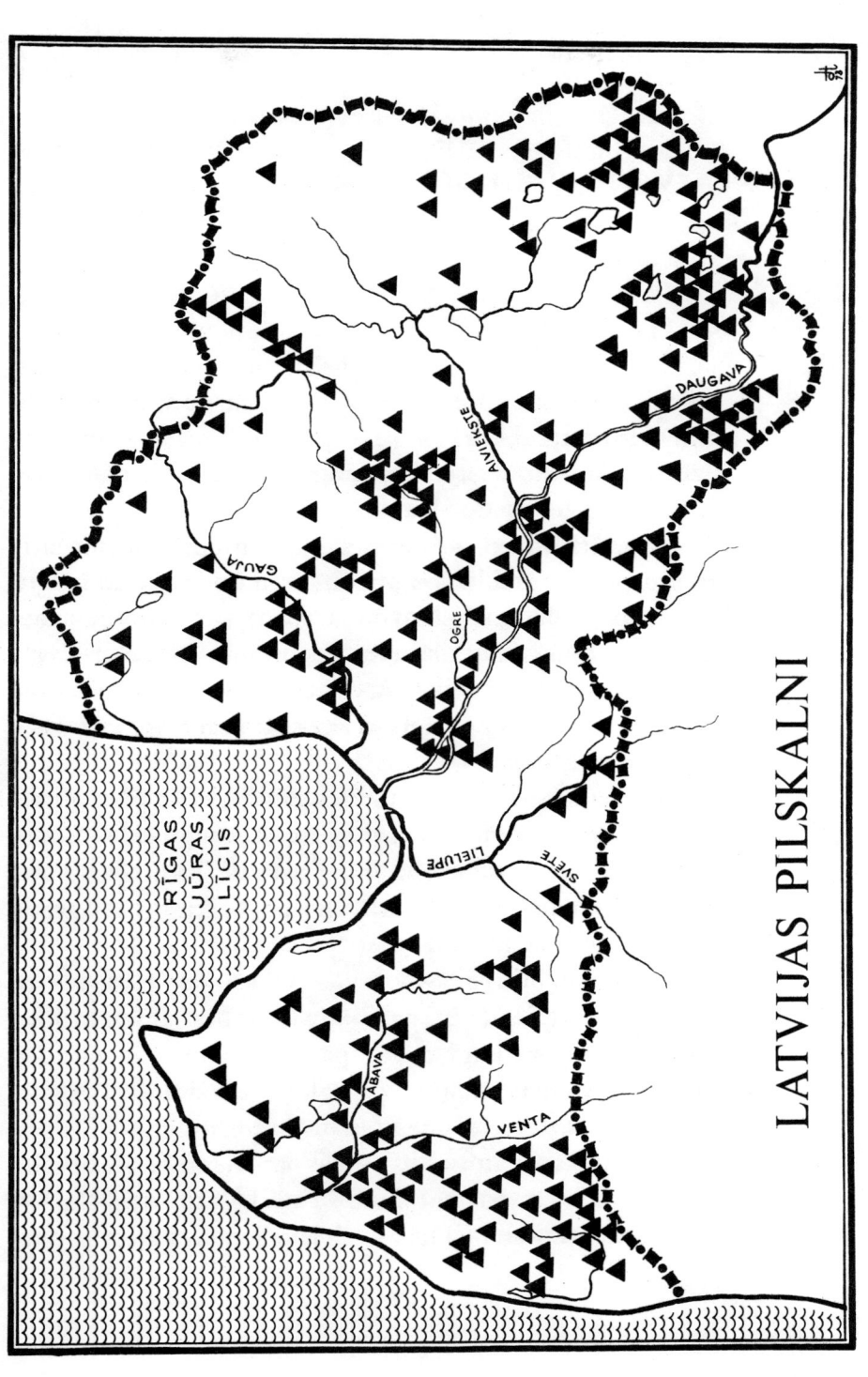

11
KURŠI — LATVIEŠU VIKINGI

"Gotu zemē atradu
Kuršu vīra kapu,
Sveicienam tur noliku
Sārtu kļava lapu."
(V. Strēlerte)

Latgaļiem bija jāaizstāv senās Latvijas austrumu novadi pret krieviem, bet kuršiem nācās sargāt rietumu robežu. Šī robeža bija Baltijas jūŗa, un uzbrucējam tātad bija vajadzīga flote. Bīstamākie šai ziņā bija zviedri un dāņi.

Šīs tautas jau 6.—7. g. s. sāka mēģināt uzbrukt citu zemju piekrastēm. Viņu galvenais mērķis sākumā bija laupīšana, vēlāk arī iekaŗošana. Laupīšanu toreiz neuzskatīja par negoda darbu, kā tas bija ar zagšanu. Zagli visi nicināja, bet veiksmīgs laupītājs bija varens un slavens vīrs. Tikai ja nebija iespējams laupīt, viņi dažkārt arī tirgojās.

Šos ziemeļniekus, kas tādā nolūkā devās pāri jūŗai, sauca par vikingiem (vaŗagiem, normaņiem). Laikmetu, kad viņu braucieni, laupīšana un iekaŗojumi notika sevišķi plašā mērā, apzīmē par vikingu laikmetu (800.—1050. g.).

Bet svešas piekrastes vilināja arī kuršus. Cīnoties ar ziemeļu vikingiem, viņi paši kļuva par bezbailīgiem jūrniekiem. Kuršu kuģi devās pāri jūŗai un uzbruka kā dāņu, tā zviedru krastiem un salām. To viņi darīja, gan lai atriebtos par svešinieku uzbrukumiem, gan lai iegūtu mantu, slavu un godu. — Ne par vienu latviešu cilti no šiem laikiem nav tik daudz ziņu kā par kuršiem. —

7. gadu simteņa vidū zviedriem izdodas nostiprinā-

Vikings

ties Kursā, netālu no tagadējās Liepājas — Grobiņā (domā, ka tā bijusi rakstu liecībās minētā kuršu Seeborg — Jūrpils). Tur tie uzceļ savu nometni jeb senpilsētu, kas pastāv līdz 8. gadu simteņa beigām (to atraka 1930. gadā). Tad notiek spēcīgs kuršu uzbrukums — zviedru senpilsētu ieņem un iznīcina. No tā laika Zviedrijā atrasti vairāki piemiņas akmeņi (rūnu akmeņi), kas celti varoņiem, kuri gājuši bojā „austrumos". Zviedru vēsturnieks Birgers Nērmans domā, ka tie varētu būt krituši no kuršu zobena minētajā kaujā.

Zviedru teikas stāsta, ka kurši iejaukušies arī pašu zviedru savstarpējās cīņās. — Kad divi valdnieki — Haralds un Rings sākuši karu, tanī piedalījušies arī cīnītāji no „austrumu zemēm". Haraldu, starp citu, atbalstījuši lībieši, bet Ringam nākuši palīgā kurši. Kaujā uzvarējis karalis Rings, un kļuvis valdnieks pār Haralda valsti. Tas varētu būt noticis ap 750. gadu (t. s. „Brovallas kauja"). Bet kad Rings kļuvis vecs un nekustīgs, viņa valsts samazinājusies. Kurši iebrukuši un laupīdami pārstaigājuši viņa zemi.

853. gadā Kursai uzbrūk liela dāņu flote, lai pakļautu to Dānijas karalim Horicham I. Kamēr kurši sapulcina savus karavīrus, kas atradās viņu nocietinātajās pilīs, dāņiem izdodas izcelt malā lielus spēkus. Notiek smaga kauja, kurā krīt puse no dāņu karavīriem. Tai pašā laikā kuršu flote izcīna arī uzvaru uz jūras un sagūsta pusi no dāņu kuģiem. Viņi iegūst lielu kara laupījumu, daudz zelta un sudraba. Pēc šīs sakāves dāņu karalis Horichs I pazaudē varu arī pašā Dānijā.

Par kuršu uzvaru un viņu lielo laupījumu uzzina zviedru karalis Olovs, kas valda Birkas pilsētā. Nākošā gadā viņam izdodas negaidīti iebrukt Kursā un ieņemt Jūrpili, kas atradās piekrastē. Pēc tam viņš aplenc stipro Apūles pili. To gan neieņem, bet kurši spiesti izdot laupījumu un apsolās maksāt nodevas.

Arī vēlāk zviedri mēģinājuši iekarot Kursu, bet nav spējuši to paturēt. Norvēģu karaļu teikas apraksta kādu sapulci Upsalā ap 1018. gadu. — Tiesas vīrs Torgnijs uzrunā zviedru karali, pārmet viņam augstprātību un nespēju, sacīdams: ,,Tas karalis, kas mums tagad ir, neļauj runāt neko citu, kā tikai to, kas tam patīk... Nespējības un nevarības dēļ viņš ļauj iet zudumā tām zemēm, kas maksājušas nodevas." Starp zemēm, ko zviedri pazaudējuši, tiek minēta ar Kursa.

Nevien zviedru un dāņu valdnieki karoja ar Kursu. Uz turieni bieži vien devās arī mazāki vikingu pulciņi, lai izmēģinātu roku. Tiem klājās ļoti dažādi. Līdz mūsu dienām ir uzglabājies nostāsts par Egila Skalagrima dēla piedzīvojumiem Kurzemē (10. g. s.).

Egils ar saviem kara draugiem ir nodarbojies ar laupīšanu Baltijas jūŗā. Pēc tam viņš izceļas Kursas krastā un noslēdz tirdzniecības līgumu. Vēlāk vikingi sāk laupīt un postīt. Kādās mājās tos pārsteidz apbruņoti kurši. Tie apšauda vikingus ar bultām un met uz tiem šķēpus. Tad kurši dodas tuvcīņā. Vikingi tiek ievainoti un sagūstīti. Egilu piesien pie mieta un iesloga pagrabā. Bet naktī, kamēr kurši dzīro un svin savu uzvaru, Egils atbrīvojas no saitēm, atsvabina savus draugus un citus kuršu gūstekņus. Viņi nolaupa saimniekam sudrabu un citas vērtīgas mantas. Egils pielaiž mājai uguni un nogalina daļu no tiem, kas bēg no liesmām. Tad vikingi dodas uz Dāniju un laupa, kur vien tiem gadās izdevība.

Taču ne visiem vikingiem laimējās tā kā Egilam. Daudzi uz visiem laikiem nonāca kuršu gūstā un palika par vergiem Kursā.

Senlatviešu pils ar senlatviešu kaŗavīru

„Kristīgo Dievu kur postā tad piesauca baznīcās dāņi:
— Sargi no kuršiem mūs, Dievs. — ..."
(K. Straubergs)

12
KURŠI TURPINA UZBRUKT

Pēc 1000. gada vikingu uzbrukumi kļūst retāki. Dānijā un Zviedrijā sāk izplatīties kristīgā ticība, bet kurši joprojām turas pie saviem senajiem dieviem, jo baidās zaudēt neatkarību.

Baznīcas vēsturnieks Brēmenes Ādams ap 1070. gadu raksta par kuršiem: „... Tie ir pārāk nodevušies elku dievībai. Tur ir ļoti daudz zelta un sudraba un vislabākie zirgi... No visas pasaules dodas ļaudis prasīt viņu dievu pareģojumus, sevišķi no Spānijas un Grieķijas." (Šais apgalvojumos, protams, ir daudz pārspīlējumu).

Kuršu uzbrukumi dāņiem un zviedriem turpinās un pieaug arī pēc 1000. gada. Dažkārt viņi tos izdara kopā ar igauņiem.

Dāņi bija tā iebaidīti, ka savās baznīcās mēdza skaitīt lūgšanas: „Dievs, pasargi mūs no kuršiem!"

Zviedri bija spiesti turēt novērotājus savā krastā, kas ar ugunskuriem signālizēja par igauņu un kuršu tuvošanos. Bet arī tas ne vienmēr spēja glābt.

Zviedru tā laika lielāko un bagātāko pilsētu (tur atradās arī karaļa naudas kaltuve) Sigtūnu igauņi un kurši izlaupīja un pilnīgi nopostīja 1187. gadā. Pēc šī uzbrukuma Sigtūna zaudēja savu nozīmi uz visiem laikiem, bet vēl līdz šai dienai tūr uzglabājušās kādreizējo lielo akmens celtņu drupas.

Taču kurši un vikingi ne tikai kāvās savā starpā. Viņi arī tirgojās, slēdza līgumus un daudz ko aizguva viens no otra. Domā, ka vikingu laikos latviešu ciltis sākušas saukt savus valdniekus par „kungiem", tāpat kā zviedri un dāņi (zviedru „kung", „konung"), bet varenākos — par lielkungiem.

Zviedru un dāņu mēģinājumi pakļaut Kursu neizdevās. Kurši savu uzdevumu bija izpildījuši — nosargājuši senās Latvijas rietumu robežu un savu brīvību. —

Varbūt tā ir nejaušība, bet arī jaunākajos laikos tieši no Kursas latvieši sāka savas valsts atbrīvošanu.

13
BAGĀTĀ ZEMGALE

*„Kur kviešu druvu bagāts līdzenums
Starp Tērveti un Auci plaši klājas..."*
(E. Stērste)

SERMLANDES apgabalā Zviedrijā atrodas 900 gadu vecs rūnu akmens (no 11. g. s.) ar šādu ierakstu:

„Zigrīda lika celt šo akmeni par piemiņu
savam vīram Svenam. Viņš bieži buroja
uz Zemgali greznā kuģī gar Kolkas ragu."

Auglīgā zeme un tirdzniecība ar ārzemēm vairoja zemgaļu bagātību. Ja mūsu laikos Zemgales ļaudis pazīstami kā lepni un lielmanīgi, tad to pašu var vērot senajā Zemgalē.

Viss šajā novadā bija varenāks un greznāks nekā citur. Zobeni un dunči gaŗāki, kaujas cirvji smagāki, rotas lietas lielākas un krāšņākas. Daudz sudraba tur tika norakts zemē kaŗa un nemieru laikos. Daļa no tā vēlāk ir atrakta — kādā vietā (Salgalē) atrastais sudrabs svēra 6 kg.

Lielupes lejas galā viņiem bija slavena osta, ko apmeklēja ārzemnieku kuģi. Senos aprakstos to arī sauc viņu vārdā — „Zemgaļu osta".

Ap 11. g. s. tie bez tam ieņēma un nocietināja par jaunu lībiešu stipro Daugmales pilskalnu, kas atrodas augšpus Doles salai pie Daugavas. Skaidrs, ka tas deva tiem jaunus ienākumus, jo Daugava vikingu laikos bija liels tirdzniecības ceļš. Pa Daugavu un Dņepru varēja nokļūt līdz Melnajai jūŗai un tālāk līdz bagātajai Konstantinopolei (Bizantijai).

Vikingi centās sagrābt savā varā galvenās upes, kas veda uz dienvidu zemēm, jo upes tais laikos bija labākie satiksmes ceļi. Pa tām tad plūda uz ziemeļiem gan laupīšanā, gan tirdzniecībā iegūtā nauda un mantas.

Vairākkārt zviedri bija mēģinājuši ieņemt arī Zemgali, bet bez panākumiem. Bagātība zemgaļus tomēr nebija izlutinājusi. Tie bija ne tikvien lepni vīri, bet arī nikni cīnītāji. Viņi bija arī vairāk apvienoti nekā citas latviešu ciltis.

Nopietnas briesmas 1106./07. gadā Zemgalei draudēja no krieviem. Polockas valdnieks (kņazs) Vseslavičs ar lielu armiju iebruka viņu zemē. Par pašu kaŗu ziņas nav uzglabājušās. Krievu chronika tikai apraksta tā iznākumu — zemgaļi asinaini satrieca krievu spēkus. 9000 krievu kaŗavīru palika guļam kaujas laukā. Ar to arī pietika, lai krieviem pārietu vēlēšanās ieņemt Zemgali.

Tas liecina, ka zemgaļiem tanī laikā bija nevien drošsirdīgi kaŗotāji, bet arī gudri un spēcīgi valdnieki un kaŗavadoņi. Tikai tā var saprast viņu lielo uzvaru pār krieviem. —

Ir zīmīgi, ka arī jaunākajos laikos daudzi spējīgi latviešu valstsvīri ir nākuši no šī Latvijas novada.

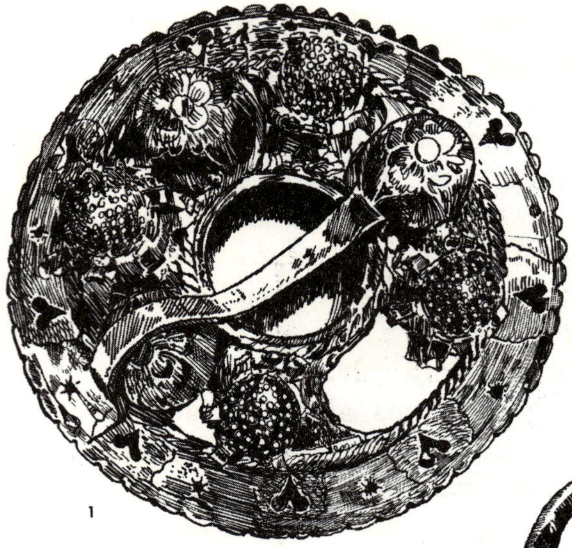

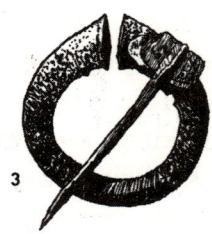

1. Sudraba sakta no Mazjumpravas depozita
   (saktai otrā pusē iegravēts - 1651)

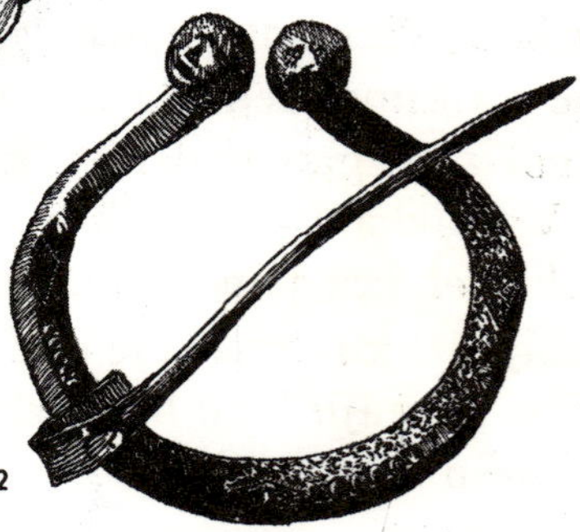

2. - 4. Bronzas saktas no Mežotnes pilskalna (12. g.s.)

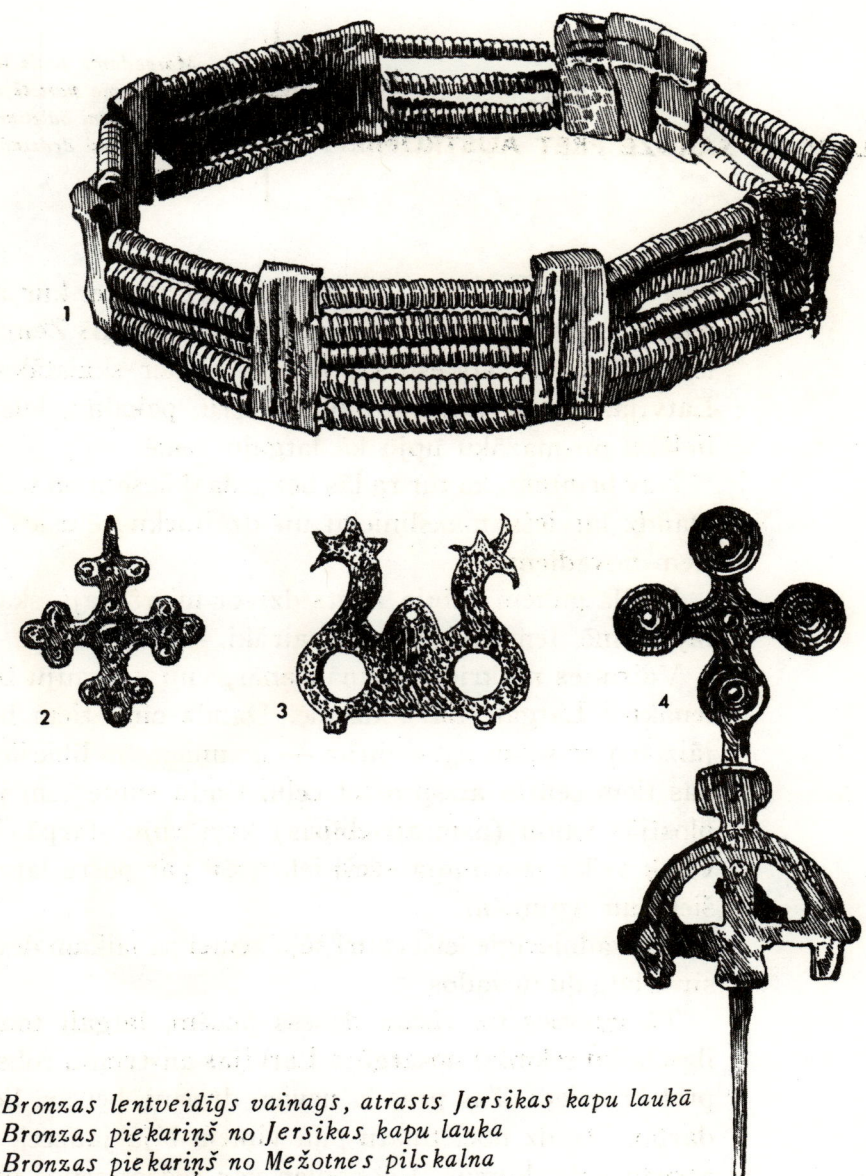

1. Bronzas lentveidīgs vainags, atrasts Jersikas kapu laukā
2. Bronzas piekariņš no Jersikas kapu lauka
3. Bronzas piekariņš no Mežotnes pilskalna
4. Rotu adata no Mežotnes kapu lauka

14
LATGAĻI SARDZĒ PRET AUSTRUMIEM

„Margodama saule lēca,
Margodama norietēja.
Vai tie mani bāleliņi
Krievu zemi dedzināja?"
(Tautas dz.)

Tagadējā Vidzeme un Latgale, kur apmetās senie latgaļi, nav tik auglīga kā bagātais Zemgales līdzenums. Totiesu šie novadi pieder skaistākiem Latvijā. Nekur nav tik daudz ezeru, pakalnu, ieleju, lielāku un mazāku upju kā latgaļu zemē.

Nav brīnums, ka tur radās bez gala dziesmu un teiku. Daudz latviešu mākslinieku un dzejnieku cēlušies no šiem novadiem.

Bet latgaļiem nebija lemts dzīvot mierā šajā skaistajā zemē. Iemesli tam bija vairāki. —

Vairoties no krievu uzmākšanās, viņi ar kauju bija ienākuši Latgalē un Vidzemē. Daudz cīņu tiem bija jāizcīna ar somu-ugru ciltīm — igauņiem un lībiešiem, kas tiem centās aizsprostot ceļu. Gadu simteņiem ilgi plosījās vaidu (asinsatriebības) kaŗi viņu starpā. To vēlāk veikli izmantoja sveši iebrucēji par postu latviešiem un igauņiem.

Arī radniecīgie leiši cauri sēļu zemei pa laikam devās sirot latgaļu novados.

Tā cīnoties uz visām debess pusēm, latgaļi tomēr ilgu laiku sekmīgi nosargāja Latvijas austrumu robežu pret krieviem. Tas prasīja nevien drosmi, bet arī lielu darbu. Daudz nocietinātu piļu viņiem bija jāuzceļ, lai atsistu uzbrukumus. Vēl šodien var redzēt senos pilskalnus, kur kādreiz atradušies viņu cietokšņi.

Pagāja vairāki gadu simteņi kopš latgaļu ienākšanas

Latvijā. Tad, vikingu laikmeta beigās (10.—11. g. s.), draudi no krieviem atkal pieauga. Dīvainā kārtā galvenie vainīgie šoreiz bija zviedru vikingi. — Kā tas notika?

*"Droši tie brauca
tālu pēc zelta
un austrumu ceļā
baroja ērgļus
(ar kritušo līķiem).
Nomira dienvidos,
arabu zemē."*

15
PĀRKRIEVOTIE VIKINGI VADA KRIEVU UZBRUKUMUS

TĀ PAR VIKINGU braucieniem ir iecirsts kādā akmenī Zviedrijā (Gripsholmā) ap 1000. gadu.

Galu galā zviedru valsts no vikingu cīņām un iekarojumiem nekā neieguva. Daudz vīru aizgāja bojā kaujās, bet tie, kas palika iekarotajās zemēs, sāka runāt svešajās valodās un pārtautojās. Viņu pēcnācēji pieņēma svešus vārdus, aizmirsa savu zemi un tautu.

Bet, būdami labi cīnītāji un organizētāji, viņi deva lielāku spēku tām zemēm, kur tie apmetās un palika dzīvot. Viņu vēlākās paaudzes piedalījās cīņās arī pret savu tēvutēvu zemi.

Tas arī saprotams, jo vikingiem trūka kāda augstāka, kopēja mērķa. Manta un nauda par tādu nevarēja būt, kaut arī par to bija dārgi jāsamaksā. Viņu likteni labi parāda ieraksts kādā zviedru rūnu akmenī (Austrumjētzemē):

"Gullem, zemniekam,
labam un krietnam,
pieci bij dēli.

> Pie Fīris upes
> Asmunds krita,
> bezbailīgs kauslis.
> Galu ņēma Atsurs
> austrumos Griekzemē.
> Halvdanu nosita
> Bornholmas salā,
> Kāri — pie Dandijas,
> un beigts ir Būe."

Šie vikingi, kuŗiem neizdevās pakļaut ne Kursu, ne Zemgali, uzmetās par kungiem slavu ciltīm.

Slavi bija gan daudzi skaitā, bet vāji organizēti. Caur viņu zemi gāja abi galvenie vikingu ceļi uz bagātajiem dienvidiem — Volga, kas noveda līdz arabu zemēm un Dņepra, pa kuŗu nokļuva Griekijā (Bizantijā). Cenzdamies pārvaldīt šos tirdzniecības ceļus, vikingi ar laiku palīdzēja nodibināt pārvaldi slavu valstij.

Tā ka slavi zviedrus sauca par „rūs" jeb „ros" (Viduszviedrijas piekrastes apgabalu sauc par Rūslāgenu), tad arī šī valsts dabūja „Rosijas" vārdu. Mēs to saucam par Krieviju, jo to slavu cilti, kas dzīvoja latgaļiem kaimiņos, sauca par krivičiem (krieviem).

Samērā drīz vikingu vadoņi un viņu kaŗa draugi pieņēma slavu valodu un ap 1000. gadu arī kristīgo ticību no grieķu priesteŗiem. Tā bija tā sauktā grieķukatoļu ticība jeb pareizticība.

Ieguvuši no vikingiem jaunu spēku un stingrāku kārtību, krievi atkal sāka uzmākties Latvijas austrumu robežai.

Uz austrumiem no latgaļu novadiem atradās Pliskavas un Novgorodas pavalstis, bet uz dienvidaustrumiem — Polocka (austrumslavu valsts centrs tajā laikā bija Ķījeva).

Divi svarīgi ceļi gāja caur latgaļu un lībiešu zemi — Daugava un Gauja. Pirmo centās pārvaldīt Polocka, otro — Pliskava un Novgoroda. Ar šīm trim krievu pavalstīm, ko vadīja pārkrievotie vikingi, tad arī iznāca sadurties kā latgaļiem, tā lībiešiem un igauņiem.

Sakarā ar to pareizticība sāka izplatīties Latgalē, Vidzemē un Igaunijā.

"Diženie, raženie Pleskavas bajāri,
Mūžam jums šai saulē neredzēt Krievmali..."
(A. Švābe)

16
KRIEVU VELTĪGĀ CĪŅA

LATGAĻI BIJA sīksta un izturīga cilts. Gadu simteņu ilgās cīņas pret dažādiem ienaidniekiem nespēja tos ne satriekt, ne pārtautot.

Viņi bija atkāpušies no savām agrākajām dzīves vietām uz rietumiem, bet tur — pie Daugavas, Aiviekstes un Gaujas, tie arī noturējās. Latgaļi arī deva savu vārdu vēlākajai latviešu valstij — Latvijai.

Lai labāk aizsargātos, tiem vajadzēja apvienoties. Tā radās senās latgaļu karaļvalstis — Tālava un Jersika. Ziņas par to izcelšanos un pirmo valdnieku vārdi nav uzglabājušies. Skaidrāk šīs valstis parādās sākot ar 12. gadu simteni.

Jersikas valdniekam klausīja tagadējā Latgale un daļa no Vidzemes — apmēram līdz Cēsīm. Galvaspilsēta Jersika atradās pie Daugavas, uz dienvidiem no Pļaviņām.

SLĀVU UN VIKINGU UZBRUKUMI
BALTU CILTĪM 9.–12. G. S.

Ziemeļaustrumu Vidzemē bija Tālavas valsts. Cauri tai tecēja Gauja, un gāja svarīgs tirdzniecības ceļš uz austrumiem. Tālavas centrs bija Trikātas pils (ievērojama bija arī Beverīnas pils). Tur ap 1200. gadu valdīja latgaļu slavenais un bagātais valdnieks Tālivaldis. Abas lielākās latgaļu valstis dalījās vairākās pavalstīs. Tās pārvaldīja lielkungam padoti kungi.

Pēc 1100. gada krievu chronikas stāsta par daudziem kariem ar latgaļiem, lībiešiem un igauņiem. Krievus vadīja pārkrievotie, pareizticīgie vikingi — viņu kungi. Tas bija Daugavas un Gaujas ceļš, ko tie centās iegūt savā varā.

Krievi centās arī izplatīt pareizticību. Ja tas izdevās, tad jaunkristītiem uzlika nodevas, ko sauca par pareizticības mesliem (no vārda „mest").

Jaunā ticība arī pamazām iespiedās Tālavā un Jersikā. Ne tik viegli bija ar pareizticības mesliem. Ne latgaļi, ne igauņi tos negribēja maksāt, un izšķirīgi salauzt šo tautu pretestību krievi nespēja.

1176./77. gada ziemā, kad purvi un ezeri aizsaluši, igauņi un latgaļi izdara stipru uzbrukumu Pliskavai, un krievi cieš lielus zaudējumus.

1180. gadā Novgorodas kņazs Mstislavs Drošsirdīgais ar 20.000 vīriem iebrūk Latgalē un Igaunijā. Šoreiz tam izdodas piedzīt meslus.

Bet jau pēc trīs gadiem latgaļu karaspēks atriebjas krieviem un nopostā Pliskavas zemi.

Visu 12. gadu simteni gar senās Latvijas austrumu robežu dun kaujas troksnis. Brīžiem krieviem ir panākumi, brīžiem tos pašus smagi sakauj. —

Tanī pašā laikā uz dienvidiem no Latvijas pieauga spēkā un apvienojās stiprā vadībā kāda latviešiem radnieciga cilts. Tie bija senie leiši. Nākošajā gadu simtenī viņi satrieca krievu varu rietumos. Plašus krievu apgabalus pievienoja leišu valstij — Lietuvai.

Ap to pašu laiku Krievijas austrumu daļu ieņēma mongoļu jātnieku pulki — tatāri. Vairāk nekā 200 gadus austrumslavi palika viņu jūgā.

Veltīgi tātad izrādījās krievu uzbrukumi senajai Latvijai.

Apvienotās Lietuvas karalis centās pievienot sev arī radiniekus ziemeļos — latviešu ciltis. Varbūt būtu nodibinājusies liela leišu un latviešu valsts. Tas tomēr nenotika. Šajā likteņīgajā laikā kāda sveša vara iejaucās cīņās pie Baltijas jūras.

17
VĀCIEŠI SOĻO UZ AUSTRUMIEM

Vikingu laiku beigās kāda dziesma arvienu biežāk atskanēja vācu zemēs. Tā sākās ar vārdiem:

„Uz austrumiem gribam mēs jāt,
Uz austrumiem gribam mēs doties..."

Senie vācieši bija nemierīgi ļaudis. Lielajā tautu staigāšanā tie bija traukušies uz rietumiem un dienvidiem. Tukšajos apgabalos starp Elbas un Oderas upēm nometās slavu ciltis (rietumslavi).

Bet, sākot ar 9. g. s., vāciešiem kļuva par šauru rietumos. Viņi sāka atkal plūst uz austrumiem. Tas notika lielā mērā ar zobena un krusta palīdzību. Karavīriem sekoja vācu zemnieks ar arklu. Ceļa sagatavotāji un izlūki bieži vien bija vācu tirgotāji. Tāpat viņi palīdzēja iekarotājiem ar naudu.

Tā vācu cilts, kas vadīja uzbrukumu austrumu apgabaliem, saucās par sakšiem. Raksturīgi, ka igauņu valodā vēl tagad „saksis" nozīmē vācieti. Sakši bija kareivīgi, bet rupjāki un mazāk mācīti nekā rietumvāci. Tikai nesen tā laika Eiropas stiprākais valdnieks, ķeizars Kārlis Lielais (768.—814.), pēc niknas kaušanās bija tos piespiedis kristīties. Taču drīz vien sakši ar augstprātību sāka skatīties uz tiem, kas vēl nebija kristīti (pagāni).

Kaŗi pret rietumslavu tautiņām bija nežēlīgi. Slavi sīksti pretojās un savukārt gāja pretuzbrukumos. Tomēr sakši neatlaidīgi spiedās uz priekšu — uz austrumiem. Vāciešiem bija labāks apbruņojums un modernāki cīņas paņēmieni. Pie tā viņi galvenā kārtā bija tikuši 10. gadu simtenī. Toreiz vācu apgabalus bieži postīja, laupīja un dedzināja kāda mežonīga jātnieku tauta — ungāri. Bailes no tiem Vācijā bija tik lielas, ka daudzi domāja — ir pienācis pasaules gals. Vācu kaŗaspēks bija bezspēcīgs ungāru priekšā un tika vairākkārt briesmīgi sakauts. Tad vācu valdnieki pārveidoja armiju. Tika radīti dzelzu bruņās kalti jātnieku pulki — bruņinieki. Ar to palīdzību beidzot atsita ungārus.

Šie smagās bruņās tērptie jātnieki salauza arī slavu pretestību, un, tāpat kā tanki mūsu dienās, izlauza ceļu caur pretinieku līnijām.

„Spiešanos uz austrumiem" atbalstīja arī Romas katoļu baznīca. Kaut pagānus toreiz bija Dievam patīkams darbs. Kaŗus pret nekristītiem sauca par krusta kaŗiem. Tie kļuva sevišķi plaši 12. un 13. g. s. Tai laikā domāja, ka pagāni ar varu „jāpiespiež ieiet īstajā baznīcā". Kaŗa sauciens bija vienkāršs: „Kas negrib kristīties, tam jāmirst!"

Vācieši labprāt uzņēmās iet krusta karos pret saviem kaimiņiem austrumos. Tādā kārtā varēja iegūt jaunu zemi, mantu un bez tam vēl — grēku piedošanu.

Līdz 12. gadu simteņa beigām rietumslavi jau lielā mērā bija pakļauti vāciešiem. Pie Baltijas jūras krastiem seno slavu nocietinājumu vietā uzcēla vācu ostas, piem., Lībeku (1143. g.). Vācu kuģi sāka braukt arvien tālāk un tālāk uz austrumiem.

Tirdzniecība deva lielus ienākumus. Vācieši centās to vienmēr paplašināt. Vācu tirgotāji no saviem jaunajiem atbalsta punktiem sāka iespiesties Zviedrijā, Dānijā, Norvēģijā un Baltijā.

Ap 1160. gadu viņi apmetās Visbijas pilsētā Gotzemē. Bet gotzemieši (zviedri) jau sen tirgojās ar lībiešiem, latviešu ciltīm un krieviem. Tie labi pazina senās Latvijas piekrasti, upes un ostas. Nav brīnums, ka tagad arī pirmie vācu kuģi iebrauca Daugavas grīvā.

Tādā kārtā, pustūkstoš gadu pēc zviedriem un dāņiem, vācieši nonāca senās Latvijas krastos.

VIDUSLAIKI

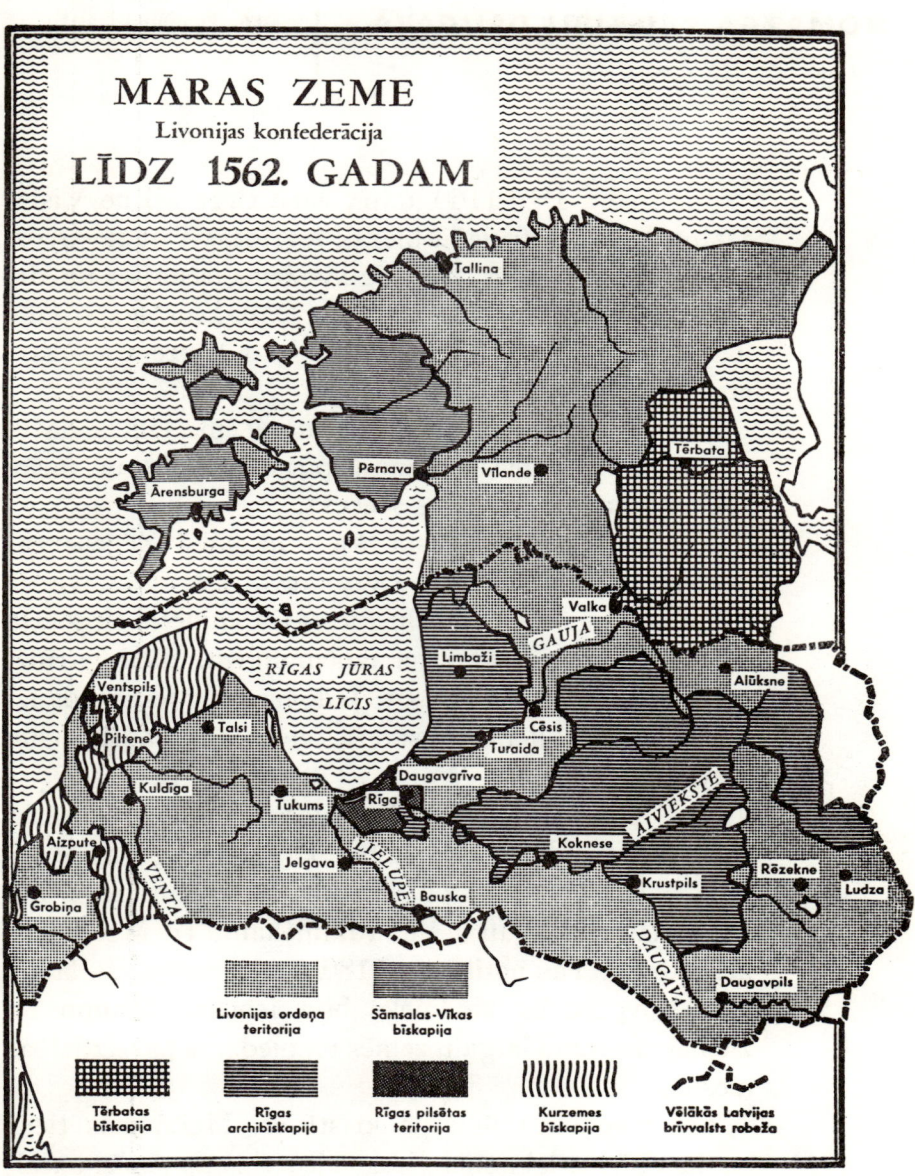

18
LĪBIEŠI NOMAZGĀ KRISTĪBU DAUGAVĀ

„*Nolemts ir Baltijā arī Kristīgo ticību ievest...*"
(A. Pumpurs)

Pēc 1160. gada vācu tirgotāji no Visbijas un Lībekas arvienu biežāk iegriezās Daugavas ostās un tirgus vietās. Tur tie vispirms sastapās un tirgojās ar lībiešiem, kas dzīvoja Daugavas lejas galā. Tāpēc vācieši šo zemi sāka saukt par Līvzemi — Livland, Livonia.

Starp vācu precēm galveno vietu ieņēma sāls un dažādi audumi. No lībiešiem viņi uzpirka zvērādas un vasku (no tā gatavoja baznīcas sveces).

Vecās chronikas stāsta, ka tanī laikā Zēgebergas klosterī Vācijā dzīvojis kāds dievbijīgs mūks, vārdā Meinhards. Ar laiku viņš iestājās minēto tirgotāju dienestā. Toreiz, ar maz izņēmumiem, tikai garīdznieki prata lasīt un rakstīt. Jādomā, ka Meinhards izpildīja tirgotājiem rakstveža vietu un vadīja viņu dievkalpojumus.

Viņš pamazām iemācījās lībiešu valodu un nolēma tiem sludināt Kristus mācību. Tā ka Daugavas lejasgala lībieši atradās Polockas kņaza virskundzībā, tad bija jāizprasa atļauja šim valdniekam. To Meinhards arī dabūja. Tas notika ap 1180. gadu, tanī pašā laikā, kad Novgorodas valdnieks bija iebrucis igauņu un ziemeļaustrumu latgaļu zemēs un piedzina pareizticības meslus.

Lai piedabūtu lībiešus kristīties, Meinhards tiem solīja visādus labumus. Starp citu viņš apņēmās uzcelt mūŗa pilis aizsardzībai pret leišiem. Tādā kārtā tam izdevās nokristīt daļu no lībiešiem un viņu kungiem. Meinhards uzcēla Ikšķilē pirmo baznīcu un arī solītās mūŗa pilis.

1186. gadā Brēmenes archibīskaps iecēla Meinhardu par pirmo lībiešu bīskapu Ikšķilē. Ar kristīšanu tomēr negribēja veikties. Kad pilis bija uzceltas, jaunkristītie atkal atkrita. Jaunā mācība tiem bija grūti saprotama un nespēja tos saistīt.

Meinhards bija viņus kristījis ar Daugavas ūdeni. Pēc lībiešu domām no svešās ticības varēja atbrīvoties, ja viņi savukārt nomazgājās Daugavā. Tā arī lielākā daļa kristīgo ticību atkal nomazgāja un aizsūtīja līdz ar viļņiem atpakaļ uz Vāczemi.

Uz mūža beigām Meinhards bija nolēmis piespiest lībiešus kristīties ar varu. Kādā dienā viņš taisījās slepeni atstāt Ikšķili un doties uz Gotzemi vākt krusta kaŗotājus. Bet lībieši to bija uzzinājuši. Kad bīskaps devās uz kuģi, tie aizsprostoja viņam ceļu un, smīnēdami, teica: „Sveiks, mācītāj! Cik maksā sāls un vadmala Gotzemē?"

Meinhards saprata, ka viņa nodoms atklāts. Viņš bija spiests palikt Ikšķilē, nekā nepanācis. 1196. gadā tas turpat mira, bet lībieši palika pie savas tēvutēvu ticības.

Notikumus senajā Latvijā, sākot ar bīskapu Meinhardu, nedaudz vēlāk savā chronikā aprakstīja kāds katoļu priesteris, ko sauca par Latviešu Indriķi — Henricus de Lettis. No šī laika rakstu liecības par mūsu senajām ciltīm vispār ir daudz pilnīgākas nekā agrāk. —

Var teikt, ka Latvijā beigušies senie un sākušies viduslaiki.

19
KĀ RADĀS TEIKA PAR IMANTU

„Tam zelta pilī snaužot,
Tas zobens nesarūs,
Kuŗš dzelzu bruņas laužot
Kā liesma kļuvis būs."
(Andrejs Pumpurs)

Divus gadus pēc bīskapa Meinharda nāves vācu flote ar krusta kaŗotājiem iebrauca Daugavā. Tos vadīja jaunieceltais bīskaps Bertolds. No šī brīža sākās vācu kaŗi pret somu-ugru un baltu tautām, kas ilga simt gadus. Bez gala asinis tika izlietas šajā laikā, un tie, kas iesāka šos kaŗus, nekad nepiedzīvoja to beigas.

Pirmie ar vāciešiem krustoja ieročus lībieši. Bertolds viņus uzaicināja kristīties, bet, kad tie atteicās, uzsāka kauju. Tas notika kādā vietā, ko sauca par Rīgu, netālu no kāda lībiešu ciema.

Cīņā virsroku guva labāk bruņotie krusta kaŗotāji, un lībieši sāka atkāpties. Bīskaps Bertolds uz zirga bija izrāvies priekšā pārējiem, lai vajātu pretiniekus. Šajā brīdī kāds lībiešu kaŗotājs caururba viņu ar šķēpu. Tā krita otrais lībiešu bīskaps Bertolds, neko nesasniedzis. Tas notika 1198. gadā.

No Indriķa chronikas ir zināms, ka tā cīnītāja vārds, kas nodūra Bertoldu, bija Imauts. Turpretī nav uzglabājies nekas par Imauta tālākajām gaitām.

Kad vēlākos laikos sāka pētīt cīņas ar vācu iebrucējiem, atkal tika ievērots Imauta vārds. Viņš tomēr savā laikā bija izjaucis bīskapa Bertolda iekaŗošanas plānus.

Kāds latviešu tautas draugs, vācu rakstnieks Garlībs Merķelis, 600 gadus pēc minētās kaujas sarakstīja stāstu par Imauta cīņām ar vāciešiem, nosaukdams viņu nepareizi par Imantu.

Pēc Merķeļa stāsta vācieši Imantu beigās uzveic ar viltu — viņu ievaino divkaujā ar saindētu zobenu. No šī ievainojuma Imants mirst, un lībieši, pazaudējuši savu vadoni, izmisumā bēg.

Latviešu dzejnieks Andrejs Pumpurs pēc tam savukārt sarakstīja dzejoli „Imanta nevaid miris...", kas padarīja šo cīnītāju par visas latviešu tautas varoni. Vairākām latviešu paaudzēm tas atgādināja senās kaujas, un bija uzmudinājums cīnīties par tautas brīvību. —

Ka viņa šķēpa trieciens kādreiz nākotnē iegūs tik lielu nozīmi, tas Imautam 1198. gadā, protams, nevarēja ienākt ne prātā.

„Tver mestri, bruņnieki un kalpi šķēpus riekšā, Un ceļas pamalē to nepārredzams bars."
(J. Medenis)

20
BĪSKAPS ALBERTS GATAVOJAS UZBRUKUMAM

ABIEM PIRMAJIEM lībiešu bīskapiem nebija veicies. 1199. gadā Brēmenes archibīskaps iecēla trešo — savu radinieku Albertu.

Alberts bija vairāk valstsvīrs nekā mācītājs. Viņš piederēja tiem viduslaiku garīdzniekiem, par kuŗiem rakstnieks Valters Skots saka, ka tie ir „vīri kā ozoli, kam Dieva svētie vārdi diezgan tāli". Viņš bija neatlaidīgs, gudrs un godkārīgs, un viņa plāni bija lieli.

Alberts cerēja kļūt archibīskaps un reizē valdnieks jauniekaŗotajās zemēs. Viņš arī guva ļoti ievērojamus panākumus, kaut arī visi viņa sapņi nepiepildījās.

Tas saprata, ka uzdevums nebūs viegls un nemaz nesteidzās tūlīt doties uz Baltiju. Veselu gadu viņš pavadīja ceļojumos un apspriedēs, lai sagatavotos uzbrukumam.

Alberts apmeklēja Vācijas un Dānijas karaļus, apspriedās ar sakšu tirgotājiem un vāca krustnešus Vācijā un Visbijā.

Dānijā toreiz valdīja karaļi no spēcīgās Valdemāru dzimtas. Šī valsts bija kļuvusi tik varena, ka Alberts neuzdrošinājās uzbrukt Baltijai bez dāņu piekrišanas. Ko Alberts solīja dāņu karalim Knutam VI un viņu izveicīgajam archibīskapam Absalonam? Tas nav zināms. Bet turpmākie notikumi rādīs, ka dāņi tomēr iejaucās vācu krusta karos Baltijā, lai arī sev gūtu kādus labumus.

Vācu tirgotāji bija sajūsmināti par iekaŗošanas plāniem. Tirdzniecības ceļi, kas gāja caur Latviju, bija jau agrāk vilinājuši vikingus un krievus. Tur gaidīja liela peļņa, un sakšu tirgoņi bija ar mieru dot naudu kaŗavīru vākšanai un apbruņošanai. — Vēsture rāda, ka mūsu zemi jau no seniem laikiem iekārojuši visādi laimes meklētāji.

Alberts panāca arī, ka katoļu baznīcas galva, Romas pāvests, 1199. gadā ar sevišķu rakstu (bullu) izsludināja krusta kaŗu pret Livoniju. Toreiz Svētajā krēslā sēdēja viens no visvarenākajiem pāvestiem — Innocents III (Nevainīgais). Visiem, kas piedalījās kaŗā, tika apsolīta grēku piedošana.

Dzejnieks Vilis Plūdonis, tēlodams krustnešu pulcēšanos, tāpēc raksta:

„No visādiem Vācijas vidiem
Gan augsti, gan zemi salasās —
Ar' zagļi un blēži pa vidiem."

Tikai kad Alberts bija no visām pusēm nodrošinājies un savācis stipru karaspēku, tas ar 23 kuģiem devās uz Daugavas grīvu.

Bija pienācis tā Kunga 1200. gads.

„Daudzas slavenas lietas ir notikušas Livonijā, atgriežot pagānus."
(Indriķa chronika)

21
SKALDI UN VALDI

AR KAUJU bīskaps Alberts 1200. gadā izkāpj Daugavas krastā. Pēc pirmajām sadursmēm un lībiešu lauku nodedzināšanas noslēdz pamieru. Daļu lībiešu izdodas nokristīt.

Tad Alberts ielūdz viņu kungus un vecākos uz dzīrēm Rīgas ciemā. Paļaudamies uz pamieru un bīskapa aicinājumu, lībieši arī ierodas. To starpā ir arī Turaidas kungs Kaupo. Māju ar ielūgtajiem viesiem pēc bīskapa pavēles ielenc vācu krustneši, un tikai tagad lībieši atjēdzas, ka ievilināti lamatās.

Ar viltu sagūstītajiem lībiešu vadoņiem bīskaps uzstāda savus noteikumus: jāpiešķir vāciešiem zeme pie Rīgas ciema pilsētas celšanai, un jādod 30 dižciltīgi zēni par ķīlniekiem. Lībiešu vecākajiem nav glābiņa, un tiem jāizpilda Alberta prasības.

Lībiešu zēnus aizved kuģī uz Vāciju, lai izaudzinātu par uzticamiem vācu piekritējiem. Bet vācieši nocietinās pie Rīdziņas upes ietekas Daugavā, kur jau atradās lībiešu ciems un osta, kā arī vācu tirgotāju apmetnes no agrākiem laikiem. Pilsēta, kas tur izaug, dabū Rīgas vārdu.

Par Rīgas dibināšanas laiku vācieši vēlāk pieņēma 1201. gadu un Albertu apzīmēja par pilsētas dibinātāju. Taču pilsētas parasti nemēdz dibināt. Tās izaug pamazām izdevīgās vietās — no vecām tirgus vietām pie ūdens vai zemes ceļiem, vai arī ap senām nocietinājumu vietām. Tāpat tas bijis ar Rīgu. Cik veca īstenībā bija osta pie Rīdziņas upes, un kad tur sāka apmesties tirgotāji, to grūti spriest. Jau minēts, ka arī bīskaps Bertolds krita vietā, ko sauca par Rīgu.

Tomēr tikai no Alberta laikiem Rīga kļūst par galveno atbalsta punktu vācu iekarotājiem. Tam ir liela nozīme. Turpmākajās cīņās vāciešus vairākkārt smagi sakauj, bet nocietinātajā Rīgā tie vienmēr vēl atrod patvērumu.

Lai Rīgai nebūtu sāncenšu tirdzniecībā, Alberts panāk, ka pāvests 1201. gadā piedraud izslēgt no baznīcas tos, kas apmeklēs Zemgaļu ostu. Visi tomēr neklausa aizliegumam. Šos tirgotājus bīskapa ļaudis vajā. Dažus, kas krīt viņu rokās, tie nogalina bez žēlastības.

Bet Albertam ir daudz rūpju. Krustneši parasti paliek Livonijā tikai vienu gadu. Izkāvušies un saņēmuši par to grēku piedošanu, tie dodas atpakaļ. Tāpēc bīskapam vienmēr jāvāc jauni karapulki. Pavisam Alberts brauc 14 reizes uz Vāciju šādos nolūkos.

Lai tam būtu pie rokas pastāvīgs, apmācīts karaspēks, tad 1202. gadā mūks Teodoriks (Alberts aizbraucis uz Vāciju vākt krustnešus) nodibina „Kristus bruņnieku brālību". Tiem, kas tanī iestājas, jāsolās cīnīties ar neticīgiem un jādzīvo paklausībā, šķīstībā un nabadzībā. Virs bruņām tie nes baltu mēteli, kam uzšūts krusts un zobens sarkanā krāsā. Tāpēc šos Kristus bruņiniekus sāk saukt par zobenbrāļiem, viņu organizāciju — par Zobenbrāļu ordeni.

Bīskapam Albertam vēlāk ir daudz nepatikšanu ar šiem Dieva bruņniekiem. Ordenī sastājas dažādi piedzīvojumu meklētāji un ļaudis ar tumšu pagātni. Arī daudzi tirgotāju dēli kļūst par zobenbrāļiem. Tāpēc ordeni dažkārt zobgalīgi dēvē par „vācu tirgotāju biedrību". Zobenbrāļu priekšnieku sauc par meistaru jeb mestru. Kāda kārtība valda ordenī, rāda tas, ka pirmo mestru Venno Kristus bruņinieki paši nosit. Arī nākošajiem neklājas viegli.

Tomēr ar krustnešiem un zobenbrāļiem vien Albertam nebūtu izdevies gūt lielākus panākumus. Bet viņš prot arī veikli izmantot senās Latvijas un Igaunijas ciltis un viņu savstarpējās cīņas savā labā.

Par baltu un somu-ugru vaidu kariem ir jau minēts. Bez tam latviešu ciltis un viņu kungi dažkārt karo savā starpā. Veiklajam Albertam izdevību tā tad netrūkst. Viņš sabiedrojas te ar vienu, te ar otru, slēdz un lauž norunas, un viņa vara aug.

Vācu pusē pāriet kristītais lībiešu lielkungs Kaupo. 1203. gadā viņu sūta uz Romu, kur to laipni pieņem pāvests un iztaujā par zemi, un ļaudīm Baltijā. Līdz pat savai nāvei Kaupo uzticīgi kalpo Albertam.

1202. gadā vāciešiem izdodas noslēgt savienību arī ar ievērojamo zemgaļu karali Viesturu, kam kārtojamas vecas lietas ar lībiešiem un leišiem.

Ar kristīto lībiešu un nekristīto zemgaļu palīdzību Alberts līdz 1206. gadam pakļauj visus Daugavas un Gaujas lībiešus. Polockas kņazs reizēm mēģina iejaukties cīņās pret vāciešiem, bet bez panākumiem. Vairākās lībiešu pilīs Alberts ieliek vācu bruņniekus.

Vāciešu panākumi uztrauc dāņus. Viņu valdnieks Valdemārs II, saukts Uzvarētājs, sūta 1206. gadā savu floti pret Sāmu salu Igaunijā, bet cieš neveiksmi.

Iekaŗoto Līvzemi Alberts veltī Svētajai Jaunavai Marijai. Blakus „Livonijai" rodas otrs nosaukums — „Māras zeme" (Terra Mariana). Tā viduslaikos sauc Latviju un Igauniju. Mūsu dienās šai vārdā vēl joprojām dēvē katoļticīgo Latgales novadu.

22
TĀLAVIEŠI SLĒDZ BĪSTAMU SAVIENĪBU

„*Tā nobeidzās Tālavas tālā slava,
Tā nomira virsaitis Tālivalds.*"
(Jānis Grīns)

ALBERTS vēlējās nostiprināt savu valdnieka stāvokli iekaŗotajās zemēs. 1207. gadā viņš nodod Līvzemi Vācijas karaļa — Švābijas Fīlipa virskundzībā un aizsardzībā. Fīlips savukārt nodod to Albertam atpakaļ valdīšanā. Līdz ar to Livonijas bīskaps kļūst Vācijas karalim padots valdnieks — karaļa vasalis. Liela nozīme tam gan nav. Vācijas valdnieku vara viduslaikos arvienu vairāk mazinās. Ne pavēlēt, ne palīdzību sniegt Livonijai tie nespēj.

Tai pašā laikā arvienu uzstājīgāki kļūst zobenbrāļi — Alberta galvenais bruņotais spēks. 1207. gadā bīskapam jāpiekrīt, ka ⅓ no visām iekaŗotajām zemēm iegūst Zobenbrāļu ordenis. Tas ir smags trieciens Albertam. Viņa cerības kļūt par vienīgo valdnieku ir iedragātas.

Zobenbrāļi arī tūlīt sāk rīkoties paši uz savu roku. Viens no viņu lielākajiem panākumiem ir kaŗa savienība, ko tie noslēdz ar Tālavas latgaļiem. Tas noticis ap 1207.—1208. gadu. Līguma slēgšanā piedalījušies latgaļu kungi Tālivaldis, Varidots un Rūsiņš. Vācieši iegūst tiesības celt vairākas nocietinātas pilis latgaļu novados.

Kāpēc tālavieši sabiedrojās ar varaskārajiem un neuzticamajiem zobenbrāļiem? Jādomā, ka viņi gribēja galīgi sagraut igauņu pretestību ziemeļos. Latgaļi jau ilgi bija Vidzemē spiedušies uz priekšu, bet igauņi pretojās sīksti. Vācieši tanī laikā latgaļiem, acīmredzot, vēl nelikās bīstami. Ar to palīdzību bez tam varēja cerēt labāk atsist arī krievu un leišu uzbrukumus. Tomēr šī ieroču savienība bija domāta galvenā kārtā uzbrukumam. To rāda turpmākie notikumi.

Tūlīt pēc savienības noslēgšanas sabiedrotie latgaļu, lībiešu un vācu karapulki iebrūk igauņu dienvidu novadā Ugaunijā (no „Ugaunijas" cēlies „Igaunijas" nosaukums latviešu valodā). Ar to iesākas gandrīz 20 gadu ilgais, nežēlīgais karš ar igauņiem. Daudz briesmīgu un varonīgu darbu pastrādā šinī laikā, un daudz niknu, slavenu karotāju krīt cīņā.

Igauņi sauc palīgā krievus no Pliskavas un Novgorodas, bet leiši izmanto vispārējo kaušanos un dragā visus, kas viņu sirotājiem gadās pa ceļam.

Jau 1212. gadā latgaļi un lībieši sanaidojas ar mantkārīgajiem zobenbrāļiem. Pāri zemei iet sauciens: „Esiet stipri un cīnieties, lai jums nebūtu jākalpo vāciešiem!"

Soteklas pilskungs Rūsiņš, viens no agrākajiem līguma slēdzējiem, tagad piedalās cīņā pret zobenbrāļiem. Vācieši viņu dēvē par drošsirdīgu kara vadoni, un arī Rūsiņš pats ir apzinājies savus daudzo kauju nopelnus. Indriķa chronikā atzīmēts viņa izteiciens: „Nākamās paaudzes vēl ilgi daudzinās manus kara darbus." —

Šis bezbailīgais karotājs krīt negaidīti, savas pārdrošības dēļ. Gribēdams no Sateseles pils vaļņa sasveicināties ar savu bijušo draugu — Cēsu pils priekšnieku, bruņnieku Bertoldu, Rūsiņš noņem bruņu cepuri. Tai brīdī kāda vācu bulta trāpa viņu pierē.

Vīlušies zobenbrāļos, tālavieši 1214. gadā slēdz līgumu ar bīskapu Albertu. To izdara Tālivalža dēli. Tie atzīst bīskapa virskundzību un solās pāriet no pareizticības katoļticībā.

Nākošā gadā Tālavas valdnieka dēli, kopā ar bīskapa karavīriem, ielaužas Igaunijā. Mājās tie pārved bagātu laupījumu un nodod savam tēvam lielu daudzumu sudraba (3 podus). Bet igauņiem izdodas slepeni nokļūt līdz Trikātas pilij un sagūstīt veco Tālivaldi, kad tas mazgājas pirtī. Šo notikumu izmantojis Jānis Grīns balādei „Tālivalda gals". Kad igauņi atprasa sudraba krājumus, Tālivaldis atbild:

„Ha! Tas, kas pēc maniem dārgumiem kārs,
Var kaulus iet lasīt, ko mūžam es sējis,
Ar kuŗiem balts nokrustots Tālavas ārs."

Saniknotie igauņi sadedzina savu veco pretinieku uz lēnas uguns. Tā 1215. gadā mirst Tālavas valdnieks, kam piederēja stiprās Trikātas un Beverīnas pilis. Viņa dēli Rameks un Druvvaldis steidz atriebties igauņiem, un vaidu kaŗiem nav gala.

Nākošajos gados igauņi sauc palīgā krievus, un bīskaps Alberts nolemj aicināt talkā dāņu karali Valdemāru II Uzvarētāju.

1219. gadā dāņu flote izceļ kaŗaspēku Ziemeļigaunijā, un tas ieņem igauņu pili Lindanisu. Tās vietā uzceļ „Taani linn", kas igauņu valodā nozīmē — „Dāņu pils". No turienes radies Igaunijas galvaspilsētas Tallinas nosaukums. Ziemeļigaunija nonāk dāņu karaļa varā.

Drīz pēc tam latgaļu, lībju un vācu armija galīgi

salauž Dienvidigaunijas pretestību. To sadala savā starpā bīskaps un zobenbrāļi 1224. gadā.

Bet, šim cīņu posmam beidzoties, bijušie sabiedrotie vācieši ir uzkundzējušies arī Tālavai un sāk tur rīkoties kā savās mājās, dalot latgaļu valsti savā starpā. Latgaļu kungi gan patur savas pilis, bet skaitās bīskapa apakšnieki (vasaļi).

Lai pagaidām izlīgtu ar krieviem, vācieši atzīst Pliskavas tiesības uz pareizticības mesliem Tālavā.

Daudzi latgaļu kungi vēlāk jutās vīlušies un neapmierināti. Ir zināms, ka kādi 40 no viņiem atstāja pilis un aizgāja uz Lietuvu, lai kopā ar savu brāļu tautu turpinātu cīņu pret svešniekiem.

Tā vāciešiem ar līgumu palīdzību bija izdevies pamazām pakļaut sev Tālavas valsti un iegūt savā varā Gaujas tirdzniecības ceļu uz Pliskavu un Novgorodu. Izmantodami latgaļu un igauņu senos asinsatriebības karus, ienācēji bija uzmetušies abām tautām par kungiem.

Kritis bija Tālavas valdnieks Tālivaldis, viņa dēls Varibuls un pārdrošais karavadonis Rūsiņš. No ievainojuma cīņās pret igauņiem mira arī lībiešu lielkungs Kaupo.

„ *— Sarkans spīd zobens un krusts — tā uztraukti čukstēja puisēns.*
— Krusts viņiem sarkans no kauna, bet zobens no izlietas asins —
Dusmīgi attrauca vecais..."
(V. Strēlerte: Jersikas izpostīšana)

23 JERSIKAS PĒDĒJAIS KARALIS

TANĪ LAIKĀ, kad bīskaps Alberts ar krusta karotājiem ierodas mūsu zemē, lielākajā latgaļu valstī — Jersikā, valda karalis Visvaldis. Viņam ir labas attiecības ar Lietuvu, jo tas apņēmis par sievu leišu princesi, lielkunga Daugeruša meitu. Ar Polockas kņazu Visvaldis ir noslēdzis savienību. Indriķa chronika dēvē tos par draugiem. Ļoti iespējams, ka Visvaldis pats ir cēlies no kādas vikingu dzimtas līdzīgi Polockas valdniekam Valdemāram (Vladimiram). Jersikas valstī jau lielā mērā izplatījusies kristīgā ticība. Galvaspilsētā ir vairākas pareizticīgo baznīcas.

Visvaldis, kopā ar Polockas kņazu, vairākkārt mēģina atbalstīt lībiešus cīņā pret vāciešiem. Tādēļ Indriķa chronikā, kas rakstīta, lai slavinātu Alberta darbus, par šo valsti teikts:

„Jersika vienmēr bija slazdi un it kā liels ļaunais gars visiem šī Daugavas apgabala iedzīvotājiem."

Bet iegūt savā varā Daugavas ceļu ir viens no Alberta lielākajiem mērķiem. Ne jau par velti vācu tirgotāji viņam palīdz ar naudu.

Pēc Līvzemes iekarošanas Alberts uzkundzējas Koknesei, kas bija robežvalsts starp lībiešu un Jersikas novadiem. Kokneses kungs Vesceke tomēr negrib palikt vācu apakšnieks. 1208. gadā viņš apkauj vāciešus, kas ielikti Kokneses pilī, nodedzina to un aiziet trimdā uz krievu zemi.

Vēl tai pašā gadā bīskaps ar lībiešu un latgaļu palīgspēkiem dodas karā uz Sēliju, otrpus Daugavai. Sēļus apvaino, ka tie draudzējas ar leišiem un laiž viņu karaspēku caur savu zemi. Sēļu galvenais cietoksnis, Sēlpils, neiztur aplenkumu un padodas. Līdz ar to Sēlija ir bīskapa varā. Sēļi solās kristīties un atteikties no draudzības ar leišiem.

Tagad Alberts ir gatavs triecienam pret Jersiku. Viņš sapulcina lielu armiju: tur ir lībiešu un viņam draudzīgo latgaļu karapulki, rīdzinieki un krustneši.

1209. gada rudenī Alberta apvienotais karaspēks ar pēkšņu triecienu ielaužas Visvalža galvaspilsētā Jersikā. Indriķa chronika stāsta:

„Karaliene tika sagūstīta un nodota bīskapam līdz ar jaunavām un sievām un visu savu pavadonību. Tā šai dienā viss karaspēks apmetās pilsētā, un, savākuši daudz laupījuma no visiem pilsētas kaktiem, viņi ieguva gan tērpus, gan sudrabu, gan purpuru, gan daudz lopu, gan baznīcas zvanus, gan svētbildes, gan citas rotas un naudu, un, daudz mantu paņēmuši, aizveda sev līdz, pateikdamies Dievam, ka viņš tik pēkšņi piešķīris viņiem uzvaru par ienaidniekiem."

Visvaldim izdodas laivā izglābties pāri Daugavai. Nākošajā dienā, kad viss pilsētā ir izlaupīts, bīskapa ļaudis aizdedzina Jersiku. Daugavas otrā krastā stāv Visvaldis ar nedaudziem pavadoņiem un noskatās, kā liesmas aprij viņa pilsētu. Pēc chronista liecībām Visvaldis izmisumā izsaucies:

„Ai, Jersika, mīļā pilsēta! Ai, manu tēvu mantojums! Ai, nenojaustais gals manai ciltij! Vai man! Jo esmu dzimis, lai redzētu savu pilsētu liesmās, lai redzētu savas tautas iznīcināšanu!"

Tomēr gudrais aprēķinātājs Alberts nevēlas turpināt karu ar Jersikas karali. Visvaldis var saukt palīgā Polockas valdnieku un savus leišu radiniekus, un tāpēc karam beigas grūti paredzēt. Bet bīskapa varā ir karaliene un citi ievērojami gūstekņi. Viņš aicina karali uz Rīgu slēgt mieru un solās atdot tam gūstekņus. Tas palīdz, un Visvaldis ierodas Rīgā.

1209. gada oktobrī bīskaps Alberts slēdz mieru ar Jersikas karali. Svinīgā sapulcē Visvaldis Pētera baznīcā nodod savu valsti Alberta virskundzībā. Tūlīt pēc tam Pētera baznīcas laukumā, daudzu liecinieku klātbūtnē, bīskaps nodod Visvaldim atpakaļ valdīšanā trīs no viņa valsts novadiem. Tam par zīmi Alberts viņam pasniedz trīs karogus.

Visu to mēs zinām tik labi tāpēc, ka šis senais miera līgums ir uzglabājies līdz mūsu dienām.

Tā Visvaldis no karaļa kļūst Alberta vasalis. Viņš atgriežas Jersikā un sāk atjaunot nopostīto pilsētu. Bet nelaimes nav beigušās. Viņa sievas tēvu, lielkungu Daugeruti, kādā ceļojumā sagūsta zobenbrāļi. To apvaino par mēģinājumu sabiedroties ar Novgorodu. Vācieši spīdzina Daugeruti, un tas mirst Cēsu pils pagrabos 1213. gadā. Viņa nāvi apdziedājis J. Rainis „Daugavā" (nosaukdams to par Dangeruti):

„Klausāt manu senu dziesmu,
Senu laiku notikumu,
Kā mīlēja leišu zemi
Leišu lielkungs Dangerutis..."

Arī Visvaldi apvaino līdzzināšanā, bet viņš nedodas vāciešiem rokā. 1214. gadā bīskapa bruņnieki izlaupa Jersiku.

Par Visvalža mūža pēdējiem gadiem ziņu ir maz. Viņš spiests pamazām „atdāvināt" vāciešiem lielu daļu no saviem atlikušajiem novadiem. Jersikas pēdējais karalis mirst starp 1230. un 1240. gadu. Domā, ka viņa pēcnācēji atstāja Jersiku un devās pie mātes radiem uz brīvo Lietuvu. Kāda chronika piemin „Visvalža pili" vēl 14. gadu simtenī netālu no tagadējās Kauņas.

Daugava tagad ir vācu rokās, tāpat visas lībiešu, sēļu un latgaļu zemes. Rīgas vācu tirgotāji steidz slēgt tirdzniecības līgumus ar krieviem, lai ievāktu peļņu par pūliņiem.

Katoļu mūki steidz pārkristīt pareizticīgos latviešus. Vairāki pareizticīgie latviešu priesteŗi atstāj savu zemi. Tie bija izglītoti vīri, un viņu zināšanas turpmāk nāk par labu citām tautām. Maskavā glabājas tā sauktais „Jersikas evaņģēlijs" no 1270. gada. Tas ir ar lielu prasmi rakstīts rokraksts senslavu valodā. Sējuma beigās atzīmēts:

> „(1270. gada 23. martā) Svētā mocekļa Nikona piemiņas dienā pabeigtas šīs grāmatas. Šai dienā bija zīmes pie saules. Šīs grāmatas rakstīju es, Jurģis, mācītāja dēls, saukts par Latvi..."

Jādomā, ka arī senajā Jersikā glabājās latviešu pareizticīgo mācītāju raksti un grāmatas. Bet tās aizgāja bojā, kad Alberta krusta kaŗotāji 1209. gada rudenī aizdedzināja pilsētu un tās baznīcas. —

Ko par šiem notikumiem domāja brīvās latviešu ciltis — kurši un zemgaļi?

„Bet dzirdams klusumā, ka ciema ļaudis kājās, Un dziedot tecila trin šķēpu tuvās mājās."
(J. Medenis)

24
KURŠI UN ZEMGAĻI NOJAUŽ BRIESMAS

KURŠI UN zemgaļi agrākās cīņās ir sakāvuši visus uzbrucējus, gan vikingus, gan krievus. — Šais latviešu zemēs ir daudz slavenu un drošsirdīgu vīru, kas ne labprāt atzīst arī savu valdnieku varu. Vistuvāk apvienotai valstij ir tikuši zemgaļi. Tomēr arī viņu valdniekam, Tērvetes Vieturam, vēl neklausa visi zemgaļu kungi.

Vācu iebrucēji ilgu laiku neaiztiek ne Kursu, ne Zemgali. Viesturs sadomā krustnešus izmantot pats saviem nolūkiem. 1202. gadā viņš sabiedrojas ar vāciešiem un kopā ar tiem cīnās pret lībiešiem un leišiem. 1210. gadā viņš tomēr šo ieroču savienību izbeidz. Varbūt, ka Jersikas Visvalža liktenis tam atdara acis. Turpmāk Viesturs vada zemgaļu brīvības cīņas pret vāciešiem.

Kurši turpretī jau no paša sākuma nostājas pret vāciešiem. Viņiem vienīgiem ir spēcīga jūras flote. Tie nevar mierīgi noskatīties, ka vācu kuģi sāk braukt gar Latvijas krastiem. Kurši vairākkārt uzbrūk krustnešu kuģiem un nodara tiem zaudējumus, jo ir vairāk piedzīvojuši jūras kaujās.

Lībiešu pamudināti, kurši sagatavojas uzbrukt vācu galvenajam cietoksnim — Rīgai. Šo notikumu dzejā apstrādājis V. Plūdonis („Kūri pie Rīgas 1210. gadā"):

„Rīta vēsma Ventas grīvā

Kūru kuģu burās dzied.

Prom uz Rīgu kaujā sīvā

Tie pret vāciem šodien iet..."

1210. gadā viņu flote iebrauc Daugavas grīvā. Tur noenkurojušies vairāki krustnešu kuģi. Kurši tos šoreiz liek mierā, jo tiem lielāki nodomi. Viņi stūrē tieši uz Rīgu, lai pārsteigtu vāciešus ar pēkšņu triecienu. Tomēr vācieši ir jau brīdināti, un Rīgas torņu zvani sauc visus uz cīņu. Rīgas lībieši paliek uzticīgi vāciešiem.

Tad kurši sagatavojas pilsētas aplenkšanai. Viņi atstāj kuģus Daugavā un sakārto savu karaspēku. Katrs karavīrs nes līdzi no koka dēļiem darinātu aizsargu pret rīdzinieku bultām un metamiem ieročiem. Par to Indriķa chronikā rakstīts:

„Un kad saule apgaismoja šos baltos dēļus, tad no iem atspīdēja kā lauki, tā ūdeņi. Jo tas bija liels un stiprs karaspēks, un tas tuvojās pilsētai."

Kauja pie pilsētas vaļņiem turpinās vairākas dienas, un abās pusēs ir kritušie. Tad kurši nolemj Rīgu aizdedzināt un izkvēpināt tās aizstāvjus. Kad tie no visām pusēm jau sakūruši lielu uguni, vāciem no Ikšķiles un Salaspils ierodas palīgspēki. Atsteidzas arī bīskapam uzticīgais lībiešu lielkungs Kaupo ar saviem karavīriem. Turpretī tie lībieši, kas solījušies nākt palīgā kuršiem, nokavējas. Kurši tagad ir apdraudēti no divām pusēm. Viņi pārtrauc aplenkšanu, savāc kritušos un pārceļas pār Daugavu.

Vācieši tos vajāt tomēr neuzdrošinās. Vēl trīs dienas kurši paliek Pārdaugavā, kur tie sadedzina un apglabā kritušos cīnītājus. Pēc tam viņi sakāpj kuģos un dodas atpakaļ uz Kursu.

Ar to beidzas bīstamākais uzbrukums Rīgai krusta karu laikā. Vāciešus izglābj tas, ka pārējās ciltis laikā neatbalsta kuršu kara gājienu.

Paiet ilgs laiks, kamēr kuršu kuģi par jaunu dodas pret iebrucējiem. Šoreiz tos atbalsta zemgaļi. Trieciens vēršas pret nocietināto klosteri, ko vācieši uzcēluši Daugavgrīvā. To ieņem un noposta 1228. gadā.

Bet vācieši tai laikā ir jau paguvuši nostiprināties Austrumlatvijā un Igaunijā.

25
PĀVESTS GRIB DIBINĀT
BRĪVAS LATVIEŠU VALSTIS

„Jaunkristītie ir Dieva bērni, un tos nedrīkst apspiest!"
(Romas pāvests)

1229. GADĀ savu nemierīgo dzīvi beidz Rīgas bīskaps Alberts. Trīsdesmit gadus no vietas viņš ir vadījis cīņu par Latvijas un Igaunijas iekaŗošanu. Šī vīra lielās spējas, veiklība un izmanība nav noliedzamas. Neapšaubāmi viņš ir panācis daudz. Tomēr Alberta pasākums joprojām ir tikai pusceļā. Arī par archibīskapu un vienīgo valdnieku Māras zemē viņam nav izdevies kļūt. Bīskapa varai blakus ir radušās divas citas — zobenbrāļi un Rīgas pilsēta.

Tas lielā mērā izskaidrojams ar to, ka Romas pāvests Albertu ir atbalstījis tikai pa daļai. Svētajam Tēvam ir pavisam citi nodomi nekā vāciešiem. Pāvests vēlas panākt nevien visu tautu piegriešanu katoļu ticībai, tas grib iegūt arī augstāko varu par visām valstīm un valdniekiem.

Viņš arī vairākkārt sūta savus sūtņus (legātus) uz Livoniju. Tie kārto strīdus iekaŗotāju starpā un cenšas aizstāvēt jaunkristītos pret vācu varmācībām.

Atkal un atkal šie pāvesta sūtņi atkārto: „Jaunkristītie ir Dieva bērni. Viņu dzīvi nedrīkst padarīt sliktāku, nekā tā bijusi agrāk!" Nav šaubu, ka tie ir labi domāti aizrādījumi, un ka tā ir pāvesta vēlēšanās.

Tai laikā, kad Alberts mirst, par pāvestu ir Gregors IX. Viņam ir plāns dibināt Latvijā neatkarīgas latviešu valstis, kas atzītu vienīgi pāvesta augstāko varu. Šo nodomu cenšas īstenot viņa sūtnis, beļģietis Alnas Balduīns.

1230. gadā viņš sāk apspriesties ar kuršiem. Gada

beigās Alnas Balduīns pāvesta vārdā slēdz līgumu ar kuršu karali Lamekinu (Lamiķi), kas valdīja par Bandavu, Ventavu un Piemari (Kursas novadi). Nedaudz vēlāk sūtnis noslēdz vēl otru līgumu ar citiem kuršu novadiem. Šie līgumi ir kuršiem ļoti izdevīgi, jo nodrošina viņu neatkarību. Viņi apņemas kristīties, pieņemt pāvesta ieceltu bīskapu un dot kristīgo nodevas baznīcai. Tie nodod savu valsti pāvesta aizsardzībā, bet Svētais Tēvs apsola tiem mūžīgu brīvību. Vācieši šais dokumentos nemaz nav pieminēti.

Tomēr nelaime ir tā, ka pāvesta rīcībā Latvijā nav bruņotu spēku. Vācieši ir jau tik tālu nostiprinājušies, ka tie atsakās ievērot pāvesta gribu. Nākošajā gadā zobenbrāļi iebrūk Kursā, nolaupa kuršiem viņu līgumus un spiež atzīt vācu virskundzību. Kurši uz vairākiem gadiem zaudē neatkarību un tiem jāslēdz ar vāciešiem daudz neizdevīgāki līgumi. Arī pāvesta sūtnis ir apdraudēts. Viņš spiests atstāt Māras zemi un dodas uz Romu. —

Tas rāda, ka vāciešiem galvenais ir iegūt mantu un varu, nevis izplatīt Kristus mācību.

Latviešu līgumi ar Romu nāk par vēlu. Ja tas būtu noticis pirms vācu kaŗaspēka ierašanās, tad latviešu ciltīm būtu bijis daudz vieglāk nosargāt savu neatkarību.

Tomēr var arī saprast viņu pieķeršanos senajai ticībai. Tā bija gaiša un skaista, un tāpat kā kristīgā ticība mudināja uz krietnu un labu dzīvi. Par to daudz ziņu atrodams tautas dziesmās.

Augstākais dievu vidū bija Debestēvs jeb Dievs, kas valdīja arī par zemi. Ļoti spēcīgs dievs bija Pērkons, kas trenkāja ļaunos garus — jodus u. c. Par cilvēku likteņiem lēma Laima un Kārta.

Zemes Māte, Meža Māte, Jūŗas Māte u. c. pārvaldīja katra savu novadu. Arī sauli un mēnesi godināja kā dievības.

Latviešu ciltis ticēja, ka dzīve turpinās pēc nāves, tikai tā ir skumjāka un pelēkāka. (Līdzīgi uzskati bija arī seniem grieķiem). Mirušo dvēseles sauca par veļiem, un tie dzīvoja Veļu Mātes valstībā. Vēlā rudenī (oktobrī) bija veļu laiks, kad mirušie nāca apciemot dzīvos. Tāpēc šai laikā veļiem klāja galdus, kur mieloties.

Dievus godināja pie svētiem avotiem, kokiem, akmeņiem vai pakalniem. Viņiem ziedoja augļus, vainagus un arī dzīvniekus. Visi senie svētki tika svinēti par godu zināmiem dieviem. Vēlāk šo svētku vietā stājās kristīgo svinamās dienas.

Šī senā ticība ļoti cieši saistījās un saskanēja ar latviešu cilšu dzīvi, darbu un apkārtējo dabu. Tāpēc pie tās arī tik cieši turējās. —

Bez tam Roma atradās tālu no Latvijas. Kristīgās ticības sludinātāji nonāca mūsu zemē galvenā kārtā krusta kaŗu laikā, kad sludināšanu mēdza izdarīt ar ieroču palīdzību. —

26
VIESTURA CĪŅAS

„Cik ilgi Zemgale vēl šajā mierā tūks?
Uz viņu draudzīgi šad tad viens otrs mūks
Nāk Kristu sludināt..."
(E. Virza)

IR ZINĀMA līdzība bīskapa Alberta un zemgaļu valdnieka Viestura dzīves gājumā. Abi darbojas, cīnās un mirst vienā laikā. Alberts trīsdesmit gadus ilgi vada vāciešus. Viesturs vismaz tikpat ilgi savus zemgaļus. Abi ir enerģiski, abiem ir panākumi, bet neviens pilnīgi nesasniedz savus mērķus.

Viesturs ap 1210. gadu izbeidz draudzību ar vāciešiem. Ilgākus gadus vēl tomēr valda miers. Jādomā, ka viņš šai laikā cenšas nostiprināt savu valdnieka varu Zemgalē. Pilnā mērā tas Viesturam neizdodas. Daži novadi mežainajā Austrumzemgalē joprojām neiekļaujas viņa valstī.

Minētajos novados atradās arī ievērojamā Mežotnes pils. 1219. gadā mežotnieši ievada sarunas ar bīskapu Albertu. Tie prasa palīdzību pret leišiem, solās kristīties un uzņem Mežotnē vācu karaspēku. Kad Viesturs to uzzina, viņš saprot, ka arī pārējai Zemgalei draud briesmas. Neviens no viņa ciltsbrāļiem nepazīst vāciešus tik labi kā viņš.

Nekavējoties Viesturs sapulcina karaspēku un ved to pret Mežotni. Viņa pirmo triecienu pilij atsit, un vāciešiem nāk palīgspēki. Tad Viesturs pārtrauc aplenkšanu un maršē pretī krustnešiem, pārsteidz tos un galīgi sakauj. Tikai nedaudzi izglābjas. Pēc palīgspēku iznīcināšanas vācieši zaudē cerību Mežotni noturēt un atstāj pili. Mežotnieši atsakās no kristības un pāriet Viestura pusē.

Gadu vēlāk Alberts ir savācis lielu armiju — vāciešus, latgaļus un lībiešus, lai atgūtu Mežotni. Uzbrukumu zemgaļu pilij pastiprina daudzas aplenkšanas mašīnas. Zemgaļi nikni aizstāvas, bet sabiedrotie vācu spēki šoreiz ir pārāki. Palīgā steidz Viesturs, kas noslēdzis savienību ar leišiem. Pēdējā brīdī leišu karaspēks atsakās cīnīties, un Viestura nodoms sabrūk.

Vācieši atjauno uzbrukumu Mežotnei, un tā beidzot padodas. Pili vācieši nodedzina un nodevīgi nogalina kādus simt zemgaļu vecākos, kas padevušies gūstā.

Piecus gadus vēlāk (1225. g.) Viesturu aicina uz Rīgu, kur to mēģina pierunāt kristīties. To viņš noraida, bet atļauj vienam svētniekam sludināt Kristus mācību savā valstī. Iespējams, ka viņš to dara, lai iegūtu laiku.

Jau pēc dažiem gadiem zemgaļi sāk karu. Kopā ar kuršiem tie ieņem un noposta nocietināto Daugavgrīvas klosteri (1228. g.). Tam seko vācu iebrukums Zemgalē un zemgaļu karagājiens vācu pārvaldītajos lībiešu novados. Tā mainīgās cīņās paiet Viestura mūža pēdējie gadi.

Pēc kāda zemgaļu uzbrukuma tos atceļā izdodas pārsteigt vāciešiem komtura (pilskunga) Markvarta vadībā. Ielenktais Viesturs gandrīz krīt vācu gūstā. Palicis bez ieročiem, viņš sagrābj degošu pagali no ugunskura un tomēr izcērtas caur vācu rindām. Vācu atskaņu chronika atzīmē:

„Un viņš izsita komturam Markvartam
dažu labu zobu..."

Drīz pēc tam — ap 1230. gadu — nemierīgais un drošsirdīgais zemgaļu valdnieks, augstdzimušais (tā viņu apzīmē vācu chronists) Tērvetes lielkungs Viesturs, mirst.

Bet zemgaļu cīņa ar vāciešiem ir vēl tikai sākumā. —

27
ZOBENBRĀĻU IZNĪCINĀŠANA

„Zemes klēpī dus tur kaujā kauto kauli,
Tūkstošiem lemts nebij ieraudzīt vairs sauli."
(V. Plūdonis)

APMĒRAM VIENĀ laikā ar vācu uzmākšanos Zemgalei un Kursai sākas viņu karš pret latviešu brāļu tautu — senajiem prūšiem. Prūši ir pieskaitāmi kareivīgākām un stiprākām baltu tautām. Šis karš izvēršas par vienu no asinainākiem, kādu viduslaiku vēsture pazīst, un turpinās līdz 13. gadu simteņa beigām.

Ierosinājums nāk no kāda poļu valdnieka, kam prūši iedzinuši bailes. 1226. gadā viņš sauc palīgā vācu bruņinieku brālību, kas dibināta cīņai pret muhamedāņiem Palestīnā, bet bijusi spiesta šo zemi atstāt. Vēlāk tas gan poļiem pašiem smagi atriebjas.

Šo karavīru organizāciju sauc par Vācu ordeni. Viņu nozīme ir melns krusts uz balta mēteļa.

Prūšu stāvoklis vienā ziņā ir grūtāks, nekā pārējām baltu tautām. Viņiem ir sauszemes robeža ar vāciešiem, kamēr uz Livoniju karaspēks jāved pa jūru. Lai nokļūtu pa sauszemi mūsu zemē, vāciešiem būtu jāizsitas cauri Lietuvai, kas šķir Latviju no Prūsijas.

To vācieši ļoti labi saprot un arī vairākkārt mēģina panākt. Tad arī vācu zemnieki varētu ieplūst Latvijā un Igaunijā un šīs zemes pārvācot.

Leišu milzīgais nopelns ir tas, ka viņi satriec šos vācu plānus. Ne mazāk kā seši Vācu ordeņa mestri 13. gadu simtenī krīt no leišu vālēm un zobeniem.

Pēc Viestura nāves vācieši lēnām sāk iespiesties Zemgalē. Arī Kursā viņu vara pieaug. Kad pienāk 1236. gada rudens, Zobenbrāļu ordenis rīko lielu karagājienu pret Lietuvu. No Vācijas ieradušies talkā daudzi jauni krusta karotāji, kas vēlas izmēģināt roku pret pagāniem. Arī daļa zemgaļu spiesta piedalīties karā pret ciltsbrāļiem.

Kādu laiku bruņnieki ar panākumiem posta un laupa leišu zemē. Tikmēr leiši savāc karaspēku, lai sāktu izšķirīgu kauju, kad vācieši dosies atpakaļ ar laupījumu. Viņi sagaida bruņniekus kādā vietā, ko sauc par

Sauli. Nav skaidri zināms, vai tas noticis pie Šauļiem Lietuvā, vai pie Vecsaules Zemgalē.

Saules kauju apdzejojis Vilis Plūdonis. Zobenbrāļu gājienu pretī nāvei viņš attēlo šādi:

„Un kad dienas jau sešas bij steidzīgi iets,

Tie nonāk pie Saules, tai vietā,

Kur Mēmeles upe lielu līkumu liec,

Zirgi putās, stāv saule jau rietā."

No kaujas izvairīties bruņnieki vairs nespēj, kaut gan vieta tiem nav izdevīga, un zirgi grimst purvainajā zemē.

Jau cīņas sākumā zemgaļi pāriet leišu pusē. Tagad zobenbrāļiem jāsamaksā par visām nodarītām pārestībām. Apvienotie leišu un zemgaļu spēki sarīko briesmīgu vācu karaspēka izkaušanu. Pats ordeņa mestrs Folkvīns, viņa komturi, bruņnieki, vairāki vācu grāfi un liels daudzums krustnešu krīt šajā niknajā kaujā. Bēgošās vācu karaspēka atliekas cauri visai Zemgalei vajā un izkauj zemgaļi.

Līdz ar to Zobenbrāļu ordenis ir iznīcināts un beidz pastāvēt.

„Tikai dažam brālim", rakstīts atskaņu chronikā, „bēgot pa meža tekām, izdevās nokļūt Rīgā un atnest šo bēdīgo vēsti." —

Visa Zemgale ir atkal brīva no vāciešiem. Arī kurši saceļas, nosit iecelto bīskapu un padzen vāciešus.

Rietumlatvijas neatkarība ir atjaunota.

Vācu bruņinieki 14. g.s.

28
JAUNAS CĪŅAS UN MIERA LĪGUMI

„Bet kā pasakā, kad, cērtot vienu galvu,
Velnam trejas ataug tanī vietā,
Griežas velnu bars kā dzirksteles pār kalvu..."
(Ulafs Jansons)

VĒL PIRMS Saules kaujas zobenbrāļi vēlējās apvienoties ar Vācu ordeni Prūsijā. Tāpēc virsmestrs sūta no Prūsijas divus bruņniekus, lai ievāktu ziņas par Zobenbrāļu ordeni. Atsauksmes par to ir tik sliktas, ka uz apvienošanos maz izredžu.

Tai laikā pienāk vēsts, ka leiši un zemgaļi iznīcinājuši zobenbrāļus. Tad Vācu ordenis 1237. gadā nodibina savu nodaļu Livonijā. Tajā ieskaita arī zobenbrāļu paliekas. Šo Vācu ordeņa nodaļu mēdz saukt par Livonijas ordeni, un tā locekļi nes līdzīgu tērpu kā brāļi Prūsijā — baltu mēteli ar melnu krustu. Iznīcināto vietā ir radies jauns bruņots spēks.

Saules kauja tomēr visiem vēl ir svaiga atmiņā, un vācieši vispirms izmēģina laimi austrumos. Viņi ieņem Pliskavu, bet 1242. gadā zaudē kauju pret Novgorodu uz Peipusa ezera ledus.

Apturēti austrumos, vācieši tagad savelk visus spēkus pret brīvo Rietumlatviju. Viņi rīkojas piesardzīgi un, kur tas iespējams, ceļ stiprus mūra cietokšņus kareivīgo kuršu un zemgaļu nomākšanai. Bez tam tie cenšas dabūt savā pusē daļu no latviešu kungiem un augstmaņiem, lai vājinātu pretestību.

Ar visu to iekarošana negrib veikties. Tiklīdz vācu karaspēkam kādā kaujā neveicas, saceļas visi kurši un zemgaļi un atkal iztīra savu zemi no svešniekiem.

Sevišķi lielu neveiksmi vācieši piedzīvo 1259./60. gadā, kad visi viņu astoņpadsmit gadu ilgie pūliņi tiek sagrauti. Ja viņiem nepārtraukti nepienāktu no Vācijas palīgspēki apsisto vietā, tad tiem jau sen būtu no Latvijas un Igaunijas jāpazūd. Bet nocirsto galvu vietā ataug jaunas, un cīņas turpinās no paaudzes uz paaudzi. Apstrādājot savus laukus, kuršiem un zemgaļiem nepārtraukti jātur zobens pa tvērienam.

Nespēdams gūt izšķirīgu uzvaru, Livonijas ordenis sāk lietot arvien mežonīgākus paņēmienus — nogalina ievainotos, kauj bērnus un aizved iedzīvotājus uz citiem apgabaliem. Ar šādiem līdzekļiem 1267. gadā beidzot piedabū kuršus slēgt miera līgumu. Noteikumi tomēr ir ļoti mēreni. Kuršiem jāatzīst vācu virskundzība, jāpieņem kristīgā ticība, jāmaksā zināmi nodokļi un jāstrādā četras dienas gadā jauno kungu vajadzībām. Bet tie joprojām paliek brīvi ļaudis un patur savus īpašumus. Kuršu kungi un augstmaņi (labieši) arī turpmāk nezaudē savas priekšrocības.

Piecus gadus pēc kuršiem arī zemgaļi slēdz mieru uz līdzīgiem noteikumiem (1272. g.). Tas notiek, kad krustnešiem izdodas ieņemt Mežotnes un Tērvetes pilis.

Vācieši tomēr ļoti maldās, domādami, ka zemgaļi beidzot atzinuši viņu virskundzību. —

„Kā dun man atmiņā šo tavu kauju tracis,
Kā platais zobens tavs man apžilbina acis."
(E. Virza)

29
ZEMGALES KARALIS NAMEISIS

Septiņus gadus vācu soģi spriež tiesu Zemgalē un ievāc nodokļus. Septiņus gadus zemgaļi klusībā gaida pirmo izdevību, lai ķertos pie ieročiem.

1279. gada pavasarī atkārtojas tas pats, kas notika pie Saules. Vācu kaŗaspēks atgriežas no kaŗagājiena Lietuvā, bet leiši to panāk pie Aizkraukles. Zemgaļu kaŗavīri, kas bijuši spiesti iet līdzi krustnešiem, pāriet leišu pusē. Vāciešus asinaini sakauj un atņem tiem Lietuvā iegūto laupījumu. Tas ir signāls visai Zemgalei — vecie kaŗotāji ceļas atkal kājās. Zemgaļu brīvības kaŗu šoreiz vada karalis Nameisis (saukts arī par Nameju jeb Nameiti). Viņš arī noslēdz cīņas savienību ar leišu karali Traidenu.

Ar pēkšņu uzbrukumu zemgaļi ielaužas Tērvetes pilsētā un aplenc pili. Pēc dažu dienu cīņām arī pils krīt Nameiša rokās. Kādu bruņnieku zemgaļi notiesā uz nāvi un sakapā to zobeniem. Jādomā, ka tas bija noziedzies pret viņu karali. Pārējos dzīvi palikušos vāciešus no Tērvetes nosūta kā gūstekņus leišu karalim Traidenam.

Nameisis apmetas Tērvetes pilī un to par jaunu nocietina. Drīz arī no visām pārējām Zemgales pilīm izsit vāciešus (izņemot Mežotni).

Vienā rāvienā Nameisis ir atjaunojis Zemgales neatkarību.

Kad pārsteigtie vācieši atjēdzas, tie sāk no visām malām vākt kopā kaŗaspēku pret Nameiša valsti. Sevišķi no Prūsijas pa jūŗu Livonijas ordenis saņem atkal jaunus papildspēkus.

Vispirms krustneši iet triecienā pret zemgaļu galveno cietoksni — Tērveti, bet Nameisis atsit vācu uzbrukumu. Tad viņi mēģina ieņemt Dobeles pili, bet divreiz pēc kārtas zaudē cīņu.

Redzot, ka no vāciešiem miera nebūs, Nameisis nolemj dot viņiem nāvīgu sitienu un vest zemgaļu armiju tieši pret Rīgu. E. Virza par to raksta:

„Uz Rīgas mūŗiem vērš viņš savas lūša acis,
Viņš ilgi izlūko, līdz nāsis viņam trīs:
Tur mūŗi paceļas, aug torņi debesīs."

Ieņemt Rīgu nozīmē izsist vāciešiem galveno pamatu zem kājām. —

„Un brīvi latviešiem, ja saprasts tiek tā mājiens,
Tad atnest iespētu viens vienīgs kaŗa gājiens."

(E. Virza)

Vai Nameisis šajā kaŗā mēģināja dabūt sev līdz arī citas latviešu ciltis, nav skaidri zināms. Ja tā bijis, tad tas tomēr nav izdevies. Vācu virskundzība no sākuma vēl nebija tik smaga. Ļoti iespējams, ka vairāki latviešu kungi atbildēja Nameisim tā, kā to tēlo Virza:

„ ... Tik nodevas mēs samaksājam tiem,
Mēs kungi pilnīgi par saviem novadiem."

1280. gada ziemā Nameiša zemgaļi dodas uz Rīgu. Bet nodevēji ir vāciešus brīdinājuši. Livonijas ordenis ir laikus savācis kaŗapulkus un sagaida zemgaļus pie Lielupes.

Kaujā zemgaļiem ir panākumi, un tie pat sagūsta vācu virspavēlnieku — ordeņa landmāršalu, ko dzīvu nosūta leišu karalim. Bet pārsteigt vāciešus nav izdevies, un Rīga ir sagatavojusies aizsardzībai. Nodevība ir izjaukusi Nameiša plānus, un viņš ved kaŗotājus atpakaļ uz Zemgali.

Nākošajā gadā vācieši apņēmušies darīt visu iespējamo, lai satriektu Nameiša varu. Mestra vadībā Rīgā pulcējas tiem laikiem milzīgs kaŗaspēks, apgādāts ar kaŗa mašīnām, lai dotos uz Tērveti.

E. Virza liek mestram sacīt šādu uzrunu:

„Kopš Māras laipnība par šenes ļaudīm ausa,
Ir kūrs, ir lībietis, ir latgalis to klausa.
Vien tikai zemgaļos, tur pāri mežam šim,
Par godu sātanam skan dziesmas, dejas dim.
Un cik gan mūsējo nav cīniņos, to celtos,
Uz zemes sēdušies, lai vairāk neuzceltos?
Ak, Visuvarenam ir paticis tā lemt,
Lai viņu kaulus vēl pa mežiem vilki kremt!"

No visām pusēm uz Rīgu steidz vācu karaspēka nodaļas:

„Šurp steidzas komturi un viņu ciemu ļaudis,
To bruņu atspulga uz visiem mūriem zib.
Te bars šis iesaucas: — Mēs iesim! Dievs tā grib! —"

1281. gada augustā šis karaspēks aplenc stipro Tērvetes cietoksni. Vācu pusē šoreiz ir pārspēks, tomēr zemgaļi bezbailīgi aizstāv savu karaļpili. Pēc dažām dienām abas puses uzsāk miera sarunas. Vācieši piekrīt, ka zemgaļi patur savas pilis, bet tiem jāatzīst vācu virskundzība, jāmaksā nodokļi, jāpieņem vācu soģi. Mieru noslēdz, un ordeņa mestrs pārtrauc uzbrukumu. Tomēr neviena puse ar iznākumu nav apmierināta.

Nameisis dodas uz Lietuvu un cer ar leišu valdnieka palīdzību iznīcināt vācu varu. Nākošajos gados viņš ir viens no leišu karapulku vadoņiem cīņās pret Vācu ordeni Prūsijā. Viņa nolūku var saprast — no Prūsijas vācieši pastāvīgi saņem papildspēkus cīņai pret Zemgali. Nameisim cīņās Prūsijā veicas, un vairākas ordeņa pilis tiek ieņemtas un iznīcinātas —

"Stāv liesmās Graudence, no leišiem jonī ņemta,
Marienvederē tik ogļu kaudze kūp,
Zem stipriem taraniem Kruststates mūŗi drūp..."
(Virza)

Bet no kaŗagājiena Nameisim nav lemts vairs atgriezties. — Kā krita Zemgales karalis par to senās chronikas klusē.

Viņa nevaldāmā drosme, brīvības mīlestība un dēkainās kaŗa gaitas nav devušas mieru māksliniekiem. Tā rodas E. Virzas poēma "Karalis Nameitis" un A. Grīna romāns "Nameja gredzens". —

Karalis ir kritis, bet zemgaļi turpina cīņu.

*Skan gaisā pavēles, pils tornī drūmi kauc
ez apstāšanās rags, ko sargs no pūlēm ļimdams,
ret visiem apvārkšņiem pūš gaisā nenorimdams.
'n baigiem kaucieniem, kas izskanē no šenes,
kan pretī kaucieni no Raktes, Sidrabenes
'n vecās Dobeles..."
E. Virza)*

30
UGUNS UN NAKTS

L<small>AI ATRIEBTOS</small> par Nameiša kaŗa darbiem un atņemtu zemgaļiem viņu vadoņus, vācieši ķeras pie vecas un pārbaudītas viltības. Ordeņa bruņnieki uzlūdz pie sevis zemgaļu kungus un kaŗavadoņus. Dzīŗu laikā vācieši uzbrūk saviem neapbruņotajiem viesiem un tos visus nogalina.

Šī neģēlība tikai stiprina zemgaļu pretestību. Par mieru un padošanos vairs nevar būt runas. Sākas jauns, desmitgadīgs, nepārtraukts kaŗš. Vācu bruņnieki sākumā mēģina ieņemt zemgaļu pilis, bet veltīgi. Iepazinušies ar svešnieku viltību un nodevību, zemgaļi cīnās nāvi nicinādami.

Sevišķi nikni vāci uzbrūk Tērvetei, tomēr visi viņu triecieni sabrūk. Pārliecinājušies, ka atklātā cīņā Zemgaļi nespēs uzvarēt, bruņnieki pāriet uz dedzināšanu un slepkavošanu. Netālu no Tērvetes tiem izdodas uzcelt stipru atbalsta punktu — Svētkalna pili (1286. g.). No turienes, tāpat arī no citiem cietokšņiem, tie rīko negaidītus uzbrukumus mierīgiem iedzīvotājiem. Viņi dedzina zemgaļu laukus un mājas, aizved lopus, gūsta un apkauj sievietes un bērnus. Nolūks ir Zemgali izpostīt, izkaut un izmērdēt badā.

Zemgaļi savukārt uzbrūk Svētkalna pilij, bet nespēj to ieņemt. Tad viņi paši nodedzina savu karaļpili Tērveti un atkāpjas uz Rakti.

1287. gadā zemgaļi sarīko nakts uzbrukumu Rīgai, bet arī šoreiz vācieši jau laikus ir brīdināti. Ar visu to zemgaļi sakauj ordeņa brāļus un bruņu kalpus pie Rīgas vārtiem, tomēr nepagūst ielauzties pilsētā. Atceļā tiem uzbrūk bruņnieki, bet tiek satriekti. Pats mestrs krīt kaujā.

Jauni palīgspēki pienāk no Prūsijas, un vācieši neatlaidīgi turpina Zemgales postīšanu. Zemgaļi atkāpjas arvien tālāk uz Lietuvas pusi. Atstājuši Rakti un Dobeli, tie pārceļas uz savu pēdējo cietoksni — Sidrabenes pili. 1290. gadā arī šī pils stāv liesmās:

„Pār Rakti dūmi kūp, guns trako Sidrabenē,
Virs mežu galotnēm spožs liesmu kūlis dej:
Tur dobelnieki vēl met skatus Dobelei
Un aiziet, atstājot no viņas pelnu kāpu.
— Laiks visai Zemgalei nu iedegt bēŗu lāpu. —"

(E. Virza)

Tomēr viņi atsakās padoties. Pēc atskaņu chronikas ziņām ap 100.000 zemgaļu dodas tai pašā ceļā kā viņu karalis Nameisis — uz Lietuvu. Ja arī šis skaitlis būs pārspīlēts, tas tomēr rāda, ka liela daļa atstāj savu dzimteni. Šie sirdīgie cīnītāji vairo leišu spēkus un kopā ar tiem turpina cīņu pret vāciem. Nākotnē leišiem arī ir lemts galīgi sadragāt Vācu ordeņa bruņoto varu.

Pār izpostīto un nodedzināto Zemgali ir nākusi nebrīvības nakts. Taču vācieši arī tagad vēl nav droši, ka atlikušie tiem klausīs. Tāpēc daudzus aizved un nometina citos Latvijas apgabalos. To vietā iesūta citu latviešu cilšu piederīgos. Liela Zemgales daļa paliek postažā un kļūst par mājokli meža zvēriem.

Tomēr viena lieta ordeņa mestram neizdodas — savest Latvijā vācu zemniekus. Leiši joprojām aizkrusto ceļu uz Latviju, bet vest kuģos maksā dārgi, un zemnieki paši vairās no jūŗas ceļa.

Arī pēc pēdējā cietokšņa krišanas zemgaļi nav cīņu par savām tiesībām uzdevuši. Vēl pēc 1300. gada viņu sūtņi atkārtoti brauc uz Rietumeiropu. Tie apmeklē pāvestu un iesniedz sūdzības par vācu netaisnībām. Šie dokumenti ir uzglabājušies līdz mūsu laikiem.

Zemgaļu drosmi un varonību atzīst pat viņu pretinieki. Kāda ordeņa brāļa sarakstītajā atskaņu chronikā viņus vienmēr sauc par brašiem un bezbailīgiem varoņiem. Viņu cīņas nav bijušas veltīgas. Nākošās paaudzes saglabā atmiņas par tām, un vēlāk tas dod spēku viņu pēcnācējiem izcīnīt atkal savu valsti.

Tā ap 1300. gadu beidzas simtgadu ilgie krusta kaŗi senajā Latvijā. Trīs paaudzes — tēvi, dēli un dēlu dēli ir dzīvojuši, cīnījušies un miruši kaŗa ugunīs. J. Rainis par to raksta:

„Nepabeigtas senās cīņas,
Uzvara nav gūta,
Atkal, atkal sūta
Niknums kareivjus iz kapa."

Tajā pašā laikā Vācu ordenis ir beidzot pakļāvis seno prūšu zemi. Tas panākts ar tiem pašiem paņēmieniem kā Zemgalē. Tāpēc arī veseli novadi kādreiz bagātajā Prūsijā ir izpostīti un aizaug ar mežu. No Vācijas saved Prūsijā lielāku skaitu zemnieku un dažu gadu simteņu laikā prūšus pārvāco. Tikai vietu nosaukumi un daudzi uzvārdi liecina, ka tā kādreiz bijusi baltu zeme. No pārvācotajiem prūšiem cēlušies vairāki slaveni vācu karavīri. Šie sajauktie prūši — vācieši jaunākajos laikos liek pamatu vienotai vācu valstij.

Bet zemgaļi, kurši, sēļi, latgaļi (un lībieši), apvienoti Sv. Māras valstī, saplūda par vienotu latviešu tautu. Seno cilšu vārdi tomēr nekad netika aizmirsti un dzīvoja tālāk apgabalu nosaukumos. Kad par jaunu nodibinājās latviešu bruņotie spēki, viņu karapulkus nosauca šo seno cilšu novadu vārdos. (sk. 82. un 114. nod.)

31
LATVIEŠI UN IGAUŅI VIENĀ VALSTĪ

„*Latviešu un igauņu ciltis nepadevās jaunajiem virskungiem bez noteikumiem, bet gan uz līguma pamata.*"
(Vācu vēsturnieks R. Vitrams)

Kad beidzas kaŗi ar vāciešiem, senie pretinieki — latvieši un igauņi — ir apvienoti Sv. Māras jeb Livonijas valstī. Šīs valsts robežas gandrīz pilnīgi saskan ar tagadējām Latvijas un Igaunijas robežām. No šī laika abām tautām likteņi ir lielā mērā kopīgi, un pamazām nodibinās draudzība viņu starpā.

Svešnieki līdz tam ir izmantojuši viņu nesaticību, lai tos sakūdītu vienu pret otru un beidzot pakļautu abus.

Kad jaunos laikos atkal rodas izdevība sākt brīvības cīņu, latvieši un igauņi šo kļūdu vairs neatkārto.

Mieram iestājoties, šīs latviešu un igauņu valsts vadību pārņem Vācu ordenis un vācu bīskapi. Tas tomēr nenozīmē, ka viņi var rīkoties Livonijā tā, kā tiem ienāk prātā. Mieru Livonijā vācieši nepanāk vis galīgi satriecot un atbruņojot latviešus un igauņus, bet gan slēdzot miera līgumus.

Šie līgumi nodod valsts augstāko varu vācu rokās, bet latvieši un igauņi patur personīgo brīvību, savus īpašumus un ieročus. Kamēr vien pastāv Livonijas valsts (līdz 1562. g.) viņi arī piedalās visos karos. Livonijas armiju lielākā daļa — vieglā kavalērija un kājnieki sastādās no latviešiem un igauņiem. Latgaļi bez tam visu laiku pilda robežsargu dienestu pret krieviem.

Bet kaujas, kas izcīnītas pret jaunajiem virskungiem, nav aizmirstas. Daudz netaisnību ir nodarīts un mežonību pastrādāts. Vēl 14. gadu simtenī notiek vairākas lielas sacelšanās. 1321. gadā zemgaļi par jaunu vērš ieročus pret ordeņa bruņniekiem. Tomēr ilgie kari, postījumi un izceļošana ir tos vājinājusi. Ar pārējo cilšu palīdzību vācieši viņus atkal piespiež pie miera.

1343. gada Jurģa dienā (23. aprīlī) saceļas visa Ziemeļigaunija. Igauņi izvēl sev jaunus vadoņus, apsit vāciešus un aicina palīgā zviedrus. Ziemeļigaunija kopš 1219. gada skaitās Dānijas karaļa virskundzībā, bet dāņi tai laikā nespēj sūtīt karaspēku igauņu apspiešanai. Viņiem gan ir jauns, spēcīgs valdnieks, Valdemārs IV (saukts „Atkal diena"), bet valstij lieli parādi. Pret igauņiem dodas Livonijas ordenis. Vispirms ar viltu nogalina igauņu vadoņus, pēc tam niknā cīņā pieveic viņu karavīrus.

Zviedri ierodas par vēlu. 1345. gadā lielā igauņu sacelšanās ir apspiesta. Šajā brīvības kaŗā igauņi zaudē vairākus desmittūkstošus cīnītāju.

Nākošajā gadā (1346.) Dānijas karalis pārdod šo nemierīgo zemi Vācu ordenim un tādā kārtā nomaksā daļu no savas valsts parādiem.

Vācieši tagad ir augstākie noteicēji visā Livonijā. Tomēr viņi nespēj radīt vienotu valsti. Māras zeme vācu vadībā vienmēr paliek tikai valstu savienība (konfederācija), kuŗā valda vairāki valdnieki. Arī sadarbība šajā savienībā ir ļoti slikta un daudz spēka tiek izšķiests savstarpīgās cīņās varas dēļ.

Stiprākās ir Livonijas ordeņa un Rīgas virsbīskapa valstis. Bez tam pastāv vēl Tērbatas, Sāmsalas-Vīkas un Kurzemes bīskapu valstiņas. Virsbīskapa un ordeņa mestra strīdi un cīņas par galveno noteikšanu Livonijas valstu savienībā turpinās visu Livonijas pastāvēšanas laiku. Ar sevišķu neatlaidību abi cīnās par virskundzību bagātajā Rīgas pilsētā.

Varaskāro vācu zemes kungu savstarpējās ķildas ir maz pievilcīgas. Tās tikai parāda viņu nespēju vadīt valsti un beigās noved Livoniju sabrukumā.

Kā klājas latviešiem Svētās Māras valstī?

32
AR ZOBENU UN ARKLU

"Kungam bija kungam būt,
Dēliņam arājam;
Kundziņš pili paturēja,
Dēliņš tēva novadiņu."
(Tautas dz.)

Ilgajos kaŗos krīt daudzi latviešu kungi, kaŗavadoņi un labieši (bajāri, augstmaņi). Vienu daļu ar viltu nogalina vācieši, ieaicinot tos dzīrēs vai apspriedēs. Lielāks skaits dodas trimdā uz kaimiņu zemēm. Laikam sakarā ar karaļa Nameiša aiziešanu uz Lietuvu, Lietuvas valdnieks vēlāk sevi titulē par „Zemgales lielkungu".

Tomēr daļa latviešu kungu joprojām paliek savā zemē un piedalās miera līgumu slēgšanā ar bīskapiem un ordeni. Viņu vara un novadi tiek samazināti. Tie kļūst par jauno valdnieku apakšniekiem — vasaļiem, bet arī uz priekšu patur lielākas priekšrocības. Daļa no viņiem vēlāk pārvācojas — no tiem cēlušās vairākas vācu muižnieku dzimtas. Citi, ar brīvzemnieku, leimaņu un kuršu ķoniņu (= ķēniņu) nosaukumu, līdz pat jaunākiem laikiem saglabā savu tautību un zināmas priekšrocības. Šo latviešu augstmaņu pēcnācēju pienākums ir piedalīties kaŗā kā bruņotiem jātniekiem. Par to viņu zeme uz visiem laikiem ir brīva no nodokļiem un klaušām. Uz zirga un ar zobenu rokā viņi pēc zemes kunga aicinājuma dodas kaŗā, kad Māras zemei draud briesmas. — Kuršu ķoniņu dzimtām (piem., Kalējiem, Ziemeļiem, Peniķiem), tāpat kā bruņniekiem, ir savi ģerboņi. Savas tiesības tie ļoti labi apzinās un neatlaidīgi aizstāv. No kuršu ķoniņiem starp citu cēlies arī neatkarīgās Latvijas armijas komandieris, ģenerālis Mārtiņš Peniķis.

Brīvi ļaudis joprojām ir arī pārējie latvieši, kas patur kā savu mantu, tā zemi — „tēva novadu". Viņu galvenais darba rīks ir arkls, jo zemkopība vēl gadu simteņiem ilgi Eiropā ir cilvēku svarīgākā nodarbošanās. Viņi maksā zemes valdniekam zināmus nodokļus graudā pēc saimniecības lieluma un strādā dažas dienas gadā valsts vajadzībām („iet klaušās"). Tie, kas atpērkas no nodevām un klaušām, samaksājot nodokli naudā („leidu"), saucas par leidas vīriem. Viņi jau pa daļai līdzinās brīvzemniekiem.

Tādā kārtā latvieši Livonijā turpina dzīvot brīvu cilvēku dzīvi, lai gan valsts vadība ir pārgājusi vācu bīskapu un ordeņa rokās. Visiem brīvajiem ļaudīm paliek arī ieroču tiesības, un vajadzības gadījumā tiem jāpiedalās zemes aizsardzībā.

Bez brīvajiem ļaudīm Livonijā, tāpat kā senajā Latvijā, dzīvo nebrīvie jeb „neļaudis" — pa lielākai daļai karos saņemtie gūstekņi, kas strādā kā kalpi jeb vergi. Tos dēvē no vikingiem aizgūtā vārdā par dreļļiem. Drellība jeb verdzība Livonijā pamazām izbeidzas 15. gadu simtenī. Tanī pašā laikā notiek lielākas pārmaiņas brīvo ļaužu dzīvē.

33
BRUŅINIEKI KĻŪST LAUKSAIMNIEKI

„*Bet auga zvērs, un tiesā šaurākā*
Bij jāatvelkas zemes kungam īstam
Un jālien dziļāk purvu dūmakā."
(J. Medenis)

Līdz pat Amerikas atklāšanai Eiropā bija samērā maz zelta un sudraba. Tāpēc arī naudas apgrozība nebija liela, un valdnieku ieņēmumi naudā niecīgi. Tiem bija grūti maksāt algu saviem karavīriem un pavēļu izpildītājiem. Algas vietā tādēļ mēdza piešķirt ienākumus no kāda valsts novada. Šādu novadu tad sauca par lēni (= aizdevumu, feudum) un tā saņēmēju par lēņa vīru jeb vasali. Kamēr viņš uzticīgi kalpoja valdniekam, lēnis piederēja viņam, un viņš saņēma nodevas, kas pienācās valdniekam.

Šādus lēņus arī Livonijas valdnieki bija spiesti izdot galvenā kārtā bruņniekiem kā atalgojumu par piedalīšanos karā smagā apbruņojumā.

Tā viduslaikos visi cilvēki sadalījās vairākās kārtās, kuŗām bija katrai savi uzdevumi. Bruņnieki rūpējās par zemes aizsardzību, garīdznieki — par cilvēku dvēseļu glābšanu no grēka un pazušanas, bet zemnieki gādāja visiem uzturu. Blakus šīm trim kārtām pilsētās izveidojās vēl ceturtā — amatnieki un tirgotāji, kuŗus mēdz ar vienu vārdu saukt par namniekiem.

Sevišķi daudz zemes izlēņo Livonijas bīskapi, lai sagādātu sev pastāvīgus bruņotus spēkus. Livonijas ordenis pats bija kaŗavīru biedrība, kāpēc viņa zemēs lēņu nebija tik daudz, un tie bija mazāki.

Kamēr Livonijā turpinās nepārtraukti kaŗi, bruņnieki tikai pa laikam dzīvo savos novados un iztiek ar savāktajām nodevām. Iestājoties ilgākam mieram, viņi mēģina savus ienākumus pavairot, un sāk paši nodarboties ar lauksaimniecību. Kaŗos un sērgās daudzas zemnieku sētas ir palikušas tukšas. Bieži vien no tādām bruņnieks izveido pats savu lielsaimniecību — muižu. Muiža īstenībā rodas, bruņniekam piesavinoties zemnieku zemi.

Tā bruņnieks kļūst par muižnieku. Muižas laukus apstrādāt liek zemniekiem, cenšoties palielināt viņu darba dienu skaitu, kas pēc miera līgumiem ir tikai četras dienas gadā. To muižnieki panāk tāpēc, ka viņu vara un ietekme valsts dzīvē ir liela. Viņu rokās nonāk arī tiesas vara par novada ļaudīm, un savos lēņos tie sāk rīkoties kā mazi valdnieki. Izmantojot Māras zemes valdnieku savstarpējās ķildas, viņi nepārtraukti paplašina savas tiesības un izspiež sev arvienu lielākas priekšrocības (privilēģijas). Muižniekiem izdodas arī panākt, ka lēņus atzīst par viņu dzimtiem īpašumiem, ko tie var atstāt mantojumā vai pārdot.

Tā kā muižnieki galvenā kārtā ir vācieši, bet zemnieki — latvieši, tad muižnieku varas pieaugšana nozīmē vācu uzkundzēšanos pār latviešu tautas lielāko daļu. Livonijas pastāvēšanas pirmajā laikā tas vēl maz jūtams. Uzkundzēšanās prasa vairākus gadu simteņus, bet vācu muižnieki ir neatlaidīgi un izmanto visādus līdzekļus.

Cīņa starp vācu muižu un latviešu zemnieku sētu iesākas klusu un nemanāmi, vēlāk kļūst asa un nežēlīga un velkas cauri vairākiem gadu simteņiem.

Cīņas iznākumu beigās izšķir karā ar ieročiem rokās, un tā beidzas ar muižas iznīcināšanu (skat. 99. nod.).

Šajā stāstā esam nonākuši pie šīs cīņas sākuma.

34
«VĪRU VAI ĶĪLU«

„Tur ievāca, kā šodien, sieciņus
Melns kungs un brēkdams rudens nomu tvēra,
Kā žīds ar augļiem dzina parādus."
(J. Medenis)

M<small>UIŽNIEKI</small> prot nevien izspiest dažādas priekšrocības no zemes valdniekiem, viņi izmanto savā labā arī visas nelaimes, kas piemeklē zemes iedzīvotājus. Tais laikos sērgas un neražas nav nekāds retums. No tā galvenā kārtā cieš zemnieki, kuŗiem neražas gados grūti nokārtot savas nodevas un dažkārt jāmeklē vēl aizdevums.

Laika gaitā viena daļa kļūst muižas parādnieki un līdz ar to nonāk lielākā muižnieku atkarībā. Parādnieks vairs nav gluži brīvs cilvēks, bet tieši to muižnieki vēlas.

Daudzi zemnieki neredz iespēju izkulties no parādiem un izmisumā pamet savas tēva mājas. Tie bēg uz citiem novadiem un apmetas cita muižnieka tiesā. Svešajam muižniekam ir izdevīgi, ja viņa zemnieku skaits vairojas, bet bēgļus vajā parāda piedzinējs. Viņš prasa vai nu izdot bēgli, vai samaksāt parādu. Tā rodas izteiciens: „Vīru vai parādu!"

Galvenais tomēr muižniekam ir dabūt atpakaļ aizbēgušo saimnieku, jo muižai vajadzīgs viņa darba spēks. Tādēļ vēlāk prasība skan: „Vīru vai ķīlu!" Tas nozīmē, ka jāizdod bēglis, jeb jādod ķīlā kāda cita zemnieka sēta.

Zemnieku ķeršanai un izdošanai 15. gadu simtenī nodibina sevišķas „arkla tiesas". Ar laiku nonāk tik tālu, ka visus zemniekus sāk uzskatīt par muižas parādniekiem un tiem noliedz atstāt zemi, ko tie apstrādā. Tā zemniekus saista pie zemes jeb novada. Šo jauno kārtību sauc par novada būšanu. Zemniekus sāk apzīmēt par dzimtcilvēkiem, bet muižniekus par dzimtkungiem.

Šādu brīvības ierobežošanu zemnieki dabīgi uzskata par netaisnību un nelikumību. Viņu naids pret muižu, kas kā zirneklis tin tos savā tīklā, aug augumā.

Tanī pašā laikā pieaug muižnieku bailes no tiem, kuŗus tie cenšas apspiest. Zemnieki joprojām ir apbruņoti, jo piedalās zemes aizsardzībā. Kaut gan 15. g. s. beigās un 16. g. s. sākumā Māras zemei sāk draudēt arvienu lielākas briesmas no austrumiem, muižnieki panāk, ka 1507. gadā zemniekiem aizliedz nest ieročus. Nekas tik labi neparāda muižnieku slikto sirdsapziņu un nedrošību kā šis pretvalstiskais rīkojums. Ar to lielā mērā mazinās Livonijas armiju spēks, un tā ātrā gaitā iet pretī savam galam.

Muižnieku kārtai par valsts interesēm ir maza bēda. Turpmākie notikumi rāda, ka tie gatavi atdoties jebkuŗa sveša valdnieka varā, ja tikai tas solās uzturēt viņu privilēģijas.

Tomēr ir vēl vietas Livonijas valstī, kur zemnieku bēgļi var paglābties un saglabāt savu brīvību. Tās ir pilsētas, kas dzīvo pašas pēc saviem likumiem. —

35
LATVIEŠI RĪGA

"Iesim brāļi mēs uz Rīgu,
Rīgā laba dzīvošana:
Rīgā rej zelta suņi,
Sudraboti gaiļi dzied."
(Tautas dz.)

JAU NO PAŠA sākuma Rīgā ieplūst krietns skaits latviešu, un Rīgas lībieši samērā drīz pārlatviskojas. Uzņēmuši savā vidū lībiešus, latvieši vēlāk uzskata sevi par viņu tiesību mantiniekiem — Rīga ir celta uz lībiešu zemes un pie lībiešu ostas. Kad pēc vairākiem gadu simteņiem izceļas sadursmes Rīgas vāciešu un latviešu starpā, latviešu namnieki atgādina, ka viņi ir zemes pirmo un īsto saimnieku pēcnācēji (skat. 61. nod.).

Tāpat kā vācieši, latvieši Rīgā nodarbojas ar tirdzniecību un amatniecību. Viņu rokās ir visi tirdzniecības palīgu amati — noliktavu pārzināšana, preču svēršana, šķirošana un transports. Latviešu amatnieki izpilda arī pilsētas sardžu dienestu. Viņiem ir savas amata brālības, savas draudzes un altāŗi Rīgas baznīcās.

Tikai vēlāk Rīgas vācieši mēģina izspiest latviešus no ienesīgākiem darbiem, kādēļ arī šeit izceļas cīņas, lai gan bez asins izliešanas.

Tomēr Rīgā nevienam nenāk prātā uzskatīt latviešus par nebrīviem ļaudīm. Viduslaikos valda doma, ka „pilsētas gaiss dara brīvu," un tā tas ir arī Rīgā.

Kad muižnieki pamazām, bet neatlaidīgi sāk iepīt savos tīklos brīvos latviešu zemniekus, daudzu skati vēršas uz Rīgu. Ja bēglis nodzīvo pilsētā vienu gadu un vienu dienu, tad muižniekam par to vairs nav varas. Šo tiesību tad arī latvieši izmanto, lai atsvabinātos no ienīstās novada būšanas.

Rīga, tāpat kā citas Livonijas pilsētas, zemnieku bēgļus labprāt uzņem. Pilsētas īstenībā bez šiem ienācējiem nemaz nevar iztikt. Tās aug, darba ir daudz, un iedzīvotāji vajadzīgi.

Tādā kārtā Rīga, kas krusta karu laikā ir iekarotāju galvenais cietoksnis, vēlāk kļūst par „brīvības pili" latviešu zemnieku bēgļiem.

Kaut gan Rīgas virskungs sākumā ir bīskaps (no 1255. gada Rīgas archibīskaps) un vēlāk arī ordeņa mestrs, pilsētas pārvalde ir pašu namnieku rokās. Viņu augstākā pārvaldes iestāde ir Rīgas padome jeb rāte — četri birģermeistari un sešpadsmit rātskungi. No sākuma to vēlē visu namnieku kopsapulcē, bet vēlāk rāte pati pēc vajadzības papildina savu sastāvu. Noteicēji tur ir ievērojamākie un bagātākie lieltirgotāji.

Rīga atrodas ļoti izdevīgā vietā pie Daugavas ceļa, un tās bagātība ātri aug. Tādēļ šīs pilsētas dēļ tiek izcīnītas neskaitāmas cīņas. Sākumā par virsvaru cīnās archibīskaps ar ordeņa mestru, sākot ar 16. gadu simteni Rīgu cenšas iegūt Livonijas kaimiņvalstu valdnieki.

Arī daudzi latvieši tiek šai pilsētā pie ievērojamas turības, ceļ namus un var savas sievas izgreznot gan ar pērļu, gan zelta un sudraba rotām.

36
LEIŠI SADRAGĀ ORDEŅA ARMIJU

„Guļ zemē bruņnieku un kalpu miesas slābās —
Tik Māras baloži bij vienīgie, kas glābās."
(E. Virza)

KAREIVĪGIE izceļotāji no senās Latvijas un Prūsijas vairo leišu spēkus. Lietuva ir pēdējā brīvā baltu tautu valsts un patvērums daudziem bēgļiem. 13. un 14. gadu simtenī nepārtraukti pieaug tās vara.

Leiši pakļauj sev visu Baltkrieviju, un 1363. gadā viņu lielkungs Alģirds izsit mongoļus no senās austrumslavu galvaspilsētas Ķijevas. Tā arī Ukraina kļūst Lietuvas sastāvdaļa. Nav varenākas valsts Austrumeiropā par šo leišu lielvalsti. Tā sniedzas no Baltijas līdz Melnajai jūŗai. Bet leiši neapspiež iekaŗotās zemes. Viņu lielvalstī valda ticības brīvība, un katrs var turēties pie savas valodas un ierašām. Ukraiņu vēsturnieki uzskata Lietuvas virskundzības laikmetu par vienu no laimīgākiem savas daudz cietušās tautas vēsturē.

Tai pašā laikā Livonijas bīskapi un ordenis vājina savus spēkus savstarpējās cīņās, bet muižnieki cenšas nospiest nebrīvībā zemniekus un dzīvot greznu un izlaidīgu dzīvi.

Kaut arī leiši joprojām ir pagāni, Livonijas kristīgie valdnieki aicina tos vairākkārt palīgā savos iekšzemes kaŗos. Arī uz savu roku leiši bieži siro bīskapu un ordeņa zemēs.

14. gadu simteņa beigās Baltijas jūŗas telpā nodibinās divas lielas valstu savienības. Abas ir vērstas pret vācu mēģinājumiem uzkundzēties šajā Eiropas daļā. — Poļi piedāvā Lietuvas lielkungam Jagailim savas karalienes roku un Polijas karaļa kroni, ja viņš pārietu kristīgā ticībā. 1386. gadā Jagailis pieņem ka-

toļticību senajā Krakovas pilsētā un pēc tam svin kāzas ar karalieni Jadvigu. Tā Polija un Lietuva apvienojas leišu karaļa vadībā. Šo vēsturisko notikumu mēdz dēvēt par „kāzām Krakovā". Jagaiļa pēcnācēji valda Polijā un Lietuvā līdz 1572. gadam. Arī Lietuva kļūst katoļticīga valsts. Līdz ar to īstenībā nav vairs pamata Vācu ordeņa pastāvēšanai. Tā ir bruņnieku biedrība cīņai pret pagāniem, bet tādu pēc Lietuvas kristīšanas vairs nav.

Trīs gadus pēc Lietuvas un Polijas savienības (ūnijas) nodibināšanas norisinās kāda nozīmīga kauja uz zviedru zemes. Tur dāņu karalienes Margarētas karapulki ar norvēģu un zviedru atbalstu sakauj Zviedrijas vācu tautības karaļa, Meklenburgas Albrechta, bruņniekus. Visas trīs ziemeļu valstis apvienojas Dānijas vadībā (t. s. Kalmāras ūnija).

Šie notikumi ir kapa zvans vācu varai Baltijas jūras krastos. Uz turpmākiem notikumiem nav ilgi jāgaida.

1410. gadā izcīna vienu no lielākām viduslaiku kaujām Eiropā. Apvienotās leišu un poļu armijas sastopas ar Prūsijas Vācu ordeņa karaspēku pie Tannenbergas. Leišus un poļus vada karalis Jagailis un viņa brālēns, slavenais Lietuvas lielhercogs Vitauts Dižais. Vāciešus komandē lielmestrs pats. Šī daudzkārt apdziedātā kauja beidzas ar vācu lepnās bruņnieku armijas drausmīgu sakāvi. Kāds vācu dzejnieks raksta:

„Šeit noriet ordeņa zvaigzne un viņa kaujas laime,
Krīt komturi un viņu kaŗa saime..."

Arī lielmestrs un liels skaits augstāko komandieŗu paliek guļot kaujas laukā.

No šī trieciena Vācu ordenis nekad vairs neatspirgst. Viņa mugurkauls ir lauzts, un liela daļa no Prūsijas nonāk Polijas-Lietuvas varā. Līdz ar to smagi satricināts ir arī Livonijas ordenis, kam vairs nav ko cerēt uz lielmestra atbalstu no Prūsijas.

Tās cīņas, ko pret ordeni Prūsijā sāka trimdā aizgājušais zemgaļu karalis Nameisis, noved līdz izšķirīgai uzvarai Vitauts Dižais.

37
LIVONIJAS KARTAS UN «ZEMES DIENAS»

„Kungi, kaŗu neceliet,
Mazi mani bāleliņi!"
(Tautas dz.)

ORDEŅA LIKTENIS Prūsijā ir brīdinājums Livonijas valdniekiem. Šķiet, ir pēdējais laiks izbeigt iekšējās cīņas. Tomēr Māras zemes kungu savstarpējā skaudība ir pārāk liela, un tie nevar panākt vienprātību valsts vadībā.

Dažus mēģinājumus tomēr izdara. Sākot ar 1420-iem gadiem Livonijas valdnieki — bīskapi un ordenis — sanāk uz kopējām apspriedēm. Tur savus pārstāvjus sūta arī vasaļi (muižnieki) un pilsētas. Turpretī visplašākajai kārtai — zemniekiem, šajās apspriedēs nav pārstāvju, un tie savas intereses nespēj aizstāvēt. Tas nozīmē, ka latviešu tautas lielākā daļa nevar piedalīties valsts dzīvē. Jāpiezīmē, ka viduslaikos gandrīz visā Eiropā tikai augstākās kārtas lemj par valsts lietām.

Šīs zemes kungu un augstāko kārtu apspriedes Livonijā sauc par landtāgiem, tas ir „zemes dienām". Tā ka zemes kungi turpina savus strīdus, landtāgos lielu ietekmi iegūst muižnieku kārta. Viņi izmanto šīs sapulces, lai paplašinātu savu varu pār zemniekiem un vairotu savas kārtas priekšrocības. Tā „zemes dienas" maz ko panāk valsts labā, bet izvēršas par ieroci muižnieku rokās pret iedzīvotāju galveno daļu.

Savas atsevišķas intereses ir arī Māras zemes pilsētām. Rīga un citas lielākās pilsētas ir iestājušās lielajā vācu pilsētu savienībā Hanzā. Tā dibināta, lai aizstāvētu un veicinātu vācu tirgotāju intereses. Hanzas pilsētu pārstāvji pulcējas paši uz savām apspriedēm — „Hanzas dienām". Tāpēc arī vācieši Rīgu vienmēr mēdz dēvēt par Hanzas pilsētu. Īstenībā Rīga ir visai neuzticīgs Hanzas loceklis, un bieži iet pati savus ceļus, neievērojot Hanzas lēmumus. Tas tāpēc, ka Rīgas stāvoklis pie Daugavas ceļa ir ārkārtīgi izdevīgs. Tā viena pati grib pārvaldīt visu tirdzniecību, kas pa šo ūdens ceļu notiek ar krievu un leišu zemēm. Rīgā valda noteikums, ka „viesis nedrīkst tirgoties ar viesi", bet visām precēm vispirms jāiet caur rīdzinieku rokām.

Joprojām turpinās Livonijas valdnieku cīņas par virskundzību šajā bagātajā pilsētā. 1452. gadā ordeņa mestrs un virsbīskaps uz laiku izlīgst, un Rīgai jāatzīst tie abi par saviem virskungiem.

Tomēr drīz vien iedegas jaunas cīņas abu šo ievērojamāko zemes kungu starpā.

Tajā pašā laikā kāda jauna, bīstama un neredzēti nežēlīga vara sāk apdraudēt Māras zemes robežas. —

„*Vai dores pārpilnās un kviešu vārpu brieds*
No tāliem saullēktiem sauc sirotāju barus?"
(J. Medenis)

38
TATĀRU VARAS MANTINIEKS

VAIRĀK KĀ divisimt gadus krievu kņazi lien uz vēdera tatāru chana priekšā, vairāk kā divisimt gadus viņi mācās, ka pavalstnieki ir tikai putekļi valdnieka priekšā. Tatāru chans ir viss, pārējie nav nekas. Tas, kas ir viltīgāks un veiklāk prot klanīties, var tatāru valstī cerēt uz panākumiem. Žēlastībai šai zemē nav vietas. Šīs gadu simteņos iegūtās mācības dziļi iespiežas krievu apziņā.

Garajā mongoļu jūga laikā, tālu uz ziemeļiem no senās austrumslavu galvaspilsētas Ķijevas, dziļos mežos izaug Maskavas kņaza valsts. Līdz turienei nenonāk tikpat kā nekas no tā, ko ļaudis mācās un domā Eiropā. Bet Maskavas kņazi ir viltīgāki un iztapīgāki saviem tatāru pavēlniekiem nekā pārējie pakļautie valdnieki. Chans paaugstina Maskavas kņazu par lielkņazu un uztic viņam nodevu piedzīšanu.

15. gadu simteņa beigās lielkņazs, kas labi iemācījies sava virskunga valdīšanas paņēmienus, jūtas tik stiprs, ka patur ievāktos nodokļus pats sev. Jāņa III laikā (1462.—1505.) Maskava atbrīvojas no tatāru varas un bez žēlastības sāk pakļaut pārējās krievu valstiņas. Tā izaug jauna, liela, pusmežonīga valsts — Maskavija. Vēlāk to parasti mēdz saukt par Krieviju jeb Lielkrieviju. Tai ir maz līdzības ar seno Ķijevu, kas uzskatāma par ukraiņu valsti un daudz ko bija mācījusies no Bizantijas un grieķu svētniekiem.

Maskavas lielkņazs drīz iekaŗo Livonijas kaimiņu zemes — Pliskavas un Novgorodas republikas. Novgoroda ir vienīgā pilsēta Krievijā, ko var salīdzināt ar Eiropas pilsētām. Tur namnieki paši vēlē savu pārvaldi un kopīgi kārto pilsētas likteņus. Viņi tirgojas ar ārzemēm, un šai pilsētā jūtams patstāvīgāks un brīvāks gars. Tās ir svešas un nesaprotamas lietas Maskavas lielkņazam.

1478. gadā Novgoroda tiek izpostīta, apsmieta un pazemota. Novgorodas brīvos namniekus līdz ar viņu sievām un bērniem spīdzina, cepina uz uguns un slīcina upē. —

„Lielkņaza ļaudis, augstmaņi un kareivji braukāja laiviņās pa upi un ar pīķiem, āķiem un cirvjiem nobendēja tos, kas bija dzīvi palikuši",
tā stāsta krievu chronika. Tos novgorodiešus, kam laimējas izglābties no nobendēšanas, pa lielākai daļai aizdzen uz mežaino Iekškrieviju. Pilsētas zvanu, kas agrāk aicināja namniekus uz apspriedēm, nosūta uz Maskavu. Brīvā un bagātā Novgoroda ir sadragāta un vairs nespēj celties. Ja krievu lielkņazs tā apietas ar pašu ļaudīm, ko gan var sagaidīt pārējie?

Jau drīz pēc tam (1481. g.) krievi un tatāri laupīdami, slepkavodami un dedzinādami iebrūk Livonijā. Tomēr vēl izdodas noslēgt pamieru ar Maskavu, ko pagarina līdz 1501. gadam.

Šajā drūmajā un draudu pilnajā laikā Livonijas ordeņa mestra amatā nāk kāds ļoti spējīgs un apņēmīgs vīrs. Tas ir Valters fon Pletenbergs (1494.—1535.).

„Ciems drūmi sakustas, pēc šķēpiem rokas sniedz,
Šķind smailie asmeņi, bez valda zirgi zviedz,
Un, gaiļiem nodziedot, pa ceļu ošu ēnā
Pulks dodas tālumā pret zvaigzni gaitā lēnā"
(J. Medenis)

39
BRUŅNIEKI UN ZEMNIEKI SATRIEC KRIEVUS UN TATĀRUS

V<small>ALTERS</small> <small>FON</small> Pletenbergs ir viens no nedaudziem ievērojamiem Livonijas valstsvīriem. Viņš kļūst par ordeņa mestru ļoti grūtā brīdī (1494. g.). Vēl gan pastāv pamiers ar Maskavu, bet nav šaubu, ka krievi atjaunos uzbrukumus. Māras zemē valda nesaskaņas, un pašā ordenī nav disciplīnas.

Apdomīgi, bet ar stingru roku, jaunais mestrs cenšas

ievest kārtību izlaidīgajā ordenī. Zināmā mērā tas viņam izdodas. Arī valdnieku starpā sadarbība kļūst labāka. 1498. gadā sanāk „zemes diena" Valkā, lai apspriestos par valsts aizsardzību. Šoreiz pieņem vairākus svarīgus lēmumus. Nosaka arī, cik lielus spēkus karā sūtīs latviešu un igauņu zemnieki.

Bez tam Pletenbergs ievada sarunas ar vairākām valstīm par kara savienību pret Maskaviju. Tādu izdodas noslēgt tomēr vienīgi ar leišiem. Drīz atjaunojas kara darbība. Pletenbergam izdodas sapulcināt samērā spēcīgu bruņnieku un zemnieku armiju. 1501. gadā šie vācu, latviešu un igauņu bruņotie spēki dodas pāri austrumu robežai. Krievi neiztur Māras zemes armijas triecienu un bēgot pamet kaujas lauku. Vajājot nogalina daudz maskaviešu un iegūst lielu laupījumu. Velti izgaidījies leišu palīgspēkus, Pletenbergs atsakās no tālāka karagājiena un atgriežas Livonijā.

Nākošā gadā Maskava vāc kopā lielus spēkus cīņai pret Māras zemi. Uzņēmīgais Pletenbergs nolemj negaidīt krievu uzbrukumu un ved savu bruņnieku un zemnieku armiju atkal pāri robežai. Pretinieki satiekas netālu no Pliskavas pie Smolinas ezera. Maskaviešiem ir liels skaitlisks pārsvars, un tie ir pārliecināti par savu uzvaru.

Cīņai sākoties, viņi no visām pusēm ielenc Pletenberga armiju. Bet Livonijas bruņnieku smagā kavalerija pilnīgi saārda krievu un tatāru pulkus. Trīs reizes turp un atpakaļ bruņnieki, kaujot un dragājot, izjāj caur ienaidnieku rindām. Krievi nonāk pilnīgā sajukumā un metas bēgt. Arī uzvarētāji ir noguruši no krievu kaušanas — notraipīti asinīm un putekļiem, un viņu zirgi nodzīti līdz pēdējam. Krievu atliekām tādēļ izdodas izbēgt.

Varonīgi ir cīnījušies arī latviešu spēki. Ķoniņam Andrejam Peniķim, kas komandē kādu latviešu pulku, mestrs pēc kaujas izlēņo jaunu novadu.

Šī Pletenberga uzvara pie Smolinas ezera 1502. gadā vairo mestra ietekmi valsts dzīvē. Māras zemei tā dod mieru vairāk kā uz piecdesmit gadiem.

Kā Livonija izmanto uzvarā iegūto miera laikmetu?

"Es domāju lielas domas,
Kur tie kungi naudu ņem?
Ne tie ara, ne tie sēja,
Ne stādīja apinīšu."
(Tautas dz.)

40
PĒC PLETENBERGA UZVARAS

1503. GADĀ noslēdz pamieru ar krieviem, ko vairākkārt pagarina (līdz 1558. g.). Uzvaru par Maskavas karapulkiem izcīnīja ar visu Māras zemes pavalstnieku kopējiem spēkiem. Pletenberga armija lielā mērā sastādījās no latviešiem un igauņiem.

Bet uzvaras augļus bauda tikai neliela iedzīvotāju daļa. Bijušās briesmas ātri aizmirst, tāpat zemnieku nopelnus karā. Muižnieki cenšas tos nospiest arvien lielākā atkarībā un raust naudu lepnai izdzīvei. Viņi tomēr ļoti labi saprot, ka lauku iedzīvotājos pieaug naids un nemiers. Apbruņoti un kareivīgi zemnieki tāpēc muižniekiem ir bīstami. 1507. gadā viņi panāk landtāga lēmumu, kas noliedz zemniekiem nest ieročus. Neapbruņotus būs vieglāk izmantot un turēt paklausībā.

Šis neprātīgais lēmums smagi satricina Livonijas aizsardzību. Valsts zaudē lielāko daļu no saviem bruņotajiem spēkiem, bet par to muižniekiem maza bēda.

Galvenais — lai viņu kārta bez bailēm varētu baudīt visus iespējamos labumus.

1520-to gadu sākumā Livonijas katoļticīgos valdniekus — bīskapus un ordeni, piemeklē jauni pārbaudījumi. Mārtiņa Lutera pārveidotā mācība (reformācija) sāk strauji izplatīties Māras zemē. Visātrāk un visasāk tas norisinās pilsētās, sevišķi Rīgā. Tur to sludina divi mācītāji, dedzīgi Lutera piekritēji — Andrejs Knopkens un Silvestrs Tegetmeiers. Sprediķotāju satricinātie namnieki sāk postīt dievnamus un dedzināt svētbildes. Šos notikumus mēdz saukt par „bilžu grautiņiem". Arī latviešu namnieki piedalās šajos ticības nemieros, un Jēkaba baznīcā nodibinās latviešu luterāņu draudze.

Pēc tam reformācija izplatās muižnieku vidū, kas arī zemniekus „pārraksta" jaunajā ticībā. Sākumā gan latvieši no ticības maiņas maz ko sajūt. Visu Livonijas laiku tie īstenībā turpina dzīvot pēc savām vecajām ierašām. Daudzi joprojām upurē senajiem dieviem un rīko veļu mielastus saviem mirušajiem. Sakarā ar pārmaiņām vairākās vietās izceļas zemnieku nemieri, kas cer atbrīvoties no muižnieku varas.

Māras zeme tagad atrodas dīvainā stāvoklī — valdnieki ir katoļu garīdznieki un katoļticīgais ordenis, bet pavalstnieki — luterāņi. Tas ļoti vājina jau tā sašķelto valsti.

Pletenbergs ir jau vīrs gados un nespēj jaunajam laikam piemēroties. Var būt, ka, mainot ticību, viņš būtu varējis kļūt par Livonijas vienīgo valdnieku. Vismaz Rīgas un Tallinas namnieki piedāvāja viņam Livonijas kroni.

1535. gadā Māras zemi ķeŗ jauns sitiens. Pēc vairāk kā četrdesmit valdīšanas gadiem Cēsu pilī mirst slavenais krievu uzvarētājs, mestrs Valters fon Pletenbergs. Pēc nostāstiem nāve viņu pārsteigusi, sēdot krēslā, ar zobenu pie sāniem. Tā aiziet pēdējais vīrs, pret kuŗu Livonijā vēl bija cieņa un bijāšana.

Nekārtības un strīdi atkal pieņemas. Ordeņa brāļi un muižnieki pavada laiku dzīrēs un izpriecās, bet pie austrumu debesīm tikmēr savelkas tumši draudoši mākoņi.

„Kungi mani kaŗā sūta,
Ne man plintes, ne zobena.
No niedrītes plinti taisu,
No skangala zobentiņu."
(Tautas dz.)

41
JĀŅA BRIESMĪGĀ ASINS DARBI

Daudz zelta un sudraba ieplūst Eiropā pēc Amerikas atklāšanas (1492. g.). Arvien augstākas cenas sāk maksāt par labību un citām precēm. 16. gadu simtenī strauji vairojas Māras zemes muižnieku un tirgotāju ienākumi. Liekas, sākušies īsti „zelta laiki", un dažs labs bruņnieks tā pieņemas svarā, ka tikko var uzrāpties zirgam mugurā un nosēdēt sedlos. Pamieru ar Maskavu vienmēr vēl pagarina, un daudziem šķiet, ka no krieviem nav vairs jābīstas.

Livonijas valdnieki pēc Pletenberga nāves gan slepeni, gan atklāti cīnās par varu un katrs stūrē valsti uz citu pusi.

Šajā laikā Maskavas tronī sēž Jānis IV, kas ieguvis pavārdu „Briesmīgais" (1533.—84.). Viņš slimo ar vajāšanas maniju, ir viltīgs, atriebīgs un nežēlīgs. Daudz ko tas mācījies no tatāru valdīšanas paņēmieniem, un bārdainie krievu augstmaņi dreb nāves bailēs viņa priekšā. Cilvēka dzīvībai Jāņa Briesmīgā valstī

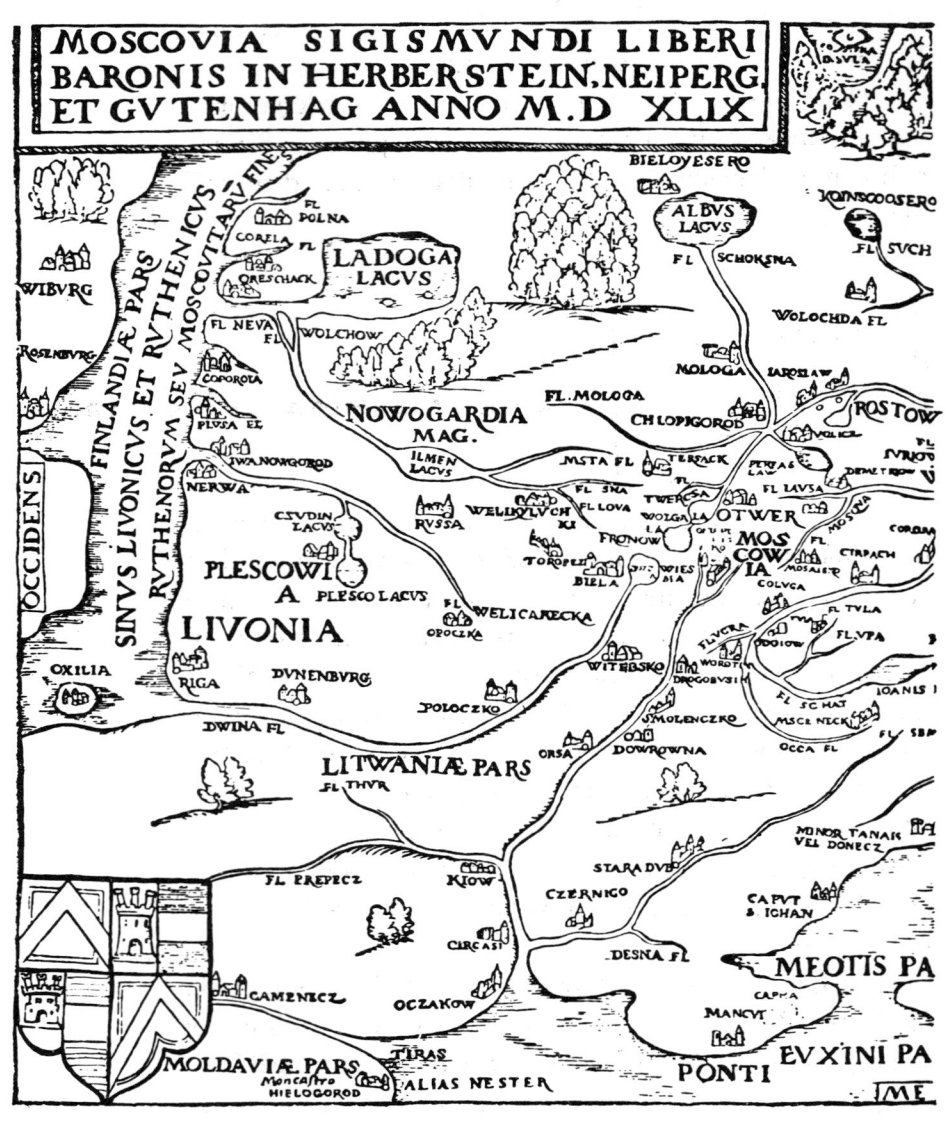

LIVONIJA 16. G.S. VIDŪ
HERBERŠTEINA KARTE 1549. GADĀ

nav nekādas vērtības. Tūkstošiem un atkal tūkstošiem krievu galvas ripo pēc valdnieka pavēles. Lai šis darbs labāk veiktos, viņš nodibina sevišķu slepeno policiju, kuras amata zīme ir suņa galva un slota. —

1547. gadā Briesmīgais liek sevi kronēt par caru (Cēzaru), lai visiem rādītu savu varenību. Izkāvies ar tatāriem pie Volgas, viņš 1557. gadā piesaka karu Māras zemei. Livonieši nemaksājot viņam „pareizticības meslus" un esot noslēguši neatļautu savienību ar Poliju-Lietuvu.

Nākošā gada sākumā krievu un tatāru armijas postīdamas un slepkavodamas iebrūk Livonijā. Ar to iesākas 25 gadu ilgais „Livonijas karš".

Māras zeme vairs nespēj sevi aizsargāt. Bruņnieki ir izlaidušies ērtā dzīvē, zemniekiem atņemti ieroči, bet salīgtie kara algotņi bieži vien pāriet ienaidnieka pusē, jo tiem nemaksā solīto atalgojumu.

Krievu rokās krīt daudz piļu un pilsētu, starp tām arī Narva pie Somijas jūras līča. Angļu un holandiešu tirgotāju kuģi steigšus dodas uz turieni, cerot uz lielu peļņu. Viņi piegādās Maskavas caram ieročus un municiju, un Livonijas valdnieki velti pret to protestē Rietumeiropā.

Tikpat veltīga ir palīdzības meklēšana pie kaimiņu valstīm. Tās tikai vēro notikumus, un cer pašas sagrābt Livoniju jeb vismaz kādu daļu no tās.

1559. gadā pārbaidītie Livonijas valdnieki un muižnieki atkal atceras zemniekus, kurus tie paši atbruņojuši. Nolemj iesaukt karā katru trešo, kas spējīgs kauties. Bet ir jau daudz par vēlu. Zemnieki gadiem ilgi nav ieročus lietojuši, un bez tam apbruņojuma trūkst. Tomēr daudzreiz viņi stājas ienaidniekam pretī pat ar sētas mietiem rokās.

Beidzot 1560. gadā ordeņa karaspēka komandieris (landmāršals) sadūšojas un pieņem cīņu pret Briesmīgā pulkiem pie Ērģemes. Blakus bruņniekiem kaujā iet arī kuršu ķoniņu jātnieku pulks. Krievu un tatāru spēki ir daudzkārt lielāki, un livonieši zaudē kauju, ciešot smagus zaudējumus.

Nav vairs, kas varētu apturēt Jāņa Briesmīgā laupīšanas un postīšanas kāri. Cilvēkus, kas nepaspēj paslēpties mežos vai purvos, kauj, dīrā, cepina un šausmīgi sakropļo. Daudzus aizdzen verdzībā uz tatāru un turku zemēm.

Un tomēr Jānim Briesmīgajam nav lemts kļūt par Livonijas kungu.

42
IZPĀRDOŠANA MĀRAS ZEMĒ

"Kalnā kāpu raudzīties,
Kas aŗ manu tēva zemi,
Vai aŗ leitis, vai tatāris,
Vai irbītes purināja."
(Tautas dz.)

NEVEIKSMĒM vairojoties, bailes un mazdūšība pārņem Māras zemes valdniekus. Galu galā arī viņi ir tikai svešnieki šinī zemē, kuriem pašā tautā trūkst īsta atbalsta. Muižnieki pie tam baidās nevien no iebrucējiem, bet arī no zemniekiem. Viņiem svarīgākais ir saglabāt savas priekšrocības un ieņēmumus.

Kas tagad notiek Māras zemē, ir nožēlojams skats. Ikviens domā tikai par savu ādu un savu labumu. Valdnieki un muižnieki meklē, kam varētu izdevīgāk padoties, un īsā laikā Livonijas valstu savienība ir izpārdota tikpat kā vairāksolīšanā.

Jau 1559. gadā Kurzemes (Piltenes) un Sāmsalas bīskaps Minchauzens pārdod savas valdnieka tiesības Dānijas karalim Fredriķam II. Karalis šīs zemes nodod savam jaunākajam brālim hercogam Magnum. Tā iesākas šī dāņu prinča ļoti dīvainie piedzīvojumi Māras zemē.

Nākošā gadā pret muižniekiem saceļas zemnieki Ziemeļigaunijā un izvēl paši savu karali. Bet Ziemeļigaunijas muižnieki un Tallinas pilsēta steidz padoties Zviedrijai, un šī Livonijas daļa nāk zviedru karaļa Ērika XIV varā (1561. g.).

Pusgadu vēlāk ordeņa mestrs un virsbīskaps padodas Polijai-Lietuvai. 1562. gadā Rīgā viņi zvēr uzticību Jagaiļa pēcnācējam — karalim Sigismundam Augustam. Zvērastu valdnieka vārdā pieņem leišu ministrs (kanclers) Nikolajs Radivils (Radzivils). Vācu ordeņa cīņa pret Lietuvu ir galā, loks ir noslēdzies. Zemes Daugavas labajā krastā dabū nosaukumu Pārdaugavas hercogiste un tiek pievienotas Lietuvai. Kurzemi un Zemgali pasludina par atsevišķu hercogisti Polijas-Lietuvas virskundzībā. Par pirmo Kurzemes hercogu kļūst pēdējais Livonijas ordeņa mestrs Gothards Ketlers. Tā viņam ir atlīdzība par padošanos.

Tādā kārtā 1562. gadā beidz pastāvēt Svētās Māras valsts. Šo notikumu, līdz ar reformācijas izplatīšanos, mēdz pieņemt par robežu starp viduslaikiem un jaunajiem laikiem latviešu tautas vēsturē.

Vienīgi Rīga nolemj nepadoties nevienam. Līdz pat 1582. gadam tā paliek neatkarīga brīvpilsēta.

Livonijas padošanās nekādu mieru tomēr neatnes. Galvenā cīņa par šo visu iekāroto zemi pie Baltijas jūras tikai iesākas. To savā starpā ar lielu neatlaidību izcīna Krievija, Zviedrija un Polija-Lietuva. Kādu laiku visiem pa vidu maisās dēkainais dāņu princis Magnus. Viņam pašam karaspēka nav, un Jānis Briesmīgais nolemj viņu izmantot savā labā, jo caram sāk klāties slikti. Maskavas armijas nespēj izturēt zviedru un poļu-leišu sitienus. Krieviem sāk zust cerības iegūt Livoniju. Tāpēc Jānis Briesmīgais mēģina gūt panākumus ar minētā dāņu prinča palīdzību.

Magnus ierodas Maskavā un tiek izsludināts par „Livonijas karali no Dieva žēlastības, igauņu un latviešu zemju valdnieku" (1570. g.). Pareizāk, protams, būtu saukt Magnu par „karali no krievu žēlastības". Šis titulis tomēr paliek tikai tukša skaņa. „Livonijas karaļa" Magna dēkas beidzas pēc astoņiem gadiem ar padošanos Polijas-Lietuvas karalim.

Karš par Livonijas mantojumu ilgst divus gadu desmitus. Briesmīgā pulki vēl vairākkārt iebrūk Livonijā un pastrādā mežonības, kas cilvēka prātam grūti saprotamas. —

Kā tajā laikā izskatās Māras zemē, liecina kāds ceļotājs:

„Ceļā no Rīgas līdz Tērbatai nedzirdēju ne gaili dziedam, ne suni rejam." —

JAUNIE LAIKI

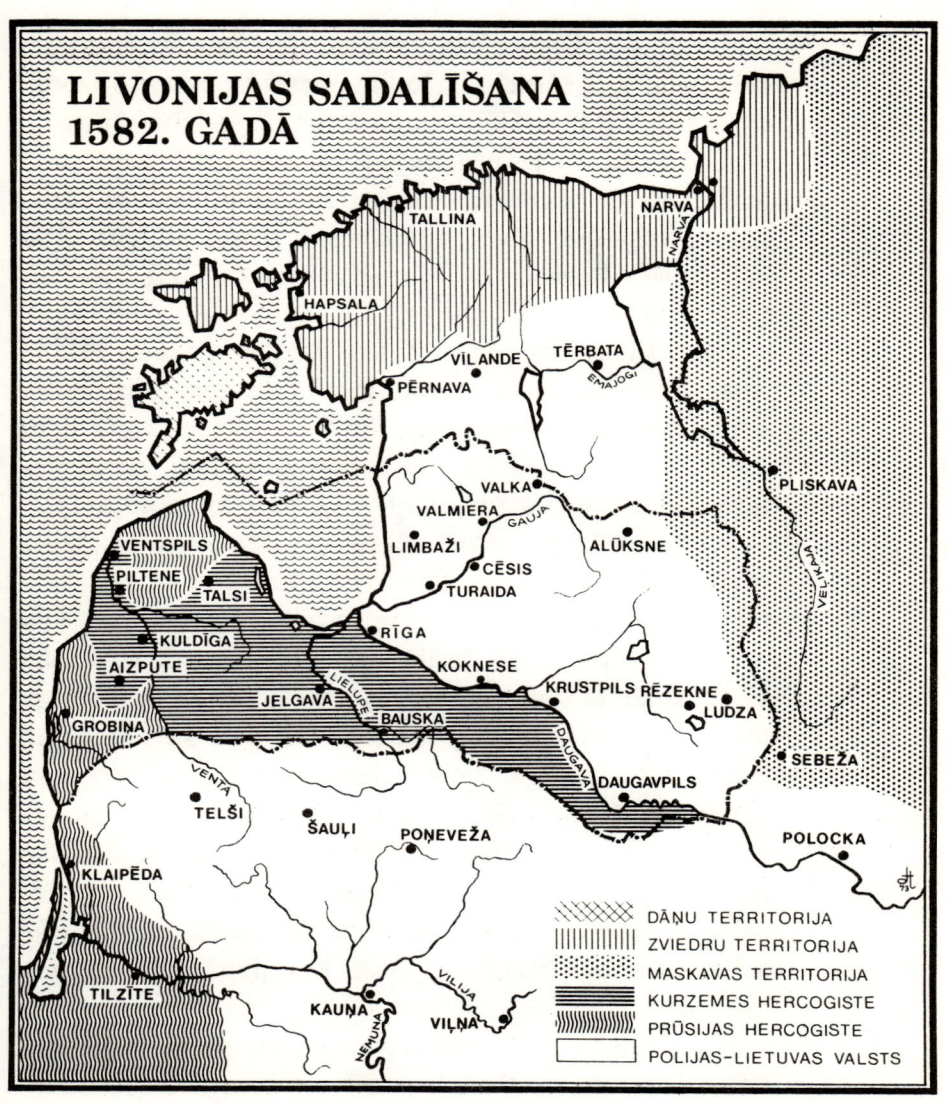

43
KUR ZOBENI ZEMI DALA

„Man jāiet tai zemē,
Kur zobeni zemi dala."
(Tautas dz.)

LIVONIJAS kaŗa sācējs Jānis Briesmīgais beigās neiegūst nekā. Taču viņš pagūst pamatīgi izpostīt Māras zemi, spīdzināt un izkaut tās iedzīvotājus.

Kad leišu un poļu armijas jau tuvojas pašam cara midzenim — Maskavai, viņš steidz ievadīt miera sarunas. 1582.—83. gadā ar pāvesta sūtņa starpniecību krievi slēdz līgumus ar Poliju-Lietuvu un Zviedriju, un tiem jāpazūd no Livonijas.

Ziemeļigauniju patur Zviedrija, bet pārējo Māras zemi Polija-Lietuva. Senās kuršu un zemgaļu zemes veido Kurzemes hercogisti, kuŗai vēlāk lemts gūt lielu ievērību tā laika Eiropā. Sabrūkot Livonijai, tātad vienīgi Rietumlatvija turpina dzīvot patstāvīgāku dzīvi.

1582. gadā arī lepnā Rīga atdodas poļu un leišu karaļa varā. Viņu kareivīgais valdnieks Stefans Batorijs (1576.—86.) svinīgi iejāj pilsētā.

Varētu domāt, ka brāļu tauta leiši tagad iznīcinās vācu muižnieku varu latviešu zemēs. Nekas tamlīdzīgs tomēr nenotiek. Pašai leišu tautai ilgā savienība ar Poliju nav laimīga. Lepnā dzīve poļu galmā, un poļu muižnieku lielās priekšrocības pievelk arī leišu augstmaņus. Viņi pamazām atsvešinās no savas tautas. Ar laiku tie pieņem poļu parašas, sāk runāt poliski un pārpoļojas. Daudzi ievērojami poļu valstsvīri, garīdznieki un mākslinieki īstenībā ir leiši, kas aizgājuši no savas tautas.

Kareiviskās leišu tautas vairākums pa to laiku nonāk pārpoļoto muižnieku varā un atkarībā. Visa noteikšana šajā valstī ir muižnieku rokās.

Tāpēc poļu un leišu uzvara nekādu laimi latviešu un igauņu zemniekiem nevar atnest. Bez tam zemes atjaunošana no tiem nākotnē prasa vēl lielāku darbu un pūles.

Divdesmit piecu gadu ilgās cīņas par Māras zemi ir beigušās. Bet atmiņas par tām dzīvo vēl ilgi. 1647. gadā Kurzemes hercogistes slavenais mācītājs Juris Mancelis vada dievkalpojumu miera noslēgšanas piemiņai. Savā sprediķī, kas uzglabājies līdz mūsu laikiem, viņš saka:

„Nu ir pagājuši sešdesmit un pieci gadi, kamēr mūsu cienīga Liela-kunga un Zemes-tēva tēvatēvs (hercogs Gothards Ketlers) pavēlējis gir (ir) par visu šo zemi šo dienu ik gadus-kārtā Dievam par godu slavēt. Aizto tie lieli krievi to Vid-zem ne vien gauži izpostīja, bet ir (arī) tos ļaudis, zemniekus, vāciešus, jā ir muižniekus un zeltnešus mocīja, piņķēja, dīrāja, svilināja un cepe iesmā uzdurtus kā cūkas. Ar pātagām acis no pieres izkapāja... Tās bēdas, katras mēs esam redzējuši pie vīriem, sievām un maziem bērniem, neliec, ak Dievs, mums atkal redzēt!" —

„Kungi raksta grāmatā,
Saule kļava lapiņā."
(Tautas dz.)

44
DOKUMENTS,
KO NEVIENS NAV REDZĒJIS

KAUT GAN Māras zemē muižnieku kārta baudīja vislielākās priekšrocības, tā ļoti maz ko darīja valsts aizsardzībai. Pavisam citādi tas bija, kad vajadzēja aizstāvēt viņu kārtas labumu. Tai ziņā vācu muižnieki arī turpmāk parāda apbrīnojamu centību un neatlaidību.

Kad ordenis un virsbīskaps padodas Polijai-Lietuvai, muižnieki steidzas iesniegt karalim Sigismundam Augustam garu sarakstu par savām tiesībām un priekšrocībām (1561. g.). Viņu karstākā vēlēšanās ir, lai karalis apstiprinātu muižnieku varu par zemniekiem. Viņi nekaunas pat pieprasīt sev tiesību spriest tiesu par zemnieku dzīvību un nāvi (t. s. ,,kakla tiesu").

Šo sarakstu, kurā bija uzskaitītas visas muižnieku vēlēšanās, mēdz saukt par ,,karaļa Sigismunda Augusta privilēģiju". Uz to vācu muižnieki vēlāk vienmēr cenšas atsaukties. Taču neviens nav varējis pierādīt, ka šis papīrs kādreiz būtu apstiprināts un atzīts. Dīvainā kārtā muižniekiem jau pēc nedaudz gadiem šī privilēģija ,,ir pazudusi". Ja ievēro, cik uzmanīgi viņi sarga savus ieguvumus, tad tik svarīga dokumenta pazaudēšanai pagrūti ticēt. Tomēr tie rīkojas tā, it kā viņiem visas šīs priekšrocības piederētu.

Tāpēc jo liels ir muižnieku uztraukums, kad karalis Stefans Batorijs paziņo: ,,Šo zemi esmu ieguvis karā un nekādus agrākus solījumus es neatzīstu." Šis kareivīgais valdnieks ir draudzīgs zemniekiem un grib tos aizsargāt.

1586. gadā viņa sūtnis Rīgā paziņo muižniekiem karaļa domas un gribu

,,... Dieva sods pār Livoniju ir nācis starp citu tādēļ, ka nabaga zemniekus viņu kungi apspieduši tik ļoti nožēlojamā veidā, aplikuši ar tik briesmīgu kalpību un tik nežēlīgiem sodiem, ka līdzīgas lietas nav dzirdētas visā pasaulē, pat ne pie pagāniem un mežoņiem... Visuvarenais tieši tādēļ atdevis šo zemi iekarotāja rokās, lai reiz tiktu iznīcināta tiranija, kas šeit valdījusi tik ilgus laikus..."

Bet karalis Stefans mirst tajā pašā gadā. Muižnieki

atviegloti uzelpo — viss paliek kā agrāk. Tā sauktā novada būšana pēc ilgajiem kariem ir kļuvusi vēl smagāka. Muižnieki uzskata zemniekus par savu īpašumu un dažkārt apietas ar tiem tikpat kā ar nedzīvām lietām. Šo kārtību mēdz dēvēt par dzimtbūšanu.

Savu rīcību muižnieki attaisno šādā veidā: „Zemnieki ir jātur padevībā un bailēs. Citādi viņi sacelsies un apsitīs visus muižniekus, kā tas dažās vietās noticis." Tāpēc var teikt, ka dzimtbūšana īstenībā ir kara stāvoklis starp muižu un zemnieka sētu.

Rodas pakalpīgi, mācīti vīri, kas savos rakstos cenšas pierādīt, ka šāds stāvoklis ir pareizs un taisnīgs. Viņi atceras, ka senajā Romā bijuši brīvi ļaudis un vergi, un mēģina pielīdzināt zemniekus romiešu vergiem. Viņi aizmirst, ka latvieši nekad tādi nav bijuši un ka senajos miera līgumos ar vāciešiem ir skaidri atzīta viņu brīvība, īpašuma un ieroču tiesības (skat. 28. un 31. nod.).

Lai cik muļķīgi un nepareizi ir šo mācīto vīru raksti un prātojumi, muižnieki tos labprāt izlieto.

„Mēs šeitan esam viesi —
Skan baznīcas dziesma veca."
(V. Strēlerte)

45
CĪŅA PAR ĻAUŽU DVĒSELĒM

Gadu simteņiem ilgi muižnieki cenšas iegūt noteikšanu par zemnieku miesu. Viņu mērķis ir padarīt tos par paklausīgām darba mašīnām, ar kuŗu palīdzību varētu vairot savu mantu. Šai ziņā tiem ir panākumi, sevišķi pēc nežēlīgā Livonijas kaŗa. Daudzas vecās zemnieku dzimtas ir izkautas kaŗā vai izmirušas sērgās. Ar tiem, kas no jauna apmetas muižnieku novados, ir vieglāk tikt galā.

Tomēr zemnieku pretestība nav salauzta. Par viņu domām un jūtām muižniekiem varas nav. Daudz tautas dziesmu rodas šajos laikos. Bieži vien latvieši tanīs asprātīgi izteikuši savas domas par viņu apspiedējiem. Tās rāda, ka viņi nekad nav samierinājušies un atzinuši svešnieku uzkundzēšanos. Zemnieka uzskatus par muižnieku var izteikt divās rindās:

„Velns tevi neraus,
Dievs tevi neņems."

Uz papīra latvieši, tāpat kā igauņi, skaitās luterticīgi, bet Polija-Lietuva ir katoļticīga valsts. Katoļu baznīca 16. gadu simteņa otrā pusē bija sākusi visā Eiropā sīvu cīņu, lai atgrieztu atkritējus („ķeceŗus") agrākajā ticībā. Uz Vidzemi un Latgali dodas daudz dedzīgu un labi sagatavotu mācītāju un mūku. Sevišķi darbīgi ir tā sauktie jezuīti — „Jēzus brālības" locekļi. Šo brālību bija dibinājis kāds kaŗā ievainots basku bruņnieks, lai apkaŗotu katoļu baznīcas pretiniekus.

Katoļu sludinātāju darbu mūsu zemē atbalstīja Polijas-Lietuvas karalis. 1582. gadā katoļi dibina Rīgā ģimnaziju latviešu bērniem. Tai pašā gadā viņu rokās nāk Jēkaba baznīca, kuŗā jau agrākos laikos atradās latviešu draudze. Šajā baznīcā glabājās arī daži īsāki garīgo rakstu tulkojumi latviešu valodā.

Trīs gadus vēlāk iespiež ticības mācības grāmatu latviešiem. Domā, ka grāmatu tulkojis jezuīts Ertmanis Tolgsdorfs. Viņš nevien cīnījies katoļu baznīcas labā, bet daudz palīdzējis arī apspiestajiem zemniekiem. Latvieši viņu mīlējuši un godājuši par „sirmo kungu, Vidzemes tēvu un bīskapu". Tā ir vecākā iespiestā latviešu grāmata, kas saglabājusies līdz mūsu dienām.

Gadu vēlāk iznāk pa daļai līdzīga grāmata luterticīgajiem latviešiem Kurzemē. Sacensībai par ļaužu dvēselēm tātad ir zināms labums. Baznīca spiesta vairāk domāt par tautas izglītību un grāmatām.

Bet katoļu baznīcai nav lemts savu cīņu Vidzemē novest līdz galam. Tās panākumus pārtrauc citi notikumi.

1587. gadā Polijas-Lietuvas tronī nāk zviedru princis Sigismunds Vasa. Viņa māte ir Jagaiļu dzimtas princese, viņš uzaudzis Polijā, un ir dedzīgs katolis. Pēc pieciem gadiem Sigismunds manto arī Zviedrijas troni un cenšas tur atjaunot katoļticību.

Zviedru tautas vairākums ar to ir nemierā. Šo nemieru izmanto jaunā karaļa tēvabrālis, luterticīgais hercogs Kārlis. Viņu izsludina par Zviedrijas valdnieku Sigismunda vietā. Zviedrijas un Polijas-Lietuvas starpā sākas karš, ko galvenā kārtā izcīna Daugavas krastos.

Savā ziņā tas ir turpinājums cīņai par Livonijas mantojumu.

„Vienmēr kāda zvaigzne aust,
Kad tu sīvās briesmās stāvi,
Vienu ceļu ej ar nāvi."
(Andrejs Eglītis)

46
JAUNAS CERĪBAS POSTA LAIKĀ

1600. GADĀ zviedru hercogs Kārlis (no 1604. gada — karalis Kārlis IX) izceļ savu karaspēku Igaunijā. Sākumā viņam veicas, un drīz vien viņa pulki stāv jau pie Daugavas.

Zviedrijā zemnieki ir nevien brīvi ļaudis, bet tie piedalās arī valsts lietu izlemšanā. Bez tam tieši viņi ir Kārļa galvenais balsts. Tāpēc jau pašā kara sākumā viņš noteikti vēršas pret muižnieku netaisnajām privilēģijām latviešu un igauņu zemēs. 1601. gadā viņš paziņo muižniekiem:

„Zemniekiem vajadzētu būt brīviem no muižniekiem... Viņiem vajadzētu varēt sūtīt savus bērnus skolās mācīties visādus amatus, kas būtu noderīgi šai zemei... Paraša turēt zemniekus līdzīgi vergiem nav vairs parasta kristīgā pasaulē, un tāpēc tā ir atmesta daudzus gadus atpakaļ."

Apbrīnojami ātri latvieši izprot, no kuŗas puses sagaidāms glābiņš. Kāds poļu pārvaldnieks ziņo savai valdībai: „Vidzemes zemnieki laižas pie hercoga Kārļa kā mušas uz medu." —

Bet pēc pirmajiem panākumiem zviedriem sākas neveiksmes, un tie zaudē vairākas kaujas pret poļu un leišu armijām. 1605. gadā nāk katastrofa pie Salaspils. Tur, uz klaja lauka Daugavas krastā, zviedru kājnieku pulki ielaižas cīņā ar poļu un leišu vareno smago kavaleriju.

Apvidus ir kā radīts jātnieku uzbrukumam, un zviedri saņem drausmīgu triecienu. Poļu un leišu smagie jātnieki neatturami izlaužas caur viņu rindām. Tad tie apgriež zirgus un vēlreiz, dragādami pretinieku, pārjāj kaujas lauku. Tikai atliekas paliek pāri no zviedru pulkiem. Dažus gadus vēlāk zviedriem pilnīgi jāatstāj Vidzeme. Tomēr miers netiek noslēgts.

Šis kaŗš atkal atnes Vidzemei milzīgu postu. Deg mājas un pilis, sērgās mirst desmitiem tūkstošu cilvēku. Zviedru armijas virspavēlnieks raksta: „Šīs nabaga zemes posts nav aprakstāms, un es neko līdzīgu neesmu savā mūžā redzējis."

Bet cauri kaŗiem un sērgām ir pamirdzējusi kāda cerība. Tā ir cerība, ka ar aizjūŗas karaļa palīdzību

tiks salauzta muižnieku vara arī šaipus Baltijas jūŗai.
— No šiem laikiem zviedru karaļa vārdu sāk daudzināt latviešu un igauņu zemēs.

Kārlis IX mirst jau 1611. gadā, kad Zviedrija atrodas kaŗā nevien ar Poliju-Lietuvu, bet arī ar Dāniju un Krieviju. Šajā grūtajā brīdī tronī kāpj viņa 16 gadus vecais dēls. Pasaules vēsturē tas pazīstams ar vārdu Gustavs II Ādolfs. Viņa kaŗapulki kļūst slaveni visā Eiropā, un to rindās lemts cīnīties arī latviešiem.

Šis karalis arī dibina ūniversitāti, kuŗā jau 17. gadu simtenī studē latviešu un igauņu zemnieku dēli.

*„Jūdziet man sirmus zirgus,
Brauksim zviedru zemītē,
Atvedam zviedru meitu
Ar sudraba ielokiem."*
(Tautas dz.)

47
VIDZEMNIEKI KĻŪST ZVIEDRU KARAĻA PAVALSTNIEKI

G<small>USTAVS</small> II Ādolfs bija stingri audzināts un krietni izglītots. Viņš runāja vairākas svešvalodas, labi pārzināja vēsturi, ģeografiju un kaŗa mākslu. Viņa laikā zviedru armiju pārvērš par modernāko Eiropā. Tā prot ātri un veikli pārkārtoties, un tai ir daudz lielāks uguns spēks nekā citām armijām. Sevišķi liela nozīme ir vieglai artilerijai, kas tieši atbalsta kājnieku uzbrukumu. Šai ziņā jaunais zviedru karalis daudz ko bija mācījies no lielā holandiešu kaŗavadoņa Oranijas Morica.

Nobeidzis kaŗus ar dāņiem un krieviem, Gustavs II Ādolfs vēršas pret Poliju-Lietuvu. Viņš panāk to, kas neizdevās viņa tēvam. 1621. gadā zviedru flote un armija piespiež padoties Rīgu. Tas ir milzīgs ieguvums, jo Rīga ir viena no visievērojamākām tirdzniecības pilsētām pie Baltijas jūŗas. Par šo notikumu runā visā Eiropā. Cīņas ar poļiem un leišiem turpinās Vidzemē, pēc tam Prūsijā, un zviedriem ir panākumi. 1629. gadā abas valstis noslēdz pamieru, ko vēlāk pagarina.

Arī turpmākie gadi Gustavam II Ādolfam paiet kaŗa laukā, cīnoties pret Vācijas katoļticīgo ķeizaru. No Vidzemes tam dodas līdzi vairākas latviešu kaŗaspēka vienības un piedalās šajā lielajā kaŗā. Vēsturē tas ieguvis nosaukumu „trīsdesmitgadu kaŗš". Kopā ar zviedriem, somiem un igauņiem tie pārstaigā visu vācu zemi no ziemeļiem līdz dienvidiem un izcīna daudz slavenu kauju. Cīņas beidzas ar vācu ķeizara sakāvi, bet Gustavs II Ādolfs galīgo uzvaru nepagūst piedzīvot. Jau 1632. gadā viņš krīt sava kaŗaspēka priekšgalā pie Licenes, netālu no Leipcigas.

Tomēr vēl pirms savas nāves tas pagūst izdot vairākus latviešiem svarīgus rīkojumus. 1630. gadā dibina ģimnaziju Rīgā un 1632. gadā ūniversitāti Tērbatā. Karaļa griba ir, lai tur mācītos arī zemnieku dēli.

Par Vidzemes ģenerālgubernātoru (augstāko pārvaldnieku) ir iecelts Gustava II Ādolfa skolotājs Jānis Šite. Atklājot Tērbatas Ūniversitāti, viņš saka: „... Zemniekiem līdz šim bija gandrīz vai liegts kaut ko mācīties, lai nospiestu nevien viņu miesu, bet arī garu. Tagad... viņi varēs iegūt gara labumus, un tas ir ērts ceļš, kā iegūt pārticību. Ka tas vēl līdz šim nav noticis, lai par to atbild vainīgie. Lai Dievs dod, ka bruņniecība, to atzītu un pieminētu. Tad... pār šo provinci nāks Dieva svētība, ko tajā varēs manīt." —

Tā, pirms vairāk kā 300 gadiem Vidzeme un Rīga nonāk Zviedrijas karaļa varā, bet Latgale paliek zem Polijas-Lietuvas. Aiviekstes upe kļūst robeža. Latviešu

Augšā – Rīgas ģērbonis
Vidū – Rīga 1656. gadā
Apakšā – Gustavs Ādolfs

zemes ir sadalītas trīs daļās — Latgalē jeb „poļu Vidzemē", zviedru Vidzemē un Kurzemes hercogvalstī. Kurzemē un Vidzemē nostiprinās Lutera mācība, bet Latgalē katoļticība.

Tomēr latvieši neaizmirst, ka tie pieder vienai tautai. Kad jaunākos laikos tie sāk cīņu par savu neatkarību, visi latviešu novadi atkal apvienojas vienā valstī.

48
BET MUIŽNIEKI VĒL TURAS

*„Vidzemīt, Vidzemīt,
Tevi kungi pārvarēs!
Nakti bija kult jāiet,
Dieniņā miežu pļaut."*
(Tautas dz.)

D<small>AUDZ POSTĪTAJĀ</small> Vidzemē Zviedrijas valdība ieved mieru un kārtību. Nodibina tiesas, kur taisnību meklēt var arī zemnieki. Atjauno baznīcas. Gādā par ceļiem un ātru satiksmi, lai valdība varētu sazināties ar visiem novadiem. Ceļotāju vajadzībām pie lielceļiem ceļ krogus, kur pārnakšņot un atpūtināt zirgus.

Latvieši un igauņi ar nepacietību gaida un cerē, ka tiks satriekta muižnieku vara. Tie ir pārliecināti, ka zviedru karalis ir viņu draugs. Bet pašā Zviedrijā turpmākā laikā notiek lielākas pārmaiņas, kas nesola neko labu. Tur ilgāku laiku nav pilngadīga valdnieka, un vadība nonāk augstāko muižnieku rokās.

Zviedru ievērojamākie muižnieki (piemēram, valsts kanclers Aksels Uksenšerna) ir ieguvuši lielus īpašumus Vidzemē un Igaunijā. Viņi ātri atklāj, cik ienesīgi ir turēt zemniekus dzimtbūšanā.

Lielāks skaits Vidzemes un Igaunijas muižnieku iegūst muižnieku tiesības Zviedrijā, un drīz vien arī tur gaiss ir saindēts. 1650. gadā zviedru zemnieki valsts kārtu sanāksmē (riksdāgā) atklāti izsaka savu nemieru:

„Mēs esam dzirdējuši, ka citās zemēs zemnieki ir vergi, un mēs baidāmies, ka tas pats nenotiek ar mums." —

Tādā kārtā notiek gluži pretējais: muižnieku vara ne vien noturas, bet pat brīvie zviedru zemnieki sāk justies apdraudēti.

Tajā laikā par labību Eiropā joprojām maksā labu cenu. Muižnieki, cik spēdami, paplašina savus laukus un izdzen zemniekus muižas darbos. Bieži vien zemniekus izliek no mājām un viņu laukus pievieno muižai. Tiem jāapmetas neiekoptā zemē un jāsāk viss no gala.

Naudas raušana apvieno kā vācu, tā zviedru muižniekus par dzimtbūšanas uzturēšanu Vidzemē un Igaunijā. Tomēr šī kārtība vēl arvienu nav apstiprināta ar likumu. 1671. gadā šī karstākā muižnieku vēlēšanās piepildās. Izmantojot troņmantnieka Kārļa (vēlākā Kārļa XI) mazgadības laiku, viņi panāk tā sauktā „Vidzemes policijas likuma" apstiprināšanu. Ar to tiek atzīta dzimtbūšana un nostiprināta muižas vara pār zemniekiem. Liekas, ka Vidzeme kļūs par īstu muižnieku paradīzi, un visas zemnieku cerības izgaisīs vējā.

Bet šī muižnieku uzvara ir panākta pēdējā brīdī. Gadu vēlāk troņmantnieks kļūst pilngadīgs. Viņš drīz atklāj, kādā postā valsti ir noveduši muižnieki. —

Ko latvieši un igauņi juta un domāja tajā laikā, kad viņi atkal un atkal vīlās savās cerībās? Par to liecina kāds ārzemju ceļotājs (Olearijs), kas 17. gadu simtenī brauca caur šīm zemēm:

"Viņiem joprojām ir prātā, ka viņu senčiem ir piederējusi šī zeme". — Olearijs arī apraksta to naidu un spītību, ar kādu tie izturas pret saviem apspiedējiem.

Un drīz pienāk muižnieku kārta drebēt un baiļoties.

49
ZEMNIEKU KARALIS KĀRLIS XI

"Kas nākas, jādod tas
Kā karalim, tā Dievam,
Jo tad, lūk, velnam
Pāri nepaliks nekas!"
(zviedru dzejnieks G. Dālšerna, 1661.—1709.)

Ir pienācis 1680. gads. Visu četru Zviedrijas kārtu pārstāvji — muižnieki, garīdznieki, namnieki un zemnieki, ir sapulcināti uz valsts apspriedi (riksdāgu) Stokholmā.

Vēl tikai pagājušā gadā noslēdza mieru ar Dāniju. Ar lielām pūlēm un smagā cīņā jaunais valdnieks Kārlis XI izglāba valsti no sakāves. Pavalstnieki par viņu runā ar cieņu un apbrīnu, tomēr reti kāds redz karali smaidām.

Šajā karā viņam daudz kas atklājies. Tas ir redzējis, cik nolaista bijusi zviedru armija un flote, cik tukša valsts kase. Kamēr viņš bija zēns, valsti pārvaldīja pavaldoņi — augstākie muižnieki. Tie arī turpināja izdāvāt valsts zemi saviem radiem un draugiem. Tajā pašā laikā muižniekiem izdevās ar likumu nostiprināt dzimtbūšanu Vidzemē.

Tagad ir pienākusi stunda noslēgt rēķinus. Augstprātīgā muižnieku kārta nojauž, ka viņu ietekmei valsts dzīvē draud gals. Pārējās kārtas ir pret viņiem, un pašu muižnieku vidū nav vienprātības. Zviedru zemnieku pārstāvji Stokholmas ielās un krodziņos atklāti runā, ka kungiem nu reiz jāstājas tiesas priekšā. — Jau pašā riksdāga sākumā valsts kārtas nodod visus agrākos pavaldoņus tiesai. Tiem jāatlīdzina valstij tiem laikiem milzīga summa — 4 miljoni sudraba dālderu.

Nākošais lēmums — atņemt muižniekiem visas izdāvātās un šaubīgā veidā iegūtās valsts muižas. Šo valsts zemju atņemšanu mēdz saukt par redukciju, un tā vissmagāk skar muižniekus Vidzemē un Igaunijā.

Kad riksdāgs tuvojas beigām, un apspriedes dalībnieki pošas uz mājām, karalis tiem uzstāda vēl dažus jautājumus. Viņš vēloties zināt, vai tam valsts lietās jāapspriežas ar valsts padomi un jāievēro muižnieku sarakstītie pārvaldes noteikumi? — Riksdāga atbilde skan: „Nē, tas nav vajadzīgs!"

No šī brīža Kārļa XI vara ir neierobežota. Viņš ir kļuvis „karalis no Dieva žēlastības". Viņa turpmākais mūžs paiet nepārtrauktā darbā un tam izdodas savest valsti atkal kārtībā.

Ar muižniekiem Kārlis XI nesamierinās nekad un reti ar tiem satiekas. Daudz labprātāk viņš iegriežas zemnieku sētās un aprunājas ar tiem. Viņš arī iegūst pavārdu — „zemnieku karalis". Reti pils zālēs notiek kādas izpriecas vai svētki. Kārlim XI šādām lietām nav ne laika, ne patikas. Tikai reiz, kādās zemnieku kāzās, karalis esot kļuvis tik jautrs, ka viņš pat dejojis ar līgavu. —

1681. gadā Kārlis XI uzaicina Vidzemes muižniekus atcelt dzimtbūšanu, bet tie atbild: „Tādā gadījumā visiem muižniekiem jāiet bojā." Tomēr muižnieku varu iedragā citādā ceļā. Kad Vidzemē nobeidz muižu redukciju, valsts rokās atrodas 5/6 no visiem īpašumiem. Latviešu zemnieku lielākā daļa tagad ir „kroņa ļaudis". Viņu aizsardzībai karalis izdod stingrus noteikumus, nodibina tiesas ar zemnieku tiesnešiem un atņem muižai tiesas varu. Tā var sodīt tikai par sīkākiem pārkāpumiem.

Izdara zemes mērīšanu un vērtēšanu, lai taisnīgi noteiktu zemnieku nodevas un klaušas. Tās ieraksta tā sauktās vaku grāmatās un nav patvarīgi grozāmas.

Tā Vidzemē tiek ierobežotas, kaut arī ne izbeigtas, muižnieku patvarības, un sākas tie laiki, kas tautas mutē dabūjuši nosaukumu — „labie zviedru laiki". Zemnieku paļāvība uz Kārli XI ir pilnīga. Daudzi dodas pāri jūŗai, lai tieši no karaļa izlūgtos dažādu netaisnību novēršanu. Kāds zviedru ierēdnis raksta: „Stokholma ir pilna ar Vidzemes zemniekiem."

Uztraukums un naids par „zemnieku karaļa" rīkojumiem Vidzemes vācu muižniekos ir neaprakstāms. Arī tie sūta pārstāvjus uz Stokholmu, lai pretotos karaļa gribai. Sevišķi uzstājīgs un draudīgs ir viņu vadonis Patkuls. Par karaļa apvainošanu viņam 1694. gadā piespriež nāves sodu, taču Patkulam izdodas izbēgt. Nonācis ārzemēs, viņš nepaguris cenšas kūdīt kaimiņvalstis uz kaŗu pret Zviedriju.

Pa to laiku pieaug latviešu labklājība. Arvien vairāk sudraba dāldeŗu krājas zemnieku makos. Daudzi atpērkas no klaušām, un tiem vairs nav jāiet muižas darbos.

Zemnieku dēli kalpo karaļa armijā, un tāpēc latviešu valodā pārtulko zviedru armijas noteikumus un kaŗavīru uzticības zvērastus.

Paļāvība un pašapziņa sāk atkal atgriezties Vidzemes ļaudīs.

„Bet man grāmatu ar krustu
Sirdī liec, lai nepazustu."
(Pāvils Rozītis)

50
GRĀMATA AR KRUSTU
UN LATVIEŠU MOZUS

L<small>ATVIEŠI</small> pieder tām tautām, kas ļoti daudz lasa. Latvijas neatkarības laikā mūsu zemē izdeva tik daudz grāmatu, ka Latvija tai ziņā ieņēma vienu no pirmajām vietām pasaulē.

Mūsu pirmās tautskolas rodas jau Kārļa XI laikā. 1687. gadā bez tam izdod rīkojumu, ka latviešiem dibināmas arī augstākas skolas, pa vienai katrā draudzē (draudzes skolas).

Vidzemes baznīcas lietu augstākais vadītājs, ģenerālsuperintendents Jānis Fišers un Alūksnes prāvests Ernests Gliks atveŗ skolu, kur latviešu zemnieku dēlus sagatavo par skolotājiem. Tie vēlāk darbojas dažādās vietās, un tauta tos mēdz dēvēt par Glika skolas puišiem.

Ar J. Fišera un zviedru valdības atbalstu Gliks sāk tulkot bībeli latviešu valodā (1681.—89.). Pilnīgā veidā to iespiež 1694. gadā (pirmais izdevums 1689. g.). Šī „grāmata ar krustu" ir viens no lielākiem un svarīgākiem darbiem, kas veikts 17. gadu simtenī. To mēdz saukt arī par „Kārļa XI bībeli", un tā atstāj lielu ietekmi tautā, jo ir nevien dievvārdu, bet arī lasāmā grāmata vispār.

Ap 17. gadu simteņa vidu Kurzemes hercogvalstī bija iznākuši vairāki ievērojami garīgu rakstu krājumi latviešu valodā. Nav šaubu, ka tas atviegloja Glikam tulkošanas darbu.

Bet jau pirms Glika kāds izcils latviešu tautības mācītājs bija sācis tulkot bībeli mūsu valodā. Tas bija kāda Rīgas latviešu amatnieka dēls, Jānis Reiters. Ap

1656. gadu viņš beidz studijas Gustava II Ādolfa dibinātajā Tērbatas Ūniversitātē. Gadu vēlāk Reiters kļūst mācītājs Vidzemē (Raunā) un gūst neredzētu piekrišanu.

Vācu mācītāji stāv muižnieku pusē un sludina zemniekiem paklausību un padevību pret kungiem. Jānis Reiters turpretī aizstāv savus tautiešus un vēršas pret muižnieku netaisno rīcību. Muižnieki iesauc Reiteru par „latviešu Mozu", tas ir, tautas vadoni, un viņu naids pret to aug augumā. Kāds no viņiem reiz pat uzbrūk tam ar dunci. Vācieši beidzot panāk, ka Reiteru atceļ no amata.

„Latviešu Mozus" dodas trimdā — vispirms uz Poliju-Lietuvu, tad uz Vāciju. Viņš atkal studē, raksta, tulko un starp citu izdod tēvreizi 40 valodās. (Tā par jaunu izdota Kopenhāgenā, 1954. gadā).

Kārļa XI laikā Reiters atgūst savas tiesības un kļūst mācītājs Koknesē. Viņa slava izpaužas tālu, un latvieši pat no Kurzemes brauc viņu klausīties. Reiters arī neatlaidīgi strādā, lai pārtulkotu bībeli latviski. Bet notiek neparedzēta nelaime. 1677. gadā Reiters iebrauc Rīgā tieši tad, kad tur izceļas milzīgs ugunsgrēks. Viņa grāmatas un tulkojumi atrodas Pētera baznīcā, kas krīt ugunij par upuri. Vācieši bez tam viņu ļaunprātīgi apsūdz Rīgas dedzināšanā.

Kaut gan Reiters pierāda, ka tie ir meli, viņu turpina dažādi vajāt. Iemesls tam ir viens — viņš nostājies savas tautas pusē. Ap 1680. gadu tas atkal ir spiests atstāt savu zemi. Turpmākos gadus viņš strādā par mācītāju un ārstu ingru (kāda somiem un igauņiem radniecīga cilts) zemē, netālu no tagadējās Ļeņingradas. Tur, ap 1695. gadu, šis lielais latviešu cīnītājs un zinātnieks mirst.

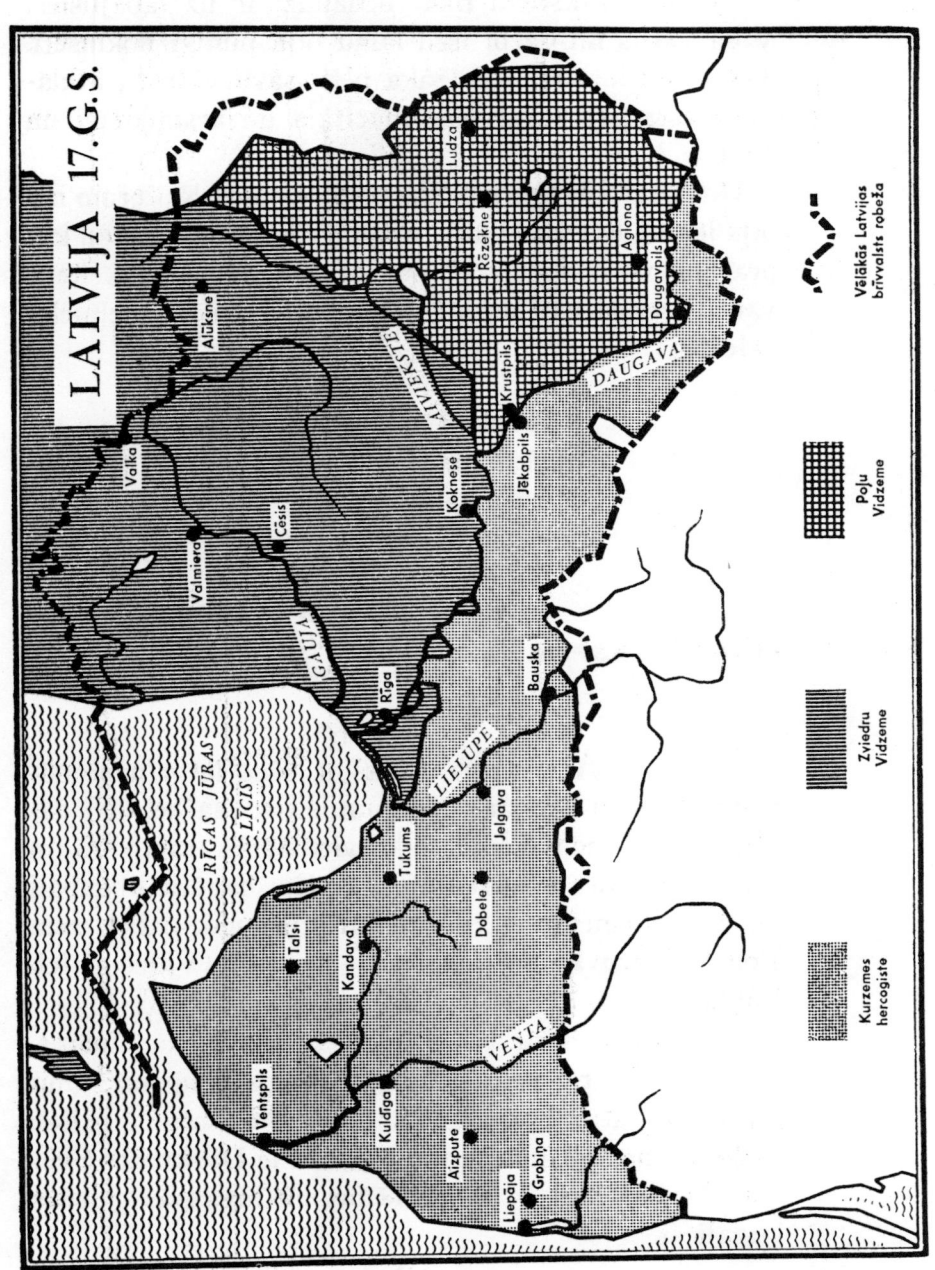

No viņa rakstiem tikai nedaudzi ir uzglabājušies. Viņa vārds un darbi ilgu laiku bija pilnīgi noklusēti. Tikai kad latvieši paši sāka pētīt savu vēsturi, atklājās stāsts par šī latviešu mācītāja un ārsta dzīvi un cīņu.

Dot latviešiem pirmo bībeles tulkojumu Reiteram nebija lemts. Bet viņš paliks vienmēr kā piemērs tam, kas prasāms no ikviena izglītota latviešu. Uz Jāni Reiteru var attiecināt vārdus, kas teikti kādā senā ziemeļnieku dziesmā:

> „ . . . Es zinu vienu,
> Kas nekad nemirst —
> Spriedums par
> Mirušu vīru."

51
SVĒTĀS MĀRAS PASPĀRNĒ

„*Kur zilais ezers dienvidsaulē dus,*
Dzird teiku vīrus dzelmē apburtus."
(J. Medenis)

AUSTRUMLATVIEŠUS, seno latgaļu pēcnācējus, zviedru kaŗi ar poļiem un leišiem sašķeļ divi daļās. Viņu ziemeļu novadi nāk Zviedrijas karaļa varā un dabū Vidzemes nosaukumu. Ezeriem bagātie apgabali uz dienvidiem no Aiviekstes arī turpmāk paliek zem Polijas-Lietuvas un tiek dēvēti par poļu Vidzemi jeb Latgali.

Viduslaikos visu Latviju un Igauniju, kā zināms, sauca par Māras zemi. Jaunajos laikos šo apzīmējumu joprojām patur Latgale. Tas tāpēc, ka Latgalē paliek spēkā un nostiprinās katoļu ticība. Pie Dievmātes Svētās Marijas tad arī savās bēdās un lūgšanās griežas latgalieši.

Polijā un Lietuvā muižnieki bija ieguvuši neaprobežotu varu par zemniekiem. Tas pats notiek arī Latgalē. Jau vairākkārt šajā stāstā ir minēts, cik ļoti vācu muižnieki dzinās pēc dažādām priekšrocībām un savu ienākumu vairošanas. Nav jābrīnās, ka tie ātri pieņem poļu muižnieku parašas un katoļticību. Viņi drīz vien aizmirst savu valodu un tautību, un pārpoļojas. Vēlāk tikai viņu uzvārdi atgādina, ka tie kādreiz bijuši vācieši. Tas skaidri rāda, ka šo ļaužu galvenais mērķis nebija nekas vairāk kā grezna un ērta dzīve. Tās dēļ tad arī apmainīja kā tautību, tā ticību.

Pavisam citādi tas ir ar Latgales latviešiem. Kaut gan mākslīgi radīta robeža šķiŗ tos no pārējiem tautas brāļiem, viņi joprojām paliek latvieši. Latgalieši ne vien saglabā savu valodu, bet arī daudz tautas dziesmu, teiku un pasaku. Vēlākos laikos tās tika savāktas un uzrakstītas no tautas mutes.

Latgalieši nepiedzīvo tos uzlabojumus, ko vidzemniekiem deva Kārļa XI valdīšanas laiks. Skolas un grāmatas savā valodā latgalieši iegūst krietni vēlāk. Tāpēc viņu liktenis ir bijis grūtāks nekā pārējiem latviešiem. Tomēr Latgale var lepoties ar to, ka tur sastādīta pirmā plašākā latviešu vārdnīca. Šo darbu 1683. gadā paveic mācītājs Juris Eļģers, un tanī atrodami daudzi seni un reti latviešu vārdi.

Apbrīnojama ir šīs latviešu cilts lielā izturība un sīkstums. Tie ir viņi, kas gadu simteņiem ilgi sargājuši Latvijas austrumu robežu no svešu tautu uzmākšanās.

Līdz 1772. gadam Latgale klausīja Polijas-Lietuvas karalim.

Latgalieši kļuva uzticīgi Svētās Māras bērni un — palika latvieši.

52
KURZEMES KUĢI IZBRAUC PASAULES JŪRĀS

"Kā svētkos Kurzemē bij uzposts katris nams,
Kad kuģu mastu mežs, viss plaši smaržodams
Pēc sveķiem bagāta un veca latvju sila,
No jūŗām atgriezās, kur Tabago mirdz zila."
(E. Virza)

Pirmo kurzemes hercogu valdīšanas laiks paiet cīņās ar patvarīgajiem muižniekiem un zemes atjaunošanas darbā. Hercogiem vairākkārt jāpiekāpjas muižnieku priekšā, kuŗu prasības atbalsta Polijas-Lietuvas karalis, hercogistes virskungs. Karaļa interesēs ir vājināt hercogisti, lai izdevīgā brīdī to pilnīgi sagrābtu savā varā. Tik tālu viņš tomēr netiek, un Gotharda Ketlera mazdēla Jēkaba laikā (1642.—82.) hercogiste piedzīvo savus slavas laikus. Seno kuršu pēcnācēji atkal kļūst jūŗas braucēji. Zem hercoga karoga — melns vēzis sarkanā laukumā — tie nonāk gan Afrikas krastos, gan šķērso Atlantijas okeanu, sasniedzot Rietumindijas salas. —

Jaunībā Jēkabs vairākus gadus pavada ceļojumos. No 1635. līdz 1638. gadam viņš apmeklē Franciju, Holandi un Angliju (Anglijas karalis Jēkabs I Stjuarts ir viņa krusttēvs). Sevišķi Holandē tas daudz ko mācās. Šī nelielā valsts toreiz ir bagātākā un izglītotākā visā Eiropā. Holandiešiem ir lielākā flote pasaulē, īpašumi aizjūŗas zemēs (kolonijas), un bagātības no visām malām ieplūst šai zemē. Tirdzniecība un rūpniecība ir viņu labklājības pamats, un holandieši mēdz teikt: „Brīvi jātirgojas visur, kaut vai ellē!"

Tomēr viņi nav tikai naudas rausēji. Bagātie tirgotāji devīgi atbalsta māksliniekus un zinātniekus, un to darbi sagādā Holandei pasaules slavu.

Redzētais dziļi ietekmē Jēkabu. Viņš apņemas pārvērst Kurzemi un Zemgali par Holandei līdzīgu valsti.

1642. gadā Jēkabs kļūst Kurzemes hercogs. Viņš ar lielu aizrautību ķeŗas pie darba un uz panākumiem nav ilgi jāgaida. E. Virza raksta:

„Kopš Jēkabs priekšgalā ir stājies Kurzemei,
Pār viņu laipnāki pat saule gaismu lej

— — — — —

Par viņu austrumos nav bagātāks nekas:
Pie visām upēm rūc un maļ tam dzirnavas..."

Visās Kurzemes malās sākas neredzēta rosība. Viena pēc otras paceļas jaunas rūpnīcas, zāģētavas, darvas tecinātavas. Piecpadsmit dzelzs un septiņus vaŗa cepļus uzceļ Jēkaba laikā, tāpat lielāku skaitu stikla, pulvera, papīra un ziepju fabriku, vairākas austuves un ieroču kaltuves.

Kurzemes ostās, sevišķi Ventspilī, nepārtraukti strādā kuģu būvētavas. Jēkabam nepietiek ar purvu rūdu, kas atrodama Kurzemē, un viņš nomā dzelzs un vaŗa raktuves Norvēģijā.

Gan cittautu speciālisti, gan latviešu amata meistari strādā hercoga uzņēmumos, bet saražotās preces un labību kuģi steidz izvest uz ārzemju tirgiem. —

„Dimd darbnīcas un kaļ ik dienas zobenus,
Lej strupos miezerus, kam rīklēs valsts miers dus.
Viss vēlīgs hercogam un viņa tāliem plāniem,
Un kuģi vareni ar nodarvotiem sāniem
To stipro ozolu, kas nāk no Rundāles,
Ir kviešus zeltainus, ir dārgus audus nes,
Visnotaļ appūsti ar viļņu putām sāļām —
Linburām trokšņojot uz rietu zemēm tālām."

(E. Virza)

Kurzemes hercogs Jēkabs ar vienu no viņa kara kuģiem

Kādas Kurzemes karaspēka nodaļas standarts

Jēkabs slēdz tirdzniecības līgumus ar Franciju, Portugali, Spāniju un Angliju. Viņš ir tik bagāts, ka var aizdot naudu, kuģus, lielgabalus un dažādus kara materiālus Anglijas karaļiem Kārlim I un Kārlim II Stjuartiem. Šī valdnieku dzimta zaudēja Anglijas troni, un viņu parādi Kurzemei nav dzēsti vēl šodien.

Lai gan daļu no saviem kuģiem Jēkabs pārdod Francijai un Anglijai, tomēr pašai Kurzemei tai laikā ir lielāka flote nekā Francijai. Ventspilī vien uzbūvē vairāk kā 120 kuģu. Trešā daļa no tiem ir kara kuģi.

Jau 1640. gadā Jēkabs no kāda angļu grāfa bija nopircis auglīgo Tobāgo salu pie Dienvidamerikas krastiem. Tur ražo cukuru, tabaku, kafiju, rīsu, vaniļu, kokvilnu, dažādus augļus, garšvielas un krāsvielas.

1651. gadā hercogs no kāda Rietumafrikas nēģeru valdnieka iegūst Andreja salu Gambijas upes lejas galā. Tur uzceļ cietoksni — „Jēkaba fortu" un uzsāk tirdzniecību. No šīs kolonijas iegūst ziloņkaulu, pērles, dārgus kokus, kafiju u. c.

Jelgava kļūst par galveno centru un noliktavu siltzemju precēm visai Austrumeiropai.

Nāk klāt arvien jauni nodomi. Jēkabs plāno rakt kanālus, kas savienotu Jelgavu ar Daugavu un jūru, lai vēl vairāk veicinātu savas galvaspilsētas tirdzniecību.

Uz Kurzemes kolonijām, Tobāgo un Gambiju, sūta kolonistus, un tā arī latvieši dabū iepazīties ar tropiskām zemēm. Piemēram, 1654. gadā karakuģis „Kurzemes hercogiene" noved uz Tobāgo 80 kolonistu ģimenes. Tur, tāpat kā Andreja salā, uzceļ „Jēkaba fortu". Tobāgo un apkārtējās salās vēl tagad sastopami ļaudis ar uzvārdu „Kurzemnieks" (Kurland). Šie notikumi devuši ierosinājumu J. Grīna romānam „Tobāgo".

Hercoga plāni sniedzās vēl tālāk. Viņš griežas pie

pāvesta ar priekšlikumu iekarot un kristīt jaunas tropiskas zemes. Šim pasākumam Jēkabs sola 40 karakuģus un 24.000 vīrus.

Bet hercogvalsts neredzētais uzplaukums rada skaudību gan kaimiņvalstīs, gan Rietumeiropā.

53
»PAR VARENU, LAI BŪTU TIKAI HERCOGS«

> *„Tavs vārds ne mūžam neņems rūsu,*
> *Kas citus segs,*
> *Tu mūsu zemē esi mūsu,*
> *Jacobus rex."*
> (Elza Stērste)

Kurzemes hercogs ir reizē arī Kurzemes lielākais muižnieks, jo viņam pieder trešā daļa no apstrādātās zemes. Tāpēc ļoti daudzu zemnieku stāvoklis atkarājas tieši no hercoga.

Jēkaba dažādie pasākumi prasa no latviešu zemniekiem daudz darba un pūļu. Tāpat viņš nav mēģinājis atcelt dzimtbūšanu. Totiesu hercogs izdod sīki izstrādātus noteikumus par savu zemnieku pienākumiem un viņu tiesībām uz mantu un īpašumu. Viņš arī stingri raugās, lai muižu pārvaldnieki tos pildītu un nerīkotos patvarīgi.

Daudziem zemnieku dēliem paveras jauni ceļi un iespējas. Tie kļūst amata meistari hercoga kuģu būvētavās, kaltuvēs un darbnīcās, jūras braucēji un kolonisti Kurzemes aizjūras īpašumos un karavīri Jēkaba karaspēka vienībās.

Tāpēc, lai gan hercoga prasības no saviem pavalstniekiem ir lielas, viņš tomēr tiek cienīts. Tas pierādās turpmākajos notikumos.

Jēkabs ar visu sirdi aizraujas ar valsts labklājības

celšanu, ar tirdzniecību, kuģniecību un kolonijām. Valsts drošību viņš cer nosargāt galvenā kārtā ar starptautisku līgumu palīdzību. Hercogs grib atturēties no iejaukšanās citu valstu strīdos un karos, un slēdz tā sauktos neitrālitātes līgumus ar Zviedriju, Angliju un Krieviju. Armijas izveidošanu viņš lielā mērā atstāj novārtā. Bet Jēkabs pārvērtē līgumu spēku un nozīmi.

Zīmīgi ir zviedru valdnieka Kārļa X skaudīgie vārdi: „Jēkabs ir par bagātu un varenu, lai būtu tikai hercogs, bet par nabagu un mazu, lai kļūtu karalis."

1655. gadā poļu karaļa ietiepības dēļ izjūk visi Kārļa X mēģinājumi noslēgt Zviedrijas un Polijas-Lietuvas savienību pret Krieviju, lai gan krievi šai laikā iebrukuši poļu un leišu zemēs. Tad, baidīdamies, ka krievi var gūt lielu ietekmi Polijā-Lietuvā, Kārlis X ar saviem pulkiem savukārt pāriet poļu robežu.

Kurzemes stāvoklis kļūst bīstams, jo tā ir savienībā ar Poliju-Lietuvu. Tagad gan nolemj sastādīt 50 rotas no latviešu zemniekiem, bet ir jau daudz kas nokavēts.

1658. gadā zviedru karaspēks, laužot neitrālitātes līgumu, ieņem un izlaupa Jelgavu, un aizved hercogu gūstā. Līdzīgi klājas arī citām Kurzemes pilsētām. Tomēr latviešu zemnieku bruņotie spēki turpina cīņu pret iebrucējiem. Zviedri mēģina tos pierunāt atkrist no hercoga, bet veltīgi.

1660. gadā Polija-Lietuva un Zviedrija slēdz mieru. Zviedrija iegūst galīgā īpašumā Vidzemi un Polijas-Lietuvas karalis atsakās no tiesībām uz Zviedrijas troni (skat. 45. nod.). Hercogu Jēkabu atbrīvo, un viņš var atgriezties savā valstī. Viņu svinīgi sagaidīt uz Rīgu dodas ap 2000 latviešu zemnieku. Tas notiek brīvprātīgi un rāda, kā uz hercogu skatās viņa pavalstnieki.

Bet karš ir sagrāvis hercoga paveikto darbu. Zviedri un franči ir sagrābuši lielu daļu no Kurzemes flotes, holandieši un angļi ieņēmuši tās kolonijas. 1664. gadā Jēkabs gan atgūst Tobāgo, bet cīņas par šo salu nerimstas, un beigās tā nonāk angļu rokās. Tomēr hercogvalsts līdz pat 1795. gadam turpina cīnīties par šo aizjūras īpašumu.

Karš un postījumi nav Jēkabu salauzuši. Atgriezies Kurzemē, viņš ar sparu sāk atjaunot savu valsti. Tā paiet viņa mūža pēdējie gadi, un 1682. gadā Kurzemes slavenākais hercogs mirst. — Viņa piemiņu nav izdzēsuši gadu simteņi, un vairāki dzejnieki ir apdziedājuši hercoga Jēkaba laikmetu, kad Kurzemes karogs plīvoja pasaules jūrās. Nav brīnums, ka viņu dažkārt apzīmē ar vārdu „rex", tas ir „karalis", jo „hercogam viņš bija par varenu".

Nākošie Kurzemes valdnieki nespēj mēroties ar Jēkabu, un pamazām iesākas hercogvalsts slavas riets. Bet līdz 1795. gadam Kurzeme un Zemgale saglabā savu patstāvību.

54
GAISMA NO KURZEMES

„*Bet stāv kā paraugi, kam latīniskais raugs,*
Tie Gliks un Mancelis, katrs gudras prozas draugs,
Un cēlais Fīrekers, kam dzejas dvesma salda,
Kas pantu valda tā, kā jājējs zirgu valda."
(E. Virza)

Hercogs Jēkabs dzīvo un valda apmēram vienā laikā ar Francijas varenāko karali, Ludviķi XIV. Šī valdnieka laikmetu franči sauc par savas rakstniecības un mākslas „zelta laikmetu".

Jēkabam valdot, Kurzemē tiek likti pamati latviešu

rakstu valodai, un tur rodas pirmā augstvērtīgā latviešu mākslas dzeja.

Šai stāstā jau minēts, ka Glikam, tulkojot bībeli, bija iespējams izlietot labus latviešu rakstu paraugus no Kurzemes. Tas zīmējas galvenā kārtā uz divu ļoti ievērojamu un apdāvinātu vīru darbiem. Juris Mancelis un Kristaps Fīrekers ir viņu vārdi.

Mancelis ir augsti mācīts vīrs, teoloģijas profesors un kādu laiku Tērbatas Ūniversitātes rektors. Bet viņa sirds pieder Zemgalei, kur viņš 1654. gadā mirst, kā hercoga Jēkaba galma mācītājs.

Jau Jēkaba tēvabrāļa, hercoga Frīdricha, laikā parādās vairāki Manceļa darbi latviešu valodā. Juŗa Manceļa galvenais darbs tomēr ir lielā sprediķu grāmata, kas iznāk īsi pirms viņa nāves. Tā ir sarakstīta sulīgā un gleznainā latviešu valodā, ko Mancelis noklausījies, dzīvodams tautas vidū. Šo grāmatu nevien tais laikos daudz lasa, bet tā ietekmējusi arī vairākus modernus rakstniekus, piemēram, E. Virzu un A. Grīnu. Nav jābrīnās, ka Manceļa sprediķu izlasi par jaunu izdeva pēc 300 gadiem (Kopenhāgenā, 1954. g.).

Saviem vācu amata brāļiem Mancelis vairākkārt pārmet, ka tie neprot pietiekami labi latviski, un tādēļ latvieši par tiem tikai zobojoties: „Kas zina, ko tas Vāczemes kaķis saka!" — Viņš liek nevien pamatus latviešu rakstu valodai, bet arī pats jūtas kā zemgalis. Tāpēc tas arī parakstās: Georgius Mancelius, Semgall.

Manceļa jaunākais laika biedrs Fīrekers (miris ap 1685. g.) ir dzejnieks no Dieva žēlastības. Lasot viņa darbus, grūti ticēt, ka tie rakstīti gandrīz 300 gadus atpakaļ. Fīrekers jau toreiz ir pilnīgi iekļāvies latviešos, precējies ar latvieti. Vajadzēja paiet turpat 200 gadiem, līdz radās dzejnieki, kas ar viņu varēja mēroties. Kā garīgu dziesmu sacerētājs Fīrekers īstenībā nekad nav pārspēts.

Dīvainā kārtā mums maz kas zināms par šī lielā dziesminieka dzīvi. Var nojaust, ka viņa darbs ticis kavēts un viņš pats zināmā mērā vajāts. Ar tā izcelsmi, dzīvi un darbu vēl joprojām saistās kāds noslēpums. —

17. un 18. gadu simtenī darbojas arī vairāki latviešu tautības mācītāji. Mancelis par to liecina: „Dažu labu arāja dēlu Dievs par mācītāju un baznīcas kungu ir cēlis."

Līdzīgi kā J. Reiters Vidzemē cīnās pret muižniekiem, tā Kurzemē to dara latviešu mācītājs Vilis Šteineks (1681.—1735.). Viņš ir studējis Vācijā un strādā par mācītāju Tukumā. Starp citu viņš veltī kādu dzejoli hercogam Ferdinandam, aprakstot muižnieku varmācības. Šteineks dzejolī pareģo, ka nāks diena, kad atriebības dieviete sašķels dižciltīgā „odžu dzimuma" galvu. Par šo pārdrošo valodu viņam uz mēnesi atņem mācītāja tiesības. Tomēr muižniekiem neizdodas to no Kurzemes padzīt.

Vilis Šteineks nobeidz mūžu kā savas draudzes gans un viņa pareģojumam ir lemts vēlāk piepildīties.

55
LIELĀ SAZVĒRESTĪBA

„*Nodevēj, nodevēj,*
Kāda tava alga bija?
Kausēts zelts, dzelzu katlis,
Iekšā tava dvēsle mirka."
(J. Rainis)

17. GADU simteņa beigās Vidzemes latviešiem ir pienākušas labākas dienas. Tas notiek, valdot „zemnieku karalim" Kārlim XI. Viņš nodibina zviedru vārdam tik labu slavu, ka tā pastāv līdz visjaunākajiem laikiem.

1697. gadā pienāk drūma vēsts: karalis ir miris. Nāve aizsauc Kārli XI pašos spēka un darba gados, bet tronī kāpj viņa 15 gadus vecais dēls — Kārlis XII. Par valdnieku ir kļuvis zēns, kas laiku galvenā kārtā pavada jāšanā un medībās. Neviens vēl nenojauž, ka šis zēns drīz vien kļūs kluss un mazrunīgs vīrs, kas visu mūžu pavadīs kaŗā un liks runāt par sevi visai pasaulei.

Zviedrijas ienaidnieki un Vidzemes nepiepildāmie muižnieki atkal paceļ galvas. No nāves soda izbēgušais Vidzemes muižnieku vadonis Patkuls ārzemēs nepiekusis turpina savu valsts nodevēja darbu. Lai atjaunotu vācu muižnieku varu, visi līdzekļi viņam ir labi diezgan.

Patkula pūlēm ir panākumi. Ārkārtīgā slepenībā izveidojas plaša savienība zviedru lielvalsts sagraušanai. Tanī piedalās Polijas-Lietuvas un Saksijas karalis Augusts II, pusmežonīgās Maskavijas cars Pēteris un dāņu karalis Fredriks IV. — Tā ir dīvaina sabiedrība, ko Patkuls savācis un apvienojis pret Zviedriju. Augusts II, kas dabūjis pavārdu „Stiprais", pazīstams kā nepārspēts dzīrotājs un spēka vīrs, kuŗš ar rokām var izliekt pakavu taisnu.

Dzīrošanā ar viņu teicami sacenšas nemierīgais un nesavaldīgais cars Pēteris, vēlāk saukts „Lielais". Maskavijas valdnieks slimo ar kādu nervu kaiti, seja viņam bieži raustās, un dažkārt tam uznāk pēkšņu dusmu lēkmes. Bet viņš ir darbīgākais un enerģiskākais no savienības dalībniekiem. Pēteris ir redzējis Rietumeiropu un ievērojis lielo atšķirību starp savu barbarisko zemi un pārējām valstīm. Viņš dziļi nicina stulbos un nopinkājušos krievu augstmaņus un varas līdzekļiem grib modernizēt savu valsti.

Tomēr krievu bajāri paliek tādi kā bijuši, kaut arī pēc cara pavēles tiem nogrieztas bārdas un uzvilkti mugurā modernāki svārki. Cara salīgtie ārzemju meistari gan palīdz kalt ieročus un būvēt kuģus, bet eiropiešu domas un gars paliek maskaviešiem tikpat tāls un svešs kā agrāk. Arī Pēteris pats valda un rīkojas ar tiem pašiem necilvēcīgajiem paņēmieniem, kādi šai valstī vienmēr bijuši parasti.

1699. gadā Patkuls slepus ierodas Rīgā, lai apspriestos ar citiem muižniekiem par pāriešanu Augusta Stiprā pusē. Drīz pēc tam Patkuls ir Varšavā un vienojas ar Augustu par noteikumiem — muižniekiem apsola visu varu Vidzemē, kā uz laukiem, tā pilsētās. Nodevība ir pilnīga.

1700. gada sākumā Augusta sakšu pulki bez kaŗa pieteikšanas uzbrūk Rīgai. Tomēr vairāk kā 70 gadus vecais zviedru karaļa vietnieks, ģenerālgubernātors Eriks Dālbergs, ir modrīgs un notur pilsētu. Dālberga vadībā cīnās arī lielāks skaits latviešu.

Ar to sākas 21 gadu ilgais „lielais ziemeļu kaŗš". Kaŗa organizētājs Patkuls pagūst vēl vairākus gadus darboties ienaidnieku labā, līdz tas krīt zviedru karaļa rokās. Kā valsts nodevēju viņu sarausta uz rata 1707. gadā. Šis bargais sods tomēr nespēj gandarīt lielo postu, kas tagad iet pāri nesen atspirgušajām latviešu un igauņu zemēm. —

Kārļa XI un Kārļa XII notikumiem bagāto laikmetu Vidzemē trīs romānos attēlojis A. Grīns — „Pelēkais jātnieks", „Sarkanais jātnieks" un „Melnais jātnieks". Nostāsti un atmiņas tautā par lielo ziemeļu kaŗu un mēri likti pamatā Kārļa Ābeles „Ziemeļu kaŗa balādēm". Tur dzejniekam lieliski izdevies parādīt šo drūmo un likteņīgo laiku.

„Pie ziemas debesīm kā asiņaina slota
Deg naktī komēta, un logos spīdums baigs
Liek celties cilvēkiem, kam bailēs tumsis vaigs:
Dievs, miera svētība bij īsu laiku dota!"
(J. Medenis)

56
LATVIEŠU ATBALSTS
JAUNAJAM KARALIM

1700. GADĀ, kad sākas lielais ziemeļu karš, Kārlim XII ir tikai 18 gadu. Bet no tēva viņš mantojis labi pārvaldītu valsti, stipru armiju un floti. Vēl dzīvi ir vairāki vecie, daudz piedzīvojušie virsnieki un ģenerāļi. Viens no tiem, ģenerālis Rēnšelds (vēlāk feldmāršals), ir jaunā karaļa skolotājs un galvenais padomdevējs kara lietās.

Ne brīdi nevilcinādamies, Kārlis XII pāriet pretuzbrukumā. Pirms dāņi pagūst apdraudēt Zviedriju, tie ir jau satriekti un spiesti slēgt mieru.

Vēlā rudenī zviedru valdnieks dodas pāri vētrainajai Baltijas jūrai un ar kādiem 10.000 vīriem izkāpj Igaunijā. Viņš steidzas uz Narvu, ko ar lieliem spēkiem aplencis cars Pēteris.

Latviešu zemnieks Stepiņš Krauklis kļūst ceļa vadonis karaļa armijai. Pa slepenām tekām viņš noved Kārli XII krievu aizmugurē. Vētrā un sniegputenī karaļa pulki iet pārdrošā triecienā. Pēc īsas un nežēlīgas kaujas milzīgā maskaviešu armija noliek ieročus. Gūstekņu ir tik daudz, ka pietrūkst apsargātāju. Tāpēc tikai virsniekus patur gūstā. Jaunais valdnieks, kas pats visu laiku kāvies līdzi, ir tik noguris, ka aizmieg sava skolotāja Rēnšelda rokās.

Ziņa par šo uzvaru pāršalc visai Eiropai. Stepiņa Kraukļa nopelni Narvas kaujā ir cildināti ar sevišķu rakstu, kuŗā redzams arī viņa attēls.

Nākošā gada (1701.) vasarā Kārļa XII armija dodas atbrīvot sakšu aplenkto Rīgu. Ienaidnieks apmeties Daugavas kreisajā krastā un salās. Jūlija sākumā zviedru spēki pārceļas pār upi un Spilves pļavās galīgi sakauj Augusta Stiprā pulkus.

Karaspēka pārcelšanu pār Daugavu veic Rīgas latviešu zvejnieku un laivinieku amata brālība sava priekšnieka J. Nariņa vadībā. To izdara ātri un veikli, pie tam dūmu aizsegā. Pēc kaujas Nariņam un viņa vadītajiem latviešu laiviniekiem Kārlis XII pasniedz pateicības rakstu. Tā noraksts glabājas Rīgas pilsētas vēsturiskajā archīvā.

Abu minēto uzvaru izcīnīšanu tātad vairāk vai mazāk ir veicinājuši latvieši. Arī citādā veidā Vidzemes latvieši parāda savu uzticību Kārļa XI pēcnācējam. Vairāki saimnieki aizdod karalim lielākas naudas summas kara vešanai (600—900 sudraba dālderu katrs).

Pavalstnieku nostāja ir nepārprotama. Vācu muižnieku vairums atklāti vai slepeni stāv ienaidnieka pusē, latviešu zemnieki atbalsta karali.

1701./1702. gada ziemu Kārlis XII pavada Kurzemē un pieņem mūsu zemei likteņīgu lēmumu. Viņš nolemj vispirms doties pret Augustu Stipro un panākt tā atcelšanu no Polijas-Lietuvas troņa. Tikai pēc tam Kārlis XII galīgi norēķināsies ar Maskaviju.

Vidzemē atstāj ļoti mazus spēkus, kurus papildina ar 6 latviešu zemes sargu bataljoniem (ap 1800 vīru). Karā iesauktajiem zemniekiem apsola pilnīgu atbrīvošanu no dzimtbūšanas. Bet bataljoni ir steigā apmācīti un slikti apruņoti. Tie var cīnīties vienīgi pret mazākām ienaidnieka nodaļām.

Karš pret Augustu Stipro Polijā-Lietuvā ilgst līdz 1706. gadam un beidzas ar Kārļa XII uzvaru. Pa to laiku cars Pēteris netraucēts var uzbrukt Baltijas jūras piekrastei, kas atstāta bez stiprākas aizsardzības.

"Sen jau klusi ir ceļi. Arklu necilā arājs.
Kādreiz garām iet pulki, kaut kur dodamies karot,
Kādreiz pamalē tālā sarkans ugunsgrēks spīgo,
Kādreiz atmaldās runas: mieru derēšot Rīgā."
(K. Ābele)

57
»VIDZEMĒ NAV VAIRS KO POSTĪT«

1705. GADĀ cara karavadonis Šeremetjevs raksta savam pavēlniekam:

"Man Tev jāziņo, ka visvarenais Dievs un vissvētā Dievmāte Tavu vēlēšanos piepilda: ienaidnieka zemē nav vairs ko postīt. No Pliskavas līdz Tērbatai un no Rīgas līdz Valkai viss ir iznīcināts, visas pilis ir sagrautas. Nekas nav atlicies, izņemot Pērnavu un Rēveli un šur tur pa muižai pie jūras."

Izmantojot Kārļa XII ilgos karus ar Augustu Stipro, krievu un mongoļu pulki cenšas pārvērst Vidzemi un Igauniju tuksnesī. Cars necer šīs zemes iekarot un baidās, ka no turienes zviedru karalis var sākt triecienu pret viņu pašu. Vairākus gadus no vietas Maskavas slepkavotāju, laupītāju un dedzinātāju komandas trako Baltijas jūras krastos. Kelcha chronika stāsta:

"Viņi nodarīja iedzīvotājiem visādas varmācības un nogalināja vīrus, sievas un bērnus bez izšķirības, vai arī aizveda gūstā... Daudz simtu mazu bērnu kā zosulēnus sakrāva ratos un aizveda uz Tatāriju."

Uz Krieviju no Alūksnes aizved arī bībeles tulkotāju Ernestu Gliku un viņa audžu meitu Katrīnu. Šī meitene, par kuru daži domā, ka tā bijusi latviete, piedzīvo dažādas dēkas. Beigās tā kļūst cara Pētera sieva un pēc viņa nāves — ķeizariene Katrīna I.

Iekarotajos ingru zemes novados pie Somijas jūras līča Pēteris 1703. gadā dibina jaunu pilsētu. Šajā purvainajā apgabalā, pēc cara pavēles rokot, cērtot un ceļot, iet nāvē tūkstošiem ļaužu. Tā, burtiski uz cilvēku kauliem, uzceļ Pēterpili. Tai laikā tiek lielā mērā izkauta un iznīcināta ingru tauta — viens no daudzajiem noziegumiem Maskavijas vēsturē.

Arī Vidzeme atrodas nāves ēnā. Šī novada ļaudis tomēr ir sīksta cilts. Notiek tas pats, kas Livonijas kaŗa laikā — mežos un purvos tie glābjas no vajātājiem un spītē nāvei un iznīcībai.

Mācītājs, maģistrs Svante Dīcs, slapstīdamies mežos un mitinādamies zem egles saknēm, saraksta pat vairākas garīgas dziesmas. Kā toreiz izskatījās mūsu zemē, liecina kāds Dīca pants:

> „Kur daža branga ēka,
> Kur daža skaista pils,
> Tur tagad zaķi lēkā,
> Tur atmata un sils."

Palīdzība no karaļa nenāk, un latviešu zemniekiem jāpaļaujas vienīgi uz savu atjautību un spēku. Kur tas iespējams, tie pulcējas kopā uz savu roku un no mežiem un paslēptuvēm uzbrūk cara Pēteŗa sirotāju pulkiem. Šo partizānu dēkas dzejā spraigi attēlojis K. Ābele (balāde „Pēdējais pļāvums"):

> „Bet tad pēkšņi no sirām svešie nepārnāk mājās:
> Viņus velēnu smagums blīvi apsedzot klājis.
> Sargot savējo sētu, zemnieks uzņēmis kaŗu,
> Stiprais kalēju Mārtiņš visus pulcina barā.
> Izkapts, galiski sieta, stingrā arāja rokās
> Galvas nopļauj kā dadžus, šalcot varenos lokos.

— — — — —

Lādas pulkvedis žņaudzot smagā zobena spalu:
— Man ar kalēju plūkties! Nu mans gods ir
pagalam! —

— Es to vadīšu šurpu, sietu mezglotām cilpām —
Dēls teic pulkvedim sparīgs: — tad var zemnieki
svilpot.
Kalējs, sātana šūpots, augstu karāsies zarā! —
Dēls ir pulkvedim līdzi nācis Ziemeļu kaŗā..."
Pa to laiku Kārlis XII ar uzvaru ir nobeidzis kaŗagājienu pret Augustu Stipro. Zviedrijas valdnieks atrodas slavas kalngalos. Ārzemju sūtņi sacenšas, lai iegūtu viņa labvēlību un palīdzību „Spānijas mantojuma kaŗā", kas plosās Rietumeiropā.
Bet kluss un mazrunīgs viņš tagad pagriež savu armiju tālam pārgājienam pret austrumiem.

„Bet naktī šāvieni skan silam kaucot aukā,
Tos ceļā aizvadot, no kuŗa nepārnāk."
(J. Medenis)

58
AUGSTĀ SPĒLE AUSTRUMOS UN «MELNAIS JĀTNIEKS« VIDZEMĒ

1708. GADĀ kāds zviedru students Saksijā noskatās, kā Kārļa XII 40.000 vīru lielā armija sāk maršēt uz austrumiem. Viņš raksta uz mājām:
„Cilvēka acīm liekas, ka šie drosmīgie, stiprie, labi bruņotie un apmācītie vīri nav uzvarami. Lai Dievs dod laimi! Notiek, kas notikdams!"
Karalis tagad liek visu uz vienas kārts — viņš grib panākt izšķirīgu kauju ar caru Pēteri. Bet Maskavas valdnieks no tās izvairās, noposta pats savu zemi un atvelkas dziļāk savā midzenī.
Nāk neredzēti barga ziema visā Eiropā. Nosaluši putni krīt no koku zariem, tūkstošiem zviedru kaŗavīru iet bojā salā un slimībās. Tam visam pievienojas vai-

rākas citas kļūmes — ar sabiedrotajiem ukraiņiem un palīgspēkiem no Kurzemes.

1709. gadā zviedri tomēr iet triecienā pret divreiz lielāku cara Pētera armiju pie Poltavas cietokšņa Ukrainā. Kara laime šoreiz atstāj zviedru karali. Viņu pašu ievaino jau pirms kaujas. Uzbrukums nokavējas, un neizdodas krievus pārsteigt. Aiz pārpratuma ļauj izglābties sakautajai krievu kavalerijai, kas izšķirīgā brīdī atkal atgriežas kaujas laukā. Pēc smagiem zaudējumiem zviedri atkāpjas.

Ievainotais karalis patveŗas Turcijā. Tad nāk katastrofa. Zaudējuši paļāvību saviem spēkiem, ap 14.000 zviedru bez šāviena padodas krievu vieglajai kavalerijai. —

Nožēlojamu lomu šajā rietumu cīņā pret austrumiem spēlē vairākas Eiropas valstis (Prūsija, Hanovera). Tās tagad nostājas krievu pusē, lai iegūtu daļu no zviedru īpašumiem Vācijā. Kārlis XII gan arī tad neatsakās no cīņas, bet nespēj vairs iznākumu grozīt. Viņš pats krīt kaujas laukā deviņus gadus vēlāk (Norvēģijā, 1718. g.).

Vidzemē pēc maskaviešu postījumiem 1709. gadā izceļas briesmīgs bads. Tam seko mēris, kas ievazāts no austrumiem. Domā, ka mērī gājuši bojā turpat 3/5 no Vidzemes iedzīvotājiem. Tāpēc kāds tā laika mācītājs (B. Bīnemanis) raksta:

> „Šī sērga mēdz kā avis kaut,
> Kā zivis saņemt lomā,
> Un dažu labu bedrē raut,
> Pirms tas uz nāvi domā."

Baigās atmiņas par šiem laikiem saglabājas teikās un nostāstos. Tur mēris bieži attēlots kā melns jātnieks, kas auļo pār zemi, nāvi sēdams. Dažkārt viņš parādās cilvēku vidū kā melni tērpts, svešāds un smalks kungs, kuŗa pēdās tūlīt seko sērga. — K. Ābeles balādē „Viens vairāk" šis „svešais, smalkais kungs" atbild ziņkārīgajam Matīšu krodzniekam:

„... Ko tu, nejēga, jautā!
Vai es tirgotājs esmu, vai es līgumu slēdzējs?
Kam es ieskatos vaigā, ko tam līgumi līdzēs,
Ko tam zīmogi līdzēs, vaskā sarkanā spiesti! —
Strauji piedūries galdam, atkal iedziedas piesis..."

Pēc Poltavas uzvaras Pēteris aplenc Rīgu. Pilsētā izceļas mēris, cilvēki mirst uz ielām, un nav, kas mirušos spēj aprakt.

1710. gadā bada un sērgu izmocītā Rīga padodas Maskavas caram. Vidzeme ir Pēteŗa rokās. Galīgi to apstiprina zviedru un krievu miera līgums 1721. gadā. Tad arī Pēteris sāk saukties par Krievijas („Rosijas") ķeizaru.

Latviešu zemnieki ir zaudējuši cīņu. Zeme ir tukša un izpostīta, bet Patkula nodevības mērķis ir sasniegts — muižnieku iedragātā vara Vidzemē tiek atjaunota.

„*Ar balodi vēsti sūtu*
Tālajai māsiņai:
Sīvi kungi, vergu dzīve,
Nespēj bēri kumeliņi."
(Tautas dz.)

59
MUIŽNIEKU VARAS UN «ŠĶIDRĀS MAIZES» LAIKI

Lai gan jau 1710. gadā Vidzeme un Rīga ir krievu cara varā, viņš nav drošs, ka varēs šos ieguvumus paturēt. Vēl nesen Maskavas valdnieks ir

Vidzemi apsolījis savam draugam Augustam Stiprajam. Tāpēc krievi cenšas dabūt savā pusē vācu muižniekus. Tie, kā parasts, ir gatavi padoties tam, kas sola vairāk. Viņi izmanto izdevību un panāk gluži neticamas lietas.

Muižnieki atgūst nevien zviedru laikā pazaudēto, bet iegūst tiesības, kādas tiem nekad vēl nav bijušas. Arī bēdīgi slavenā Sigismunda Augusta privilēģija („dokuments, ko neviens nav redzējis") tagad tiešām tiek apstiprināta. Muižniekiem izdala arī gandrīz visas „kroņa muižas", kas ar laiku kļūst viņu īpašums (1783. g.). Viņiem atļauj pēc patikas pērt un sodīt zemniekus (1713. g.), un, ja zemnieks bēg — nogriezt tam ausis vai degunu un iededzināt zīmi pierē (1719. g.).

Karā, badā un mērī latvieši Vidzemē ir cietuši briesmīgus zaudējumus, un tautas pretestība ir vājināta. Zviedru karalis ir sakauts, zeme ir pilna ar krievu karaspēku, un muižnieki var līgsmot. Cik vareni tie jūtas, liecina kāds apbrīnojami bezkaunīgs un melīgs raksts. 1739. gadā muižnieku pārstāvis (landrāts) Rozens paskaidro krievu valdībai:

„Dzimtkungu (muižnieku) vara par zemniekiem ir spēkā jau no šīs zemes iekaŗošanas... Zemniekiem ar to tika atņemta jebkāda brīvība un viņus piesaistīja pie zemes... kā zemes vergus jeb dzimtcilvēkus. Sniegt kādus sevišķus pierādījumus ir lieki..."

Pašā Krievijā zemnieki ir vergu stāvoklī, un landrātam Rozenam neviens arī nekādus pierādījumus neprasa. Bet ja tas tomēr būtu noticis? — Tad izrādītos, ka Rozena raksts dibināts uz tīriem meliem un nepatiesībām. 13. gadu simteņa miera līgumi rādītu pavisam ko citu — ka latvieši patur nevien brīvību un īpašumu, bet arī apbruņojumu, un vēl gadu simteņiem ilgi piedalās kaŗagājienos un zemes aizsardzībā. —

Tieši 18. gadu simtenis, nevis agrākie laiki, ir visdrūmākais laikmets Vidzemē. Kaŗa izpostītajā zemē viss atjaunošanas darbs un visas nodevas gulstas vienīgi uz latviešu zemnieku pleciem. Ar zemnieku un viņa mantu muižnieks rīkojas kā ar savu īpašumu un kā tam ienāk prātā. Mācītājs Hupelis 18. gadu simtenī raksta: „Šeit cilvēki ir lētāki kā nēģeŗi Amerikā."

Tomēr muižniekiem nepietiek ar to, ka tie bez jēgas izdzen ļaudis muižas darbos, izspiež pārmērīgas nodevas un uzliek nežēlīgus sodus. Viņi atrod vēl kādu citu līdzekli zemnieku izsūkšanai. Tie atklāj, ka var nopelnīt daudzkārt vairāk, ja labību pārvērš degvīnā.

Vidzemē tagad sākas īsti degvīna plūdi, un muižnieki kļūst šī novada lielākie krodznieki. Daļu saražotā degvīna sūta uz pilsētām, bet lielu daudzumu „izkroģē" uz laukiem neskaitāmos muižu krogos. Tur nodzītie un izmocītie ļaudis var „noslīcināt savas bēdas" un nodzert pēdējo, kas tiem atlicies. Tā kā degvīnu dedzina no labības, tas dabū tautas mutē raksturīgo nosaukumu — „šķidrā maize".

Posts veicina dzeršanu, bet tautas apdzirdīšana dod peļņu muižniekiem. 18. gadu simteņa vidū Vidzemē saskaita 933 krogus, bet tikai 29 skolas. Tik tālu ir nonākusi šī zeme, ko pārvalda krievu ģenerālgubernātors un vācu muižnieki.

Tauta tomēr ir par izturīgu un spēcīgu, lai nogrimtu šajā purvā. Attapušies no kaŗa un mēŗa briesmām, ļaudis sāk atkal meklēt kādu izeju.

60
«NU NĀK LATVJU PESTĪTĀJS!«

„*Es zinu, cik tam debess dārga,*
Kam pasaulē viss svētums ņemts:
Kam sirds ir sagrauzta un vārga,
Tā acīm tālu redzēt lemts."
(J. Poruks)

Ap 1740. gadu vairākos Vidzemes apgabalos notiek savādas lietas. Muižu krogi kļūst arvienu tukšāki, bet ļaudis saticīgi, laipnāki un priecīgāki. Daudzās vietās zemnieki kopīgiem spēkiem ceļ „saiešanas namus", kur tie svētdienās pulcējas uz dievvārdiem. Tos vada nevis mācītāji, bet „sacītāji" jeb „tētiņi" no pašu vidus.

Īstenībā pirmo reizi latvieši ar sajūsmu piedalās dievkalpojumā. Pirmo reizi viņi tur sajūt prieku, apmierinājumu un cerību. Viens otru tie dēvē par brāļiem un māsām, cenšas būt izpalīdzīgi un draudzīgi. Pat veci cilvēki ar lielu centību mācās pazīt burtus, lai varētu lasīt dziesmu grāmatu un svētos rakstus. Lielāks skaits jauniešu iet mācīties uz Valmieru. Tur atvērta skola, kas sagatavo latviešu skolotājus.

Ļaudis sāk justies pašapzinīgāki un drošāki. Kad atskan viņu iemīļotā dziesma — „Nu nāk latvju Pestītājs", tad daudziem šķiet, ka sākušies labāki un gaišāki laiki.

Kā tas bija noticis?

Ap 1730. gadu Vidzemē ieradās tā sauktās „brāļu draudzes" sludinātāji. Tie bija vienkārši, sirsnīgi ļaudis. Viņi mācīja dievvārdus saprotamos un vienkāršos vārdos un mudināja uz labāku un krietnāku dzīvi. Viņi nāca no Saksijas, kur grāfa Cincendorfa muižā atradās šīs draudzes centrs.

Vidzemē tos laipni uzņēma Valmieras muižniece Hallarte, un šie sludinātāji īsā laikā ieguva lielu piekrišanu latviešu vidū. Tie drīz vien iemācījās latviski, un tauta tos sauca par „vācbrāļiem". Viņi sagatavoja skolotājus un sludinātājus no pašu latviešu vidus, un brāļu draudzes slava sāka izplatīties plašā apkārtnē. Šais sanāksmēs valdīja sirsnība un draudzība, un ļaudis tur tiešām jutās kā brāļi un māsas. Tas bija pavisam kas cits, nekā klausīties vācu mācītājus, kuŗi baznīcā baidīja ļaudis ar elli un velnu, ja tie neklausīs muižniekiem.

Latvieši paši tagad vadīja dievkalpojumus, apsprieda draudzes vajadzības, cēla ēkas. Viņi atkal sāka rīkoties patstāvīgi.

Tāpēc daudzi vācu muižnieki un vācu mācītāji kļūst aizdomīgi. Muižnieki bez tam uztraucas, ka dzērāju skaits viņu krogos mazinās un peļņa krīt. Viņiem izdodas panākt, ka krievu valdība 1743. gadā pavēl slēgt brāļu draudzi un atņemt tās īpašumus. Tomēr latvieši turpina pulcēties slepeni, kamēr 1770. gadā Krievijā pasludina ticības brīvību un aizliegums zaudē spēku.

Latviešu zemniekiem brāļu draudze ir reizē arī laba skola, kur tie iemācās vadīt sapulces un apspriedes, un paši kārtot savas lietas. Brāļu draudzes sirsnīgās un skaidrās mācības ir ietekmējušas arī vairākus latviešu rakstniekus — Neikenu, Poruku u. c.

Tajā pašā laikā vairāki izglītoti vācieši Vidzemē un Igaunijā atklāti uzstājas pret muižnieku varmācīgo un kaitīgo rīcību. Mācītājs J. G. Eizens (1717.—79.) pieprasa dzimtbūšanas atcelšanu, jo tā atņem zemniekiem prieku strādāt un kavē visas zemes attīstību. Pret nežēlīgajiem sodiem un tirgošanos ar zemniekiem vēršas mācītājs Hupelis. Mācītājs Jannaus saraksta vēsturisku apcerējumu, kuŗā tas norāda, ka zemnieki agrāk bijuši brīvi ļaudis.

1757. gadā celta klētiņa, siernīca, no Zvirgzdēnas pagasta

No kreisās - zemnieks kažokā no Sesavas, zemnieks svētku apģērbā, zēns kažokā no Sesavas, Dundagas zemnieks ziemas drānās (J. Kr. Broces zīmējumi)

Krievijas tronī sēž ķeizariene Katrīna II (1762.—96.), kas vēlas pasaules priekšā tēlot cēlu un izglītotu valdnieci. Vidzeme ir vistuvāk Rietumeiropai. To, kas tur notiek, ārzemnieki vieglāk dabū zināt. Tāpēc viņa liek priekšā uzlabot zemnieku stāvokli latviešu zemē, bet pašā Krievijā atstāj visu kā bijis.

1765. gadā Vidzemes landtāgs ir spiests pieņemt dažus noteikumus, kas it kā ierobežo muižnieku patvaļu. Bez tam muižai uzliek par pienākumu celt zemnieku skolas. Šie lēmumi gan īstenībā neko negroza, tomēr ķeizarienes iejaukšanās ir zināms brīdinājums muižniekiem.

Ar skolu celšanu muižnieki kavējas, jo zemnieku izglītība viņus neinteresē. Tomēr lasītpratēju skaits Vidzemē strauji vairojas un gadu simteņa beigās sasniedz 63% no iedzīvotāju skaita. To panāk galvenā kārtā latviešu vecāki paši, kas pēc grūtajiem dienas darbiem māca savus bērnus grāmatā.

"Rīga, Rīga, skaista Rīga,
Kas to skaistu darināja?
Vidzemnieku sūri darbi,
Pakavoti kumeliņi."
(Tautas dz.)

61
LATVIEŠU CĪŅAS RĪGĀ UN NEMIERI VIDZEMĒ

Paiet ilgāks laiks, līdz latvieši Vidzemē atgūstas no smagajiem zaudējumiem Ziemeļu karā un var sākt cīņu pret muižnieku uzkundzēšanos.

Daudz labāks ir latviešu stāvoklis Rīgā, kur tie ir ne vien brīvi, bet bieži arī turīgi ļaudis. Cīņu par latviešu tiesībām 18. gadu simtenī kā pirmie sāk Rīgas latvieši.

Uz to viņus izaicina vācieši. Redzēdami, kādu varu

uz laukiem ieguvuši muižnieki, vācu namnieki mēģina ierobežot arī Rīgas latviešu tiesības. Bet tur viņi sastop negaidīti spēcīgu pretestību, un iedegas asa cīņa. Vācieši ķeŗas pat pie dokumentu viltošanas un uzpērk valdības iestādes (senātu), sūtot naudu un dažādas dāvanas (siļķu muciņas, medījumus, augļus u. c.) uz Pēterpili. Šoreiz tas tomēr nespēj grozīt cīņas iznākumu. Latviešu pierādījumi ir pārāk skaidri un nepārprotami.

Sadursme iesākas 1738. gadā, kad Rīgas rāte izdod rīkojumu: „Visiem latviešiem gada un vienas dienas laikā jāpārdod savas mājas un zeme Rīgā un Rīgas priekšpilsētās, citādi viņiem to atņems." Tad četru latviešu amatu pārstāvji — važoņi, zvejnieki, pārcēlēji un mastu šķirotāji — iesniedz protestu rātei un pēc tam ģenerālgubernātoram. Viņi starp citu norāda:

„Rīgas latvieši kopš neatminamiem laikiem bijuši brīvi ļaudis. Viņi ir šīs zemes pirmo īpašnieku pēcnācēji (skat. 35. nod.). Viņu sentēvi ir slēguši līgumus ar vācu tirgotājiem un kristījušies, bet nekad nav atteikušies no savām tiesībām. Tāpēc būtu aplami domāt, ka latviešu tiesības ir mazākas nekā svešajiem ienācējiem."

Rāte no savas puses 1739. gadā raksta ģenerālgubernātoram: „ . . . Nevācu (latviešu) turība aug dienu no dienas un kopā ar to viņu augstprātība un lepnība, tā ka tie visus namus un zemes gabalus saņems savās rokās..."

Nākošā gadā ģenerālgubernātors paziņo, ka rāte ir pārkāpusi savas tiesības, un nelikumīgo rīkojumu atceļ.

1749. gadā rāte noliedz latviešiem nēsāt „vācu drēbes", lai tos varētu atšķirt no vāciešiem. Jau pēc nedēļas ģenerālgubernātors šo dīvaino pavēli atceļ.

Asākā cīņa saistās ar ievērojamās latviešu dzimtas

Šteinhaueru vārdu. Turību un labu slavu Šteinhaueri ieguvuši kā mastu šķirotāji. Viņi atbalsta arī brāļu draudzi un uzceļ tai saiešanas namu. Pie Šteinhaueriem pulcējas Rīgas latvieši, viņu mājā apmetas arī grāfs Cincendorfs (skat. iepr. nod.), kad tas apmeklē Rīgu.

Divi brāļi — Dāniels un Jānis Šteinhaueri kļūst slaveni ar cīņu par savām un līdz ar to Rīgas latviešu tiesībām. Tā sākas 1747. gadā. Abi ir mastu šķirotāju meistari. Jānis Šteinhauers kļūst arī par lielāko zemes īpašnieku Rīgā. Viņam pieder Voleru, Zasu un Hermelina muižas, koku zāģētavas, pirmā papīra fabrika Rīgā un pašam sava osta Bolderājā. Dānielu ķeizars Pēteris III ieceļ par savu tirdzniecības pārstāvi Rīgā.

Tomēr rāte liedzas tiem piešķirt namnieku tiesības, t. i. tiesības piedalīties pilsētas pārvaldē, un dažādi mēģina kavēt viņu pasākumus.

Lai piekukuļotu valsts augstāko tiesu, vācu namnieki izdod ap 10.000 dālderu un tādā kārtā novilcina valdības lēmumus. Galu galā vācu pūliņi izrādās veltīgi. Rātes vīriem vēlāk jālūdzas J. Šteinhauera mantinieki, lai tie izlīgst ar labu. Citādi pilsētai par Šteinhaueram nodarītajiem zaudējumiem jāmaksā vairāk kā 80.000 dālderu.

1784. gadā valsts augstākā tiesa (senāts) pavēl Rīgas rātei visus latviešu mastu šķirotājus uzņemt namniekos.

Abi brāļi šo uzvaru paši nepiedzīvo. Dāniels mirst 1761., bet Jānis 1779. gadā. Divi gadus pirms nāves Jānis Šteinhauers svin savas zelta kāzas. To viņš atzīmē tādā veidā, ka piešķir brīvību visiem dzimtcilvēkiem savās muižās. Latvietis, kas sīksti cīnījies par savām tiesībām, ir pirmais, kurš dod brīvību citiem tautas brāļiem. —

Gadu simteņa beigās sakustas arī latvieši uz laukiem. Pār Vidzemi iet zemnieku nemieru vilnis (1777., 1784., 1797., 1802. gadā). Ģenerālgubernātors 1784. gadā ziņo ķeizarienei Katrīnai II: „Sacelšanās ir izplatījusies pa visu zemi, un es nezinu nevienu novadu, kur nemieru nebūtu."

Muižnieki sauc palīgā krievu karaspēku, bet latviešu draugs, vācu rakstnieks Garlībs Merķelis, raksta 1796. gadā: „Tauta nav vairs akls suns, ko ar sitieniem var dzīt būdā. Tā ir tīģeris, kas klusās dusmās grauž savas važas un gaida mirkli, kad varēs tās saraut un nomazgāt savu kaunu asinīs..."

Šie notikumi norisinās apmēram tanī laikā, kad Eiropu saviļņo Lielā franču revolūcija. —

62
KĀDA VALSTS IET BOJĀ

„Vēl kraukļi kaudamies plēš asiem nagiem maitu, Bāl kaili ģindeņi un ņirdzas galvas kausi."
(J. Medenis)

VĒL 1683. GADĀ poļu un leišu karapulki izglābj Eiropu no lielām briesmām. Karaļa Jāņa Sobieska vadībā tie sakauj milzīgu turku armiju, atbrīvo Vīni un tur ielenkto vācu ķeizaru.

Bet jau simt gadus vēlāk Polija-Lietuva beidz pastāvēt. Savstarpējās ķildas un muižnieku lielā patvaļa nepārtraukti grauj šīs valsts spēkus. Nekārtības un jukas palīdz vairot Polijas-Lietuvas kaimiņi, cerot uz vieglu laupījumu.

Sevišķi rosīgi ir krievi. Tie veikli izmanto iekšējos strīdus un sāk rīkoties šajā zemē kā savās mājās. Tas beidzas ar to, ka Krievija, Austrija un Prūsija slepeni vienojas savā starpā sadalīt Poliju-Lietuvu. To izdara pakāpeniski trīs paņēmienos: 1772., 1793. un 1795. gadā.

Pirmajā dalīšanā (1772. g.) Krievija starp citu iegūst arī Latgali jeb „poļu Vidzemi". Šo novadu tomēr nepievieno Vidzemei, bet Baltkrievijai (Vitebskas guberņai). Latgaļu zemnieki no šīs pārmaiņas maz ko jūt. Tie joprojām paliek pārpoļoto muižnieku varā.

Pēc Polijas-Lietuvas otrās dalīšanas (1793. g.) poļi un leiši beidzot atjēdzas. Dedzīgā cīnītāja Koščuško vadībā visā zemē sākas sacelšanās pret krieviem un vāciešiem. Brīvības cīnītāji pasludina visus zemniekus par brīviem ļaudīm un viņu zemes īpašniekiem.

Šī ziņa izplatās vairākos Kurzemes apriņķos, un arī latviešu zemnieki saceļas. Veltīgi mācītāji no baznīcu kancelēm brīdina neklausīt „jaunajai mācībai no brīvestības un vienlīdzības". Kuldīgas un Grobiņas apriņķos latvieši atsakās iet muižas darbos, izlaupa muižu noliktavas un brīvprātīgi piesakās par karavīriem leišu pusē.

1794. gada beigās, pārspēka nomākti, poļi un leiši zaudē cīņu. Straumēm plūst viņu asinis, daudzi atstāj savu zemi, lai svešumā turpinātu cīņu par brīvību.

Vairākus latviešu zemniekus Kurzemē par piedalīšanos karā notiesā un izsūta uz Sibiriju.

1795. gadā Krievija, Austrija un Prūsija sadala to, kas atlicies no poļu un leišu valsts.

Reiz, 1226. gadā, kāds poļu hercogs atsauca Vācu

ordeni palīgā pret senajiem prūšiem (skat. 27. nod.). Ilgā un asiņainā karā liela daļa senprūšu aizgāja bojā, bet pārējie tika pārvācoti. Kaut gan Vācu ordeni leiši un poļi vēlāk savukārt sakāva, Prūsija palika vācu apdzīvota zeme. Pamazām no tās izauga jauna, stipra vācu valsts, kas palīdzēja Krievijai iznīcināt Poliju-Lietuvu. Katrā ziņā poļi ar rūgtumu varēja atcerēties šo agrākajos laikos izdarīto kļūdu.

Kad sabrūk slavenā poļu un leišu valsts, Kurzemes hercogistes muižnieki bez sava hercoga ziņas padodas Krievijai. Ķeizariene Katrīna II viņus par to bagātīgi apdāvina ar muižām un amatiem. Pēdējam Kurzemes hercogam Pēterim Bīronam krievu valdība izmaksā 2 miljonus rubļu „sāpju naudas" un piešķir pensiju. Hercogs atstāj Kurzemi un apmetas Vācijā, kur tas jau laikus ieguvis lielus īpašumus.

Tā 1795. gadā iet bojā Kurzemes hercogvalsts (1562.—1795.), un hercogs kļūst trimdinieks.

Pētera Bīrona dēkainais tēvs, hercogs Ernests, savā laikā bija varenākais vīrs visā Krievijā. No 1730. līdz 1740. gadam viņš kā ķeizarienes Annas galvenais ministrs pārvaldīja krievu valsti un cēla Kurzemē varenās un skaistās Jelgavas un Rundāles pilis. Bīronu dzimtas izcelsme ir neskaidra. Ir izteiktas domas, ka viņu senči bijuši latviešu zemnieki, bet noteiktu pierādījumu tam nav.

Hercoga Ernesta pilis un viņa dēla Pētera celtā Jelgavas ģimnazija — Academia Petrina — vēl ilgi atgādināja ļaudīm par tiem laikiem, kad Kurzeme un Zemgale bija lielkunga valsts.

Sākot ar 1795. gadu, visi latviešu novadi ir nonākuši Krievijas ķeizara varā. Bet tas šai varai ir bīstams ieguvums (skat. 77., 78., 101. nod.). —

„Iet gadu simteņi un lasa vecā stabā:
Te karātavu kalns, tur kapu akmens žogs,
Tie pirksti muižā ved, tiem galā baznīckrogs,
Un vidū mācītājs zem pūra sveci glabā."
(J. Medenis)

63
«VECAIS ZIRGS AR JAUNIEM SEDLIEM»

1802. GADA rudenī Vidzemē atskan lielgabalu un šauteņu šāvieni. Ar to palīdzību apspiež lielos zemnieku nemierus Kauguru muižā. Izrādās, ka viens no nemiernieku vadoņiem (Gothards Johansons) lasījis laikrakstos par revolūciju Francijā un pārtulkojis latviski kādu daļu no Merķeļa grāmatas „Latvieši". Tās ir muižniekiem bīstamas domas, kas sāk nodarbināt zemnieku prātus.

Bet vienam otram muižniekam kļūst skaidrs, ka nevar arī pastāvīgi turēt muižā lielgabalus un kareivju nodaļas.

Krievijas tronī nesen kā nācis ķeizars Aleksandrs I (1801.—25.), kas vēlas izdarīt zināmus uzlabojumus savā valstī. Ar ķeizara atbalstu zemes padomnieks (landrāts) Frīdrichs Zīverss ierosina Vidzemes landtāgā pieņemt sevišķus noteikumus zemnieku labā. Muižnieki neuzdrošinās pretoties ķeizara gribai. Tādā kārtā 1804. gadā izsludina „Vidzemes zemnieku likumu".

Tas izbeidz muižnieku patvaļu Vidzemē un nodrošina zemniekiem tiesības, kādas tiem bija zviedru karaļa Kārļa XI laikā. Turpmāk tikai ar tiesas spriedumu zemnieku drīkst izlikt no mājām. Muižniekiem noliedz tirgoties ar ļaudīm. Zeme tiek pārmērīta, nodevas noteiktas un ierakstītas vaku grāmatās. Pagastos un draudzēs nodibina tiesas ar zemnieku tiesnešiem. Zemnieks var sūdzēties par muižnieku līdz pat galma tiesai.

Kaut arī zemnieki nedrīkst muižas novadu atstāt,

šis likums paver tiem ceļu uz turību un nodrošinātu dzīvi.

Tomēr viņi ir gaidījuši ko citu. Visiem prātus tajā laikā aizņem domas par pilnīgu brīvību. Tāpēc par jauno likumu tie zobojas: "Vecais zirgs ar jauniem sedliem."

Arī muižnieki ir neapmierināti, jo tie vairs nedrīkst rīkoties ar zemnieku zemi pēc savas patikas. Viņi drīz vien arī atrod kādu ļoti labu izeju, un 1804. gada likumam ir īss mūžs. Zemniekiem par to nav ko priecāties. Vēlāk izrādās, ka nonicinātais "vecais zirgs" būtu viņiem gluži labi noderējis. —

*

Kurzemē un Zemgalē minētajā laikā nekas nemainās. Tur muižas vara vēl joprojām nav ierobežota. Totiesu zeme bijušā hercogistē ir auglīgāka kā Vidzemē, un zemnieki kaut kā iztiek.

Kurzemes ievērojamais vācu tautības mācītājs, zinātnieks un rakstnieks, tā sauktais Vecais Stenders (1714.—96.) dēvē Kurzemi par "mīļo Dieva zemīti". Kādā dzejolī viņš tomēr izsaucas:

> "Nabags zemnieks, kurzemnieks,
> Kāds tev labums, kāds tev prieks?
> Sausu maizi iegrauzis,
> Plānu putru iestrēbis.
> Pātags dauza muguru,
> Rīkstes kapā pakaļu..."

Ar visu to Stenders beigās saka:

> "Tomēr esi nebēdnieks,
> Nabags zemnieks, kurzemnieks!"

Vecā Stendera mūžs un darbs cieši saistās ar šiem „nebēdniekiem". Pēc viņa vēlēšanās tad arī tā kapa akmenī iekaļ: „Šeit aprakts Vecais Stenders, Latvis..."

Bet pārmaiņas Vidzemē tomēr liek arī Kurzemes muižniekiem domāt, ka kaut kas jādara. —

„Par jaunām mājām sapņo tas,
Kas kalnā pacelsies."
(J. Medenis)

64
KĀ GĀJU PUTNI

NAPOLEONA karš ar Krieviju 1812. gadā saviļņo arī latviešus. Viņi cenšas izvairīties no iesaukšanas krievu karaspēkā un nemaz neslēpj, ka gaida frančus.

Šis karš mūsu zemei nekādus uzlabojumus tomēr neatnes. Kurzemi uz laiku ieņem franču palīgspēki — prūšu pulki, un viņu komandieris izdod rīkojumu: „Līdz augstākai pavēlei visa būšana šinī zemē paliek kā bijusi." Gaidīto atvieglojumu vietā zemniekiem uzliek lielas nodevas karaspēka uzturēšanai.

Uznāk negaidīti agra un barga ziema. Ciešot milzīgus zaudējumus sniegā un salā, Napoleona armija atkāpjas no Maskavas.

Pēc kara ar Franciju ķeizars Aleksandrs I kļūst aizdomīgs pret jaunām domām un uzskatiem savā valstī. Tomēr Igaunijas un Kurzemes muižniekus krievu valdība mudina izdot zemnieku likumus.

Tad Igaunijas muižnieki izstrādā priekšlikumu: dot zemniekiem brīvību, t. i. atcelt dzimtbūšanu, ja muižniekiem atdod īpašumā visu zemnieku zemi. To īsi var izteikt vārdos: „Zeme ir mana, laiks ir tavs." Brīvie zemnieki varēs slēgt ar muižniekiem brīvus līgumus, un tas veicināšot saimniecisko attīstību. Ķeizars piekrīt un 1816. gadā izsludina „brīvlaišanu" Igaunijā.

Vācu muižnieki Latvijā redz, ka viņu kārtas brāļiem Igaunijā ir izdevies ārkārtīgi ienesīgs veikals. 1817. gadā pieņem likumu par zemnieku brīvlaišanu Kurzemē, bet 1819. gadā — Vidzemē.

Šos likumus izsludina ļoti svinīgi, Kurzemē tas notiek, piedaloties pašam ķeizaram. Bet drīz zemnieki atjēdzas, ka viņi īstenībā ir pilnīgi aplaupīti, jo muižnieki tagad sagrābuši visu zemi. Zemes senie un īstie saimnieki kļuvuši par bezzemniekiem. Tādēļ mēdz teikt, ka zemnieki ir ieguvuši „putna brīvību". Patiesībā pat ne to. Tikai pamazām un pakāpeniski viņiem atļauts mainīt dzīves vietu plašākā apgabalā.

Līdz tam zemniekus sauca priekšvārdā un tās mājas vārdā, pie kuŗas tie piederēja. Tagad tiem jāpieņem uzvārdi. Šai lietā bieži vien „palīdz" muižnieki. Tādēļ daudzi latvieši dabū vāciskus uzvārdus.

Lai nenomirtu badā, brīvajiem zemniekiem jānomā zeme no muižnieka, kas par to var prasīt, cik viņam patīk. Nav vairs nekādu noteikumu, kas ierobežotu nodevas un klaušas. Brīvība tādēļ skan kā izsmiekls, jo zemniekiem nav citas izejas, kā pieņemt muižnieku prasības. Apmesties pilsētās un tur meklēt darbu tiem atļauj tikai 1863. gadā.

Par zemes lietošanu zemniekiem galvenā kārtā jāmaksā ar savu darbu (klaušām) muižas laukos. Tāpēc turpmākie gadu desmiti dabū nosaukumu: klaušu laiki.

Tas ir bēdu un nemieru pilns laikmets. Lielo klaušu dēļ zemnieki nespēj apkopt savus laukus un mājas. Zeme tiek nolaista, ēkas sabrūk. Muižnieki arvienu vairāk pāriet uz lopkopību un cenšas paplašināt muižas zemi. Daudz zemnieku māju „uzspridzina" — pievieno muižas laukiem.

Skumjas dziesmas skan šinī laikā:

> „Kas tie tādi,
> Kas dziedāja,
> Bez saulītes
> Vakarā?
> Tie bij visi
> Bāra bērni,
> Bargu kungu
> Klausītāji."

Bet latvieši nav padevušies. Drīz vienā, drīz otrā vietā notiek sacelšanās. Ļaudis meklē kādu izeju. Dažādas baumas iet no mutes mutē. Paunu žīdi, kas braukā apkārt tirgodamies, stāsta, ka ķeizars dodot zemi par brīvu „siltajā zemē" (Dienvidkrievijā). — Ļaudis sāk plūst uz Rīgu, lai „pierakstītos uz silto zemi". Tos izrāj un dzen atpakaļ. Tikai pareizticīgo bīskaps ar viņiem laipni aprunājas, jo viņam ir savi nodomi. Drīz izplatās baumas: zemi dos tiem, kas pāries ķeizara ticībā — pareizticībā. Velti baznīcās gubernātors liek nolasīt paziņojumus, ka tas nav tiesa. Zemnieki par šiem paziņojumiem tikai ņirgājas. Gaiss ir saspīlēts un draudu pilns.

1841. un 1842. gadā saceļas zemnieki Jaunbebros un Veselauskā (Vidzemē). Nemiernieku vadoņus mēģina apcietināt, bet nelielās karaspēka nodaļas spiestas atkāpties sanikņoto zemnieku priekšā. Tikai pienākot pastiprinājumiem, sacelšanos apspiež un daudzus bargi soda.

1840-tajos gados vairāk kā 80.000 latviešu pāriet pareizticībā. Vācu muižnieki un mācītāji velti cenšas to aizkavēt. Viņi sūta rakstus krievu valdībai un sūdzas par latviešu ļauno dabu, spītību un nepaklausību.

Beidzot valdība nolemj izmeklēt nemitīgo nemieru cēloņus. Tagad atklājas, kādā postā zemniekus novedusi „putna brīvība". Arī daži muižnieki sāk to atzīt. Viņu vidū sevišķi izceļas kāds izglītots un taisnīgs vīrs — Rūjienas muižas īpašnieks Hamilkars Felkerzāms. Viņa uzskats ir: zemnieku zemei jākļūst par zemnieku īpašumu. —

Šajos klaušu un nemieru laikos izaug jauna latviešu cīnītāju paaudze. Kad viņi sasniedz vīru gadus, tie sāk jaunu un asu cīņu par latviešu tautas tiesībām. Tikai tad vācieši sāk pamazām nojaust, cik vājas ir viņu saknes šajā zemē.

65
KO BALTIJAS VĀCIEŠI NEREDZ

„*To tautu nesalauzt, tā nezudīs nekur, Ko Jāņu vainags zaļš un asins kopā tur.*"
(Andrejs Eglītis)

ŠAJĀ STĀSTĀ ir attēlots, kā vācu muižnieki pēc lielā ziemeļu kaŗa iegūst vēl neredzētas priekšrocības mūsu zemē. Šos netaisnos ieguvumus noturēt viņiem palīdz pašu ieceltie vācu mācītāji. Tie tad arī nepārtraukti no kanceļēm sludina: zemniekiem jāklausa kungi un jābūt padevīgiem. Neklausīgos velni cepinās ellē sarkanās ugunīs.

Nav jābrīnās, ka šie „baznīckungi" latviešiem liekas tikpat sveši un naidīgi kā muižas kungi. Bet latviešu mācītājiem gandrīz nav iespējams dabūt darbu savā zemē.

Lai attaisnotu savu uzkundzēšanos un zemnieku izmantošanu, muižnieki vienmēr un visur cenšas iestāstīt, ka tieši šāda kārtība ir pareiza un taisnīga. Valdībai un ārzemniekiem viņi tēlo latviešu zemniekus kā ļaunus, mežonīgus, dumpīgus un nesapratīgus „iedzimtos".

Arī Rīgas vācu namnieki mēģina šai ziņā ķēmoties pakaļ muižniekiem. Tomēr viņu uzbrukumi Rīgas latviešiem nedod cerētos panākumus (skat. 61. nod.).

Gluži citādi par latviešiem domā daži vācieši, kas ierodas Latvijā no ārzemēm un patstāvīgi vēro šo zemi un ļaudis.

No 1764. līdz 1769. gadam Rīgā kā mācītājs un skolotājs strādā slavenais vācu zinātnieks un domātājs Jānis Gotfrīds Herders. Vācu vēsturnieks R. Vitrams raksta: „Herdera lielākais ieguvums šajā laikā ir viņa iepazīšanās ar latviešu tautu un tās dzeju." — Latviešu senatnīgās parašas un tautas dziesmas viņu ārkārtīgi saviļņo. Viņam rodas pavisam jaunas domas par mākslu un rakstniecību — tai jāmeklē ierosme un spēks dzīvajā tautas dzejā.

Šie Herdera jaunie uzskati vēlāk ietekmē visu vācu rakstniecību. Viņš izdod grāmatu „Senas tautas dziesmas", kur iespiestas 11 latvju dainas. Tās atrodamas arī 1807. gadā iznākušajā krājumā „Tautu balsis dziesmās".

Lielu interesi par latviešu tautas dziesmām izrāda arī vairāki citi vācu zinātnieki (J. G. Hamanis, T. G. Hipelis). Šo ārzemnieku pamudināti, tad arī daži mācītāji (K. Harders, G. Bergmanis u. c.) 19. gadu simteņa sākumā sāk tās vākt un iespiest.

Vācu tulkojumā ar latvju dainām iepazīstas arī lielais angļu rakstnieks Valters Skots un vairākas pārtulko angliski (iespiestas 1831. gadā).

1841. gadā kāds vācu ceļotājs (J.G.Kols) apmeklē Latviju. Viņš stāsta: „Man bija izdevība novērot latviešu veselīgo dzīves gudrību. Mēs ļoti maldāmies, domādami, ka tie nogrimuši verdzībā un vienaldzībā. Es iepazinos ne vien ar viņu skaidro domāšanas veidu vispār, bet jo sevišķi ar to, ko tie domā par savām attiecībām ar viņu kungiem..."

Tikai Baltijas vācieši, šķiet, neko neredz un negrib redzēt. Tomēr — izņēmumi ir arī viņu vidū.

66 LATVIEŠI SĀK ATGŪT SAVU ZEMI

„*Cilvēka vērtību nenosaka tiesības, ko viņš izlieto, bet gan pienākumi, ko tas uzņemas.*"
(Barons Hamilkars Felkerzāms)

1847. GADĀ Vidzemes muižnieki ievēl sev jaunu priekšnieku (landmāršalu) — baronu Hamilkaru Felkerzāmu. Par muižnieku vadoni tagad ir kļuvis ļoti izglītots un tālredzīgs vīrs. Felkerzāms tik lielā mērā atšķiŗas no pārējiem vācu baroniem, ka dabūjis apzīmējumu „svešnieks Vidzemē". Tomēr vēl šodien Baltijas muižnieki var būt lepni, ka no viņu vidus nācis šis ievērojamais cilvēks.

Felkerzāms nedomā, ka latviešu zemnieku nemieri izskaidrojami ar viņu „ļauno un dumpīgo dabu". Viņš saprot, ka jāmēģina labot 1819. gadā nodarītā netaisnība, kas zemniekiem nolaupīja viņu zemi.

Saziņā ar krievu valdības pārstāvjiem Felkerzāms izstrādā priekšlikumus jauniem zemnieku likumiem. 1847. gadā tos iesniedz Vidzemes landtāgam. Tur viņš arī uzstājas ar savu slaveno runu: „Cilvēka vērtību nenosaka tiesības, ko viņš izlieto, bet gan pienākumi, ko tas uzņemas..."

Pretestība ir asa un sīva. Tomēr, baidoties no valdības iejaukšanās, muižnieku vairākums nobalso par Felkerzāma priekšlikumu. Neiecietīgākie muižnieki izsaucas: „Tas ir cirvis pie muižniecības saknēm!" — 1849. gadā ķeizars Nikolajs I apstiprina šo likumu, pagaidām gan tikai uz 6 gadiem.

Daudzi muižnieki vēl cer, ka izdosies to grozīt. Tad nāk Krievijai neveiksmīgais Krimas karš (1853.— 1856.). Tā zaudē cīņu pret Turciju, ko atbalsta Rietumeiropas lielvalstis. Neveiksme atklāj daudzus trūkumus krievu ķeizara valstī. Pieaug prasības pēc lielākas brīvības un uzlabojumiem. Jaunais valdnieks Aleksandrs II 1860. gadā galīgi apstiprina 1849. gada Vidzemes zemnieku likumu.

Tā galvenais saturs: zemnieku zeme skaidri nodalāma no muižas zemes. To nedrīkst pievienot muižu laukiem, bet muižniekiem tā vai nu jāiznomā, vai jāpārdod zemniekiem.

Turpmākos gadu desmitos zemnieki arvienu lielākā skaitā sāk iepirkt mājas. Tā rodas spēcīga un **neatkarīga latviešu zemes īpašnieku šķira** — **saimnieki, gruntnieki**.

Muižnieku lielākā daļa jūt dziļu naidu pret šo likumu un tā ierosinātāju, landmāršalu Felkerzāmu. Amata laikam beidzoties, viņu vairs neievēl šajā postenī. Kad muižnieku kādreizējais vadonis mirst (1856. g.), viņi neierodas arī tā bērēs. Bijušā Vidzemes bruņniecības landmāršala šķirstu līdz kapa vietai uz saviem pleciem aiznes latviešu saimnieki, pašaustos pelēkos uzvalkos. Bēŗu runu mācītājs sāk ar tiem vārdiem, ko mirušais bija teicis, aizstāvot landtāgā jauno zemnieku likumu. Šie vārdi iekalti arī barona Hamilkara Felkerzāma kapa akmenī. —

Jānožēlo, ka Baltijas vācu muižniekiem neradās vairāki līdzīgi vadoņi. Tad daudz kas latviešu un baltvācu starpā laikam gan būtu noticis citādā garā.

Turpmākie notikumi norisinās strauji:

1863. gadā zemnieki var izņemt pases un iegūst daudz lielāku kustības brīvību.

1865. gadā muižai atņem „mājas pārmācības tiesības" — izbeidzas zemnieku pēršana, kas iet muižas darbos.

1866. gadā lauku ļaudis vēl vairāk atbrīvojas no muižnieku varas. Šajā gadā izdod „Baltijas guberņu pagasta pašvaldības likumus". Turpmāk visa pārvalde uz laukiem pāriet pašu zemnieku vēlēto amata jeb „runas vīru" rokās. Pagasta sapulce izvēl savu „vietnieku pulku" un pagasta vecāko. (Pagasts — mazākā pārvaldes vienība uz laukiem. Vairāki pagasti kopā veido apriņķi, vairāki apriņķi — guberņu).

1868. gadā izbeidzas klaušu laiki Vidzemē. Zemnieki, kas nomā mājas, maksā par to naudā (naudas renti), bet tiem vairs nav jāiet muižas darbos.

*

Kurzemē nav tādu muižnieku vadoņu, kas līdzinātos Felkerzāmam. Tomēr arī turienes muižnieki ir spiesti sekot Vidzemes piemēram.

Par zemnieku īpašuma tiesībām uz zemi Kurzemē drosmīgi cīnās latviešu skolotājs Andrejs Spāģis. Viņš pazaudē savu vietu, dodas uz ārzemēm un izdod cīņas rakstu vācu valodā „Brīvās zemnieku kārtas stāvoklis Kurzemē" (I daļu — 1861., II daļu — 1863. g.). Rodas pretraksti un pārrunas, kas veicina pārmaiņas zemnieku lietās.

Kurzemē klaušu laiki beidzas jau 1867. gadā. Māju

iepirkšana tur norit straujāk kā Vidzemē, jo zemnieki turīgāki.

Visi šie minētie notikumi neskar Latgali, kas skaitās pievienota Vitebskas guberņai. Tad — 1861. gadā, Aleksandrs II izsludina zemnieku brīvlaišanu visā Krievijā. Zemnieki tur nedzīvo atsevišķās saimniecībās (viensētās), bet ciemos. Līdz ar dzimtbūšanas atcelšanu ciemu iedzīvotāji saņem koplietošanā zemi, par ko gan jāmaksā zināma noma. Šis likums attiecas arī uz Latgali.

Jau 1863. gadā Latgalē sākas zemes iepirkšana. 1907. gadā zemniekiem atlaiž vēl nenomaksātos parādus, un zeme pāriet viņu pilnīgā īpašumā.

Lauku saimniecības Latgalē ir tomēr samērā mazas — apmēram četras reizes mazākas kā Kurzemē un Vidzemē. Bez tam tās sastādās no izkaisītiem, sīkākiem zemes gabaliem. Tas kavē zemes apstrādāšanu un modernāku paņēmienu lietošanu. Taču pamazām arī Latgalē zemnieki no ciemiem sāk iziet viensētās un noapaļot savus īpašumus. (Sevišķi plašā mērā tas notiek, nodibinoties brīvai Latvijas valstij).

Līdz pirmā pasaules kaŗa sākumam apmēram 40% no Latvijas zemes atkal pāriet latviešu zemnieku īpašumā.

Bet par šo zemi, kas viņiem bija nolaupīta, tie samaksā muižniekiem milzīgas summas: Vidzemē 82, Kurzemē 92 zelta rubļus par katru hektāru. Tas ir nesalīdzināmi vairāk par to, cik zeme maksā pašā Krievijā. —

Pārmaiņas, kas Latvijā norisinājās ap 19. gadu simteņa vidu, ir tik ievērojamas, ka tās ievada jaunu laikmetu latviešu dzīvē. Sākas mūsu vēstures **v i s j a u- n ā k i e l a i k i.**

VISJAUNĀKIE LAIKI

„Kur mani tēvi dzīvoj'ši,
Kur grūti pūlēj'šies,
Kur dus tie kapā mierīgi,
Tur esmu atmodies.
Un viņu kapi sludina:
Dēls, šeit ir tava tēvija,
Lai sveika, tēvija!"
(Ansis Līventāls, 1803.—78.)

67
EIROPAS TAUTAS MOSTAS

19. GADU simtenī visā Eiropā jūtams nemiers. Arvienu stiprāka kļūst daudzu tautu vēlēšanās dzīvot patstāvīgu un neatkarīgu dzīvi. Tautas, kas pakļautas citām varām (grieķi, īri, bulgāri, serbi, ungāri, čechi, beļģi u. c.) vēlas iegūt neatkarību, vai vismaz lielāku brīvību. Tie, kuŗu zeme ir sadalīta starp vairākām valstīm (italieši, vācieši), grib apvienoties vienā valstī.

Šo spēcīgo tautisko kustību apzīmē par nacionālismu. Dedzīgākie nacionālisti parasti ir izglītotākie ļaudis, sevišķi augstskolu studenti.

Eiropas tautās pieaug interese par vēsturi, tautas parašām, valodu un dzeju. Tas savukārt stiprina nacionālo apziņu un brīvības tieksmes.

Tautu atmoda sākas jau Napoleona kaŗa laikos un izplatās pēc tam arvienu tālāk un plašāk (mūsu dienās tā ir sasniegusi Āziju un Afriku).

Drīz vienā, drīz otrā Eiropas stūrī uzliesmo sacelšanās un brīvības kaŗi. Vecā kārtība pamazām šķobās un brūk.

Ap 19. gadu simteņa vidu spēcīgs nacionālisms saviļņo arī latviešu tautu. Latviešu cīņa par savām tiesībām gan arī pirms tam nekad nebija norimusi, bet tā nenotika visas tautas vārdā. Atsevišķi cīnījās latviešu namnieki Rīgā, atsevišķi sacēlās latviešu zemnieki dažādās vietās uz laukiem.

Tagad latvieši sāk arvienu skaidrāk saprast, ka tiem visiem ir kopīgi mērķi un kopīgi par tiem jācīnās. Latvijā sākas tautas atmodas laikmets.

To veicina patstāvīgas latviešu gruntnieku (lauku māju īpašnieku) šķiras izveidošanās un izglītības pieaugšana. Liela nozīme ir mācības iestādēm (semināriem), kas sagatavo latviešu tautskolotājus.

1839. gadā Vidzemē nodibina skolotāju semināru Valmierā (vēlāk to pārceļ uz Valku), nākošā gadā arī skolotāju semināru Kurzemē (Irlavā). No turienes nāk vairāki simti jaunu latviešu tautskolotāju. Daudzi no tiem kļūst pārliecināti latviešu nacionālisti. Savos audzēkņos viņi stiprina mīlestību un cieņu pret savu tautu.

Valkas skolotāju semināru vada ievērojamais tautas audzinātājs Jānis Cimze. Viņš ir tā direktors no dibināšanas dienas līdz savai nāvei (1884. g.). Cimze vēlas uzturēt labas attiecības ar vācu muižniekiem un mācītājiem un nepiedalās nacionālajās cīņās. Viņa lielais nopelns ir tas, ka viņš izaudzina latviešiem daudz labu un krietnu skolotāju. —

Kāds tikpat kā aizmirsts 19. gadu simteņa dzejnieks (Jānis Ruģēns, 1817.—76.) jautā 1842. gadā:

„Kad atnāks latviešiem tie laiki,
Ko citas tautas tagad redz?"

Bet šai laikā latviešu vidū, kaut arī vēl nezināmi, jau atrodas viņu nākošie vadoņi. Drīz vien viņu vārdi un darbi kļūst plaši pazīstami visā zemē. Tāpat kā citām tautām, arī latviešiem viņi nāk no augstskolu studentu un studiju beigušo vidus.

68
JAUNIE LATVIEŠU VADOŅI

Tērbatas Universitātē 1854. gadā sāk studēt tautsaimniecību kāds Kurzemes lauksaimnieka dēls. Viņa ceļš uz Tērbatu nav bijis viegls. Tikai 25 gadu vecumā tas varējis iestāties Jelgavas ģimnazijā. Kā ģimnazists viņš sarakstījis arī kādu grāmatu — „300 stāsti, smieklu stāstiņi un mīklas", lai pamudinātu latviešus vairāk lasīt. Jāceļ latviešu izglītība un turība, tad tie kļūs pašapzinīgāki un neatkarīgāki — tādas ir viņa domas.

Tas nevar samierināties, ka latvieši savā zemē vēl arvienu atrodas vācu aizbildniecībā. Vācieši tajā laikā cenšas iestāstīt: „Latvietis, kas iegūst augstāku izglītību, līdz ar to kļūst vācietis. Tikai zemnieki ir latvieši." Nevar teikt, ka viņiem nebūtu panākumu. Tērbatā netrūkst tādu latviešu studentu, kas izliekas par vāciešiem. Tie domā, ka tā ir „smalkāk" un izdevīgāk.

Pilsētās daudzi latvieši, kas iemācījušies „buldurēt vāciski", tēlo vācu „birģeļus" (namniekus) un sagroza savus uzvārdus, lai tie izklausītos vāciski. Tie ir tā sauktie „kaunīgie latvieši", „kārklu vācieši" vai „puskoka lēcēji".

Jaunais tautsaimniecības students pārsteidz daudzus, pieliekot pie savām durvīm vizītkarti:

Krišjānis Valdemārs — Latvietis

Vācieši ir uztraukti, un ūniversitātes rektors izsauc Valdemāru pie sevis. Students paskaidro: „Latvietis, kas labi prot vāciski, angliski un franciski, nevar reizē būt vācietis, anglis un francis, bet paliek joprojām latvietis." Pēc šādas atbildes saruna izbeidzas. —

Krišjānim Valdemāram ir liela enerģija, drosme un darba spējas. Viņš stipri ietekmē cilvēkus, ar kuŗiem tas satiekas. Jau pēc neilga laika Valdemāra dzīvoklī uz apspriedēm sāk pulcēties latviešu studenti. Šajos „latviešu vakaros" tie nolasa referātus par zinātniskiem un tautiskiem jautājumiem un pārrunā, kā veicināt tautas izglītību, celt tās turību un pašlepnumu.

Ļoti ievērojama nozīme ir diviem Valdemāra domu biedriem — Jurim Alunānam (1832.—64.) un Krišjānim Baronam (1835.—1923.). Pēdējam lemts arī piedzīvot neatkarīgas latviešu valsts izcīnīšanu. Tad tas jau ikvienam latvietim pazīstams kā „sirmais Barona tēvs". Līdz pat savai nāvei viņš bauda brīvās Latvijas pilsoņu nedalītu cieņu un mīlestību.

Tērbatas latviešu studentu („tērbatnieku") domas un aicinājumi ar laikrakstu un grāmatu palīdzību drīz vien izplatās tautā.

Jau no 1822. gada pastāv latviešu nedēļas laikraksts „Latviešu Avīzes". To iespiež Jelgavā, un galvenie noteicēji tanī ir vācu mācītāji. Vēlāk tas pāriet vācu vadītās „Latviešu Draugu Biedrības" īpašumā. „Latviešu Avīzes" aicina latviešus uz pazemīgu un dievbijīgu dzīvošanu, paklausību un bijāšanu pret „kungiem" (tas ir, vācu muižniekiem un mācītājiem). Skaidrs, ka šādi raksti latviešus vairs nevar apmierināt.

1856. gadā Rīgā sāk iznākt jauns latviešu laikraksts — „Mājas Viesis", ko vada rakstnieks Ansis Leitāns. Tajā valda cits gars. To labi rāda kāds dzejolis, kas iespiests „Mājas Viesa" otrā n-rā:

„... Mēs latvieši! Un pie šī vārda
Mēs mūžam draugi paliksim.
Kas tautas godu kājām spārda,
To vārguli nožēlosim!"

Šajā laikrakstā tad nu parādās Valdemāra domu biedru raksti. Tie izsaka to, ko daudzi klusībā ir jutuši un gaidījuši. Tāpēc tos saņem ar prieku un interesi.

Vāciešos un viņu līdzskrējējos "tērbatnieku" raksti rada naidu un apjukumu. Jauno domu paudēji dabū apzīmējumu "jaunlatvieši", un vācieši sāk tos apkaŗot visiem līdzekļiem.

Pirmais "jaunlatvieša" vārdu iegūst Juris Alunāns par savu 1856. gadā izdoto dzeju krājumu "Dziesmiņas". Var teikt, ka ar šo grāmatu sākas latviešu jaunlaiku (modernā) rakstniecība. Grāmatai ir zināms nolūks — pierādīt, cik aplami ir vācu apgalvojumi, ka latviešu valoda der tikai zemnieku vajadzībām. To Alunāns spīdoši veic, starp citu atdzejodams latviski daudzus slavenu cittautu rakstnieku darbus. Viņš arī papildinājis latviešu valodu ar daudziem jaunvārdiem. Ar pilnām tiesībām Alunāns tāpēc ir varējis rakstīt:

„... Viss jau nevaru mirt, liela no nāves man
Daļa taupīta būs. Pēcāk es pieaugšu
Slavā augdams jo jauns, kuŗa vis nezudīs,
Kamēr Daugava tek latviešu robežās..."

Vācu uzbrukumi tomēr nobaida "Mājas Viesa" redaktoru. Ansis Leitāns ir vēl "veco laiku cilvēks". Viņš piekāpjas un sāk vadīt laikrakstu vāciem vēlamā padevības garā.

Juris Alunāns tam veltī īsu zobgalīgu pantiņu:

„Čuči, M/ājas/ V/iesi/, čuči,
Īsu, sūru mūžiņu:
Uzgūlušies lieli kluči
Spiež tev ārā dzīvību."

Bet vācieši viļas, domājot, ka jaunlatviešiem **tagad ir** aizbāztas mutes.

69
JAUNLATVIEŠU CĪŅA

"Tā nevar palikt, tā nepaliks:
Līdz pašam pamatam jauns viss tiks!"
(J. Rainis)

TAS, KAS NOTIEK turpmākajos gados, vēlāk vairākkārt atkārtojas latviešu tautas vēsturē. — Lai brīvāk un asāk varētu turpināt cīņu, latviešu vadoņi atstāj savu dzimto zemi. Latviešu tautas atmodu 1860-tajos gados vada vīri, kas dzīvo svešumā.

1858. gadā Kr. Valdemārs nobeidz studijas un dodas uz Pēterpili. Pēc kāda laika viņam seko Juris Alunāns un Kr. Barons.

Valdemārs iestājas Krievijas valsts dienestā un ātri izceļas ar savu darbu un spējām. Viņš daudz raksta — gan par netaisnībām Baltijā, gan par saimnieciskiem jautājumiem, sevišķi jūrniecību. Viņu ievēro ķeizara brālis ģenerāladmirālis Konstantins un uztic tam svarīgus uzdevumus jūrniecības lietās.

Valdemārs tagad izmanto savus augstos sakarus ar krievu valdību un 1862. gadā nodibina jaunu latviešu cīņas laikrakstu — „Pēterburgas Avīzes". Krievijā toreiz visi raksti pirms iespiešanas jādod pārbaudīt valdības ierēdņiem — cenzoriem. Bet par „Pēterburgas Avīžu" cenzoru valdība ieceļ pašu Valdemāru. Par redaktoru paredzēts lielais latviešu valodas meistars Juris Alunāns, bet viņš saslimst (mirst 1864. g.), un šo darbu uzņemas Krišjānis Barons.

Tik brīva un droša valoda nav vēl bijusi nevienam latviešu laikrakstam. „Pēterburgas Avīzes" tāpēc strauji izplatās Latvijā. Tās iet no rokas rokā, ļaudis tās lasa un atkal pārlasa. Sevišķu piekrišanu iegūst laikraksta humora pielikums, ko sākumā sauc par „Dzirksteli", vēlāk par „Zobu galu". Tur (galvenā kārtā „Brenča un Žvinguļa sarunās") asprātīgi izzobo tumsonīgos vācu muižniekus un mācītājus, „kaunīgos latviešus" un atpakaļrāpuļus („bizmaņus"). Brenča un Žvinguļa tēlus rada Kr. Barons, un tie līdz mūsu dienām uzglabājušies tautas atmiņā.

„Pēterburgas Avīzes" dod derīgus padomus saimnieciskos jautājumos, ceļ tautas pašlepnumu, mudina dzīties pēc izglītības un lielākas patstāvības. Mērķis ir skaidrs — latviešiem jāatbrīvojas no vācu uzkundzēšanās un vadības.

Bet vāciešu rokās vēl joprojām ir Vidzemes un Kurzemes pārvalde. Krievijas valdībā un armijā daudzi Baltijas muižnieki ieņem augstus amatus. Ne soli viņi nedomā piekāpties.

Pret „Pēterburgas Avīzēm" tie sāk nesaudzīgu cīņu. Laikraksta izdevējus, izplatītājus un lasītājus sāk apsūdzēt un vajāt. Tas vēl vairāk sakurina naidu pret vācu muižniekiem un mācītājiem.

Ar laiku „Pēterburgas Avīžu" iespiešana un izplatīšana kļūst arvienu grūtāka, un 1865. gadā tās beidz iznākt. Tomēr domas un gars, ko tās modinājušas tautā, nav vairs apslāpējams.

Vācieši domā, ka tiem jāapspiež tikai daži „dumpinieki", un viss atkal paliks kā agrāk. Tie neredz, ka viņu priekšā sāk nostāties arvienu apzinīgāka latviešu tauta.

Sarūgtināts par apmelojumiem un uzbrukumiem, Valdemārs 1865. gadā aizbrauc uz Maskavu. Vēlāk tur ierodas arī Barons. Nemitīgā darbā un cīņās paiet Valdemāra mūžs. Kādreiz viņš izsaucies: „Kaut diena būtu 96 stundu gaŗa!" — Tas strādā Krievijas jūrniecības veicināšanas biedrībā, raksta un no tālienes, kā varēdams, atbalsta savus tautiešus. Pēc viņa ierosinājuma jau 1864. gadā nodibina pirmo latviešu jūras skolu Ainažos, bet 1882. gadā — latviešu kuģniecības sabiedrību „Austra". Latviešu kuģi atkal parādās pasaules jūrās.

Valdemāra rīkotajos latviešu vakaros Maskavā piedalās arī kāds jauns tieslietu students — Jānis Čakste. Četrdesmit gadus vēlāk latviešu tauta uztic viņam savas valsts vadību (skat. 91., 93. un 115. nod.).

Neatlaidīgi Valdemārs turpina cīņu pret vācu muižnieku varu Latvijā. Viņš cer to lauzt ar krievu valdības un krievu nacionālistu (tā saukto slavofilu) palīdzību. Tie tomēr ir ļoti bīstami sabiedrotie. Krievi labprāt vēlas sagraut Baltijas vācisko pārvaldi, bet tikai lai tās vietā nodibinātu pilnīgi krievisku kārtību. Valdemārs no krieviem tik daudz nebaidās. Viņš saka: „Krievu kulaks nav tik bīstams kā vācu krama nagi!" Turpmākie notikumi rāda, ka Valdemārs šai ziņā bija maldījies. Tomēr vācu muižnieku nepiekāpība un neiecietība tajā laikā daudzus latviešus noskaņo par sadarbību ar krieviem. —

Krišjānis Valdemārs mirst Maskavā 1891. gadā. Lielā latviešu cīnītāja šķirstu pārved uz Rīgu un apglabā Ģertrūdes kapos. Trīsdesmit divus gadus vēlāk viņam blakus gulda tā draugu Krišjāni Baronu.

Barons tad ir veicis kādu milzīgu darbu, kam tas veltījis 40 gadus no sava mūža. Viņš ir savācis un sakārtojis ap 200.000 latviešu tautas dziesmu. Ar nosaukumu „Latvju dainas" tās iznāk astoņos sējumos no 1894. līdz 1915. gadam. Tādēļ Barons saka:

„Man klintsakmeni neveļat,
Man pieminekli neceļat:
No latvju dainām tas jau celts,
Un nerūsēs šis tautas zelts."

Latviešu tautas modinātāju piemiņu vēlāk ir godinājusi Latvijas valsts un Rīgas pilsēta. Starp citu viņu vārdos ir nosauktas ielas Rīgā un vairākas mācību iestādes. Kad Latvijas lielākajam ledlauzim bija jādod vārds, to bez šaubīšanās nosauca par Krišjāni Valdemāru. Ar to varbūt vislabāk raksturota Valdemāra nozīme — ceļa lauzējs latviešu tautai.

„Rīga, Rīga daudzināta, —
Kāda tāda Rīga bija?
Valnis valnī, tornis tornī,
Pašā galā zelta gailis.
Ko tas zelta gailis dzied?
Mosties, mosties, latvju tauta!"
(J. Rainis)

70
VADĪBU PĀRŅEM RĪGAS LATVIEŠI

DZIMTBŪŠANAS laikos Rīga ir latviešu brīvības pils. Drūmajā 18. gadu simtenī Rīgas latvieši pirmie sāk cīņu pret vācu uzkundzēšanos. Līdzīgi kuršu ķoniņiem un citiem brīvzemniekiem, Rīgas latvieši vienmēr ir brīvi ļaudis. Vairāki no tiem iegūst arī ievērojamu turību (skat. 61. nod.).

1812. gadā Rīgas latviešus ķeŗ smags sitiens. Domādami, ka Napoleons uzbruks Rīgai, krievi nodedzina Rīgas priekšpilsētas, kur dzīvo vairums latviešu. Nodeg vairāk kā 700 māju, apmēram 17 miljonu rubļu vērtībā. Vairāki tūkstoši latviešu vienā naktī zaudē visu savu mantu.

No šī trieciena Rīgas latvieši ilgāku laiku nespēj atgūties. Daudzi domā, ka vieglāk tiks uz kājām, ja pievienosies vāciešiem. Arī agrākos laikos ne mazums latviešu Rīgā pamazām pārvācojās. Pēc 1812. gada nelaimes pārvācošanās notiek vēl plašākos apmēros. „Kaunīgie latvieši" pie tam parasti cenšas būt vācis-

kāki par īstajiem vāciešiem. Vācieši priecājas par šiem pārbēdzējiem, kas stiprina viņu rindas (kaut gan no otras puses viņi tos nicina). Tomēr uz ilgāku laiku arī tas viņiem nespēj nodrošināt skaitlisko pārsvaru Rīgā.
19. gadu simteņa otrā pusē notiek lielas pārmaiņas. Latviešu zemnieki, ieguvuši kustības brīvību, lielā skaitā ieplūst Rīgā. 1866. gadā visiem atļauj brīvi nodarboties ar amatniecību. Strauji attīstās rūpniecība un satiksme. 1860-tajos gados Rīga ir jau ievērojams dzelzceļa mezgls. Darba netrūkst, un latvieši beidzot var parādīt, ko viņi spēj. Visās malās sāk pacelties latviešu nami, sāk darboties jauni latviešu uzņēmumi. Arī vācieši spiesti atzīt, ka latvieši ir neparasti spējīgi, enerģiski un neatlaidīgi ļaudis.

Rīgā izveidojas turīga latviešu iedzīvotāju šķira — latviešu pilsonība. — Par to, kā darbīgie un spēcīgie latviešu zemnieki pamazām ,,iekaŗo" vēlāko Latvijas galvaspilsētu, stāsta A.Deglava lielais romāns ,,Rīga".

Latviešu tautas atmodu sākumā vada no Tērbatas, tad no Pēterpils. Latvijas dabīgais centrs tomēr ir un paliek Rīga. Agrāk vai vēlāk Rīgai tāpēc vajadzēja kļūt par vadītāju arī latviešu nacionālajā cīņā. Tas notiek 1860-to gadu beigās.

Pirms tam Rīgas latvieši sapulcējas un apspriežas pie viena vai otra pazīstamāka tautieša. Tā, piemēram, pastāv ,,Caunīša pulciņš", ko vada skolotājs Caunītis. Mēģinājumi nodibināt latviešu biedrību sākumā neveicas, jo vācieši to kavē. Viņi aizrāda valdībai, ka latviešiem tāda jau esot — ,,Latviešu Draugu Biedrība" Jelgavā (ko vada vācu mācītāji).

1867. gadā izceļas bads Igaunijā un Somijā. Rīgas latvieši dabū atļauju dibināt komiteju, lai vāktu līdzekļus bada cietējiem. Šī komiteja arī sarīko pirmo latviešu teātra izrādi — „lustes spēli" (komēdiju) „Žūpu Bērtulis".

Nākošā gadā latvieši par jaunu lūdz atļauju biedrības dibināšanai. Tagad valdība piekrīt, un 1868. gadā sāk darboties Rīgas latviešu biedrība. Par pirmo priekšnieku ievēl Bernhardu Dīriķi, par tā biedriem architektu Jāni Baumani un fabrikas direktoru Richardu Tomsonu. Biedrības dibināšanā piedalās arī seno Rīgas latviešu amatu pārstāvji (skat. 35. un 61. nod.). Gadu simteņiem ilgi šie amati ir Rīgā saglabājuši latvisku garu un cīņas sparu. Tagad cīņas karogs pāriet jaunās biedrības rokās. Tā darbojas ar lielu enerģiju un iegūst milzīgu nozīmi visas tautas dzīvē.

Daudzās vietās Vidzemē un Kurzemē latvieši apvienojas un dibina biedrības pēc Rīgas parauga. Tāpēc Rīgas latviešu biedrība dabū „māmuļas" nosaukumu. Tās aizrādījumiem un padomiem seko pārējās.

Jau 1870. gadā Rīgas latvieši uzceļ namu savai biedrībai. Nama iesvētīšanas dienā pienāk daudz apsveikumu, starp citu arī kāda telegramma no Tērbatas. To parakstījuši ap divdesmit latviešu. Viens no viņiem saucas Atis Kronvalds.

„Paceliet acis uz karogu! Latvijas saule tur laistās."
(V. Strēlerte)

71
LATVIEŠI ATROD SAVU KAROGU

KAD KR. VALDEMĀRS aizbrauc uz Pēterpili, Tērbatas latviešu studentiem kādu laiku trūkst ierosinātāja un vadītāja. Tāds atkal rodas, kad 1865. gadā Tērbatas skolotāju seminārā sāk strādāt Atis Kronvalds (1837.—75.). Viņš ir ugunīgākais un straujākais no tautas atmodas vadoņiem. Tāpat kā Valdemārs, arī Kronvalds ir kurzemnieks. Ieguvis pilnīgi vācisku audzināšanu un izglītību, viņš vīra gados par jaunu mācās latviešu valodu. To tas dara tik pamatīgi, ka kļūst par vienu no labākajiem šīs valodas pratējiem. Līdzīgi Jurim Alunānam viņš papildina latviešu valodu ar daudziem jaunvārdiem.

1869. gadā Rīgas latviešu biedrības priekšnieks B. Dīriķis sāk izdot jaunu latviešu laikrakstu, „Baltijas Vēstnesi". Tajā parādās arī Kronvalda raksti.

Ap 1870. gadu Kronvalda vadībā atjaunojas latviešu studentu sanāksmes. Tagad tās nosauc par Tērbatas latviešu literāriem vakariem. Tērbatas vācu studentu organizācijām (korporācijām) ir savi ģerboņi, karogi, krāsu lentas un galvassegas „korporācijas krāsās". Arī latvieši sāk domāt par piemērotām ārējām nozīmēm vakaru dalībniekiem. Viņu vidū šajā laikā atrodas divi Grīnbergu Jāņi — abi vēstures studenti. Interesējoties par latviešu vēsturi, viens no abiem Grīnbergiem ir sācis lasīt vecāko atskaņu chroniku. Kādā vietā, aprakstot notikumus 1279. gadā, chronists stāsta:

„Kā zemes sargi no Cēsīm uz Rīgu
Bij devušies — to es patiesi zinu —
Simts vīru, ordeņbrāļa vesti,
Kas saņēmuši bija vēsti.
Tie ieradās tur stalti tā
Ar karogu krāsā sarkanā,
Kas bij ar baltu cauri šķelts —
Tāds paradums tiem godā celts.
Par Cēsīm pili sauc tur kādu,
No turienes zinām mēs karogu šādu.
Un latvju zemē šo pili rod,
Kur sievas tiešām jāt arī prot

Ne sliktāk par dažu vīru.
Tādēļ — es saku taisnību tīru —
Tas latvju karogs ir patiesi."

Šo Grīnberga atklājumu uzņem ar sajūsmu. Sarkans-balts-sarkans kļūst par Tērbatas literāro vakaru dalībnieku krāsām. (No literārajiem vakariem vēlāk izaug latviešu studentu korporācija „Lettonija".)

Nav šaubu, ka citām latviešu ciltīm un novadiem bija savi īpaši karogi, bet to apraksti nav uzglabājušies. Tādēļ strīdu šajā jautājumā nav.

Ziņa par tērbatnieku atrastā latviešu karoga krāsām rada lielu saviļņojumu latviešos. Auseklis dzejolī „Gaismas pils" saka:

„Ja kas vārdu uzminētu,
Augšām celtos vecā pils!

— — — — — —

Zilā gaisā plivinātos
Sarkanbalti karogi..."

Sarkanbaltsarkanās krāsas vispārīgi pieņem par latviešu nacionālajām krāsām. Karoga galīgo veidu un krāsu samērus vēlāk ar likumu noteic brīvā Latvijas valsts. Bez pārspīlējuma var teikt, ka Latvijas karogs pieskaitāms vissenākajiem Eiropas valstu karogiem.

Tādā kārtā senā latgaļu cilts ir devusi nevien nosaukumu visai latviešu tautai un valstij, bet arī — karogu.

Seno latgaļu pēcnācēji Latgales novadā tieši minētajā laikā piedzīvo ļoti grūtas dienas. 1863. gadā krievi apspiež poļu sacelšanos, kuŗā bija piedalījušies arī Latgales poļu muižnieki. Latgalē sākas nežēlīga apspiešana un pārkrievošana. 1865. gadā aizliedz iespiest latgaļu grāmatas parastajā rakstībā (ar latīņu burtiem), turpmāk atļauts lietot tikai krievu burtus. No tā cieš visa Latgales garīgā dzīve. Tikai slepeni no ārzemēm iespējams ievest vienu otru latgaliešu grāmatu. Tāpēc tautiskā atmoda Latgalē sākas daudz vēlāk kā Vidzemē un Kurzemē. Tas notiek, kad 1904. gadā atceļ grāmatu iespiešanas aizliegumu. Tomēr šajā drūmajā laikā Latgalē savākts krietns skaits tautas dziesmu, kas uzņemtas lielajā Kr. Barona krājumā. Tāpat tur nekad nav trūcis vīru (piem., Pēteris Miglinieks), kas arī visgrūtākos apstākļos turpinājuši cīnīties par tautas tiesībām (skat. A. Rupaiņa romānu triloģiju „Māra mostas").

Latvijas karogs vēl ilgāku laiku nedrīkst brīvi plīvot mūsu zemē. Bet latvieši izmanto ikvienu iespēju, lai uzstātos ar šīm krāsām. Kad 1873. gadā Rīgas latviešu biedrība sarīko 1. vispārīgos dziesmu svētkus, rīkotāji un kārtībnieki ir greznoti sarkanbaltām lentām. Svētku gājienā nes karogu, kuŗā attēlots senlaiku svētnieks pie ziedokļa. Zīmējums ar nodomu izgatavots uz baltas drānas ar sarkanu apmali.

Drošākos un dedzīgākos cīnītājus mēdz saukt par tautas karoga nesējiem. Turpmākie notikumi rāda, ka izcilākais viņu vidū ir Atis Kronvalds.

72
TAUTAS KAROGA NESĒJI

„Viņa vārds lai ir sirdīs un tautas karogos rakstīts! Viņa spēcīgais gars vienmēr lai piemājo mums."
(Ausekļa veltījums Kronvaldam)

JUNLATVIEŠU vadoņu apkaŗošana nedod vāciešiem cerētos panākumus. Tautas apziņa turpina pieaugt spēkā. Iespējams būtu atzīt latviešu centienus un saprasties ar viņiem. Bet to vācu muižnieki un mācītāji nespēj iedomāties. Ne velti par Baltijas vācu baroniem mēdz teikt: „Tie neko nav aizmirsuši un neko nav mācījušies." —

No otras puses vācieši nojauž, ka viņu stāvoklis Latvijā kļūst bīstams. Vēl gan viņu rokās ir zemes pārvalde un dažādas priekšrocības, bet tās ir novecojušas un grūti aizstāvamas. Viņu skaits ir niecīgs, un tautai tie palikuši sveši.

Tad daļa vāciešu nāk ar prasību: pārvācot latviešus! Vairāki šejienes vācu zinātnieki (A. Bīlenšteins, V. Hēns) izsakās: „Latviešu dzīves veids, izturēšanās un parašas ir jau pilnīgi vāciskas. Tikai valoda ir cita."

Neatlaidīgākais pārvācošanas sludinātājs ir bīskaps Ferdinands Valters. Par to viņš arī sprediķo muižniekiem, atklājot 1864. gada landtāgu. Tas rāda, ka vācieši gan baidās no latviešu tautas atmodas, bet vēl arvienu novērtē to par zemu. To atzīst arī jaunlaiku vācu vēsturnieks R. Vitrams: „Šie vīri maldījās." —

Tāpat vācieši turpina savus nepamatotos uzbrukumus latviešu izglītībai un valodai — „izglītots latvietis ir neiespējama lieta", „latviešu valoda ir tikai zemnieku valoda" u. t. t. Bet drīz vien vācieši saņem skaidru un nepārprotamu atbildi rakstos un vārdos. To dod Atis Kronvalds.

Pēc sevišķi asa vācu uzbrukuma kādā laikrakstā („Zeitung für Stadt und Land") viņš saraksta atbildi vācu valodā — „Tautiskie centieni" (1872.). Kronvaldam nenākas grūti satriekt pretinieku nepareizos apgalvojumus, un viņš nav vienīgais, kas pret tiem cīnījies. Tomēr vēl neviens to nebija veicis ar tādu skaidrību un spēku.

Kronvalda slava sasniedz kalngalus pirmo latviešu vispārīgo dziesmu svētku laikā (1873.). Tad arī Rīgā sanāk pirmā vispārējā latviešu skolotāju sapulce (konference). Par vadītāju ievēl Ati Kronvaldu.

Divās ievērojamās runās, atbildot „veclatvietim" J.

Cimzem (kas ieteic turēties pie vāciešiem) un vācu mācītājam A. Bīlenšteinam, viņš noskaidro latviešu tautas mērķus un uzdevumus. Svarīgākais — latviešiem kā tautai jānostājas uz savām kājām un jātop garīgā ziņā patstāvīgiem. Nekas tāpēc nav tik vērtīgs, kā latviešu valoda un latviska skola. — Sanāksmes dalībnieki vētrainām gavilēm sumina runātāju.

Pirmajos vispārīgajos dziesmu svētkos, kuŗos piedalās ap 1000 dziedātāju, pirmo reizi atskan arī komponista Kārļa Baumaņa dziesma ,,Dievs, svētī Baltiju!" (Latvijas vārdu nav atļauts lietot). Dziedātāji vēl nezin, ka viņi dzied savas nākošās valsts himnu.

1873. gadā Kronvalds pāriet uz Vecpiebalgu par skolotāju draudzes skolas augstākajā klasē. Sākas rosīgs darbs gan skolā, gan ārpus tāś. Reti kāds tik lielā mērā stiprinājis latviešos tautas mīlestību un ticību tautas nākotnei kā viņš.

1875. gadā latviešus pārsteidz negaidīta vēsts: Kronvalds miris. Pēkšņa slimība izrauj viņu no cīnītāju rindām, kad tam vēl tikai 38 gadi. Auseklis raksta:

,,Tauta, vaimanā tu, tavs kareiv's ir gājis uz dusu!
Tautības laiviņai nu dedzīgais airētājs rauts."

Bet nedaudzos gados Kronvalds ir panācis daudz — pacēlis tautas apziņu, izklīdinājis šaubas un atsitis pārvācotāju uzbrukumus.

Tajā laikā divi dzejnieki — Auseklis un A. Pumpurs to pašu veic dzejā. Viņi abi jau nākotnē saredz latviešu tautas pilnīgu atbrīvošanos no svešām varām. Tomēr pat dzejā nedrīkst vēl atklāti minēt Latvijas vārdu. Tāpēc tie to izsaka apslēptā, bet visiem saprotamā veidā (simbolos). — Auseklis dzejo par nogrimušo ,,Gaismas pili", kas atkal celsies augšā, kad latvieši uzminēs tās vārdu. Katram lasītājam ir skaidrs, ka šis vārds ir — „Latvija".

Andrejs Pumpurs (1841.—1902.) pareģo varoņa Imantas (skat. 19. nod.) augšāmcelšanos, kas dus apburts zem Zilā kalna:

„Bet reizi Pērkondēli
Tai kalnā lodes spers,
Tad klīdīs visi jodi,
Pēc zobena tas ķers..."

1888. gadā iznāk Pumpura varoņdziesma „Lāčplēsis", kur pa daļai izmantotas tautas teikas par stiprinieku Lāčausi. Dzejnieks attēlo tautas varoņa Lāčplēša varoņdarbus un viņa cīņu ar Melno bruņnieku (vācu varu). Cīnoties abi beigās nogāžas no Daugavas krasta dzelmē. Bet reizēm pusnaktīs tie kāpj no Daugavas, lai turpinātu cīņu, un —

„Laivinieki tic, ka reizi
Lāčplēs's savu naidnieku
Vienu pašu lejā grūdīs,
Noslīcinās atvarā."

Lāčplēša tēls ārkārtīgi ietekmē latviešu tautas domas un jūtas. Tas pavada arī latviešu karavīrus vēlākās brīvības cīņās. Pumpura pareģojums piepildās 1919. gada novembra dienās, kad Latvijas nacionālā armija Daugavas krastos pie Rīgas satriec vācu uzbrukumu Latvijas valstij. Tad arī nodibina Latvijas augstāko goda zīmi par varonību kaujas laukā — Lāčplēša kaŗa ordeni (skat. 100. nod.).

Bet Melnais bruņnieks nav vienīgais un bīstamākais pretinieks, kas apdraud latviešus. —

73
KRIEVI ATKLĀJ SAVUS ĪSTOS NOLŪKUS

„Lai mūs glauda glaudi,
Lai mūs drauda draudi:
Zinām lapsas, zinām vilkus,
Zinām paši sevi."
(J. Rainis)

Vācu stūrgalvība un nepiekāpība pamudina daudzus latviešus (un igauņus) meklēt krievu atbalstu. Tā rīkojās arī Kr. Valdemārs (skat. 69. nod.). Krievu nacionālisti (slavofili) labprāt izmanto latviešu sūdzības, lai uzbruktu Baltijas (Latvijas un Igaunijas) vāciskajai pārvaldei. Kā Latvijā, tā Igaunijā galvenais lēmējs ir vācu muižnieku landtāgs, bet pilsētās vāciskās pilsētu padomes (rātes).

Sevišķi rosīgi krievi kļūst pēc poļu sacelšanās (1863. g.). Viņi tagad vēlas visur ievest krievisku kārtību un krievu valodu, lai vājinātu Krievijai pakļauto tautu pretestību un neatkarības tieksmes. Krievu ķeizara valstī vairāk nekā puse iedzīvotāju ir nekrievi. Slavofilu mērķis izteikts vārdos: viens ķeizars, viena ticība, viena valoda. Visskaidrāk tas parādās, valdot Aleksandram III (1881.—94.).

Latvieši vēl arvienu uzskata vāciešus par saviem galvenajiem pretiniekiem. Viņi domā, ka krievu izdarītas pārmaiņas dos tiem lielāku noteikšanu pašu zemē. Tādēļ pret pārkrievošanu sākumā cīnās galvenā kārtā Baltijas vācieši.

Vairāki tālredzīgāki vācieši tagad grib saprasties ar latviešiem, lai kopīgi pretotos krievu uzbrukumiem. Viņi ar mieru pieaicināt arī latviešus augstākajā pārvaldē. Tomēr ietiepīgie muižnieki landtāgā noraida visus tamlīdzīgus priekšlikumus. Izlīgums nav panākams, un notikumi iet savu gaitu.

1887. gadā krievu valdība atceļ Baltijas pilsētu rātes. To vietā nāk vēlētas pilsētu domes. Taču vēlēšanu tiesības piešķir tikai turīgākajiem namniekiem.

Daudzo sūdzību pamudināta, valdība nosūta uz Baltiju senātoru (augstākās tiesas locekli) Manaseinu. Latvieši un igauņi sagaida viņu kā atpestītāju un iesniedz tam daudz rakstu par dažādām nebūšanām. Manaseina izmeklēšana (revizija) atklāj Baltijā ne mazums nepilnību un netaisnību. Galvenais Manaseinam tomēr nav šie atklājumi, bet tas, ka latviešu un igauņu zemes nav krieviskas. —

1880-tajos gados krievu valdība sāk rupju un atklātu Latvijas (arī Igaunijas un Somijas) pārkrievošanu. Ieved krievu tiesas un policiju. Visās iestādēs jālieto tikai krievu valoda. Latviju pārpludina krievu ierēdņi („činovnieki"). Izglītotiem latviešiem tāpat kā agrāk grūti dabūt darbu savā zemē, un tie spiesti doties uz Krieviju. Krieviskā iekārta nedod arī tautai nekādas lielākas tiesības. Joprojām pastāv vācu muižnieku landtāgs.

Visbīstamākais un nežēlīgākais ir krievu uzbrukums latviešu skolām. Tas sākas 1887. gadā. Tautskolās aizliedz lietot latviešu valodu un visām mācībām (izņemot ticības mācību) jānotiek krieviski. Dažus gadus vēlāk krieviskas kļūst arī visas vidusskolas. Pat stundu starpbrīžos skolnieki nedrīkst sarunāties savā mātes valodā. Par to viņus stingri soda.

Var iedomāties, kādu sajukumu tas rada latviešu skolās, kur ne bērni, ne skolotāji krieviski neprot. Tādēļ stipri cieš visa tautas izglītība.

Savus nolūkus — pārkrievot latviešus, krievi tomēr nespēj sasniegt. Tautas apziņa šajā laikā ir jau pārāk spēcīga. Apspiestie jūtas pārāki par saviem apspiedējiem. Pieaug tautas sašutums un riebums par krievu rupjību un varmācību.

Kāds Austroungārijas diplomāts (fon Ērentāls) vēro notikumus Latvijā un Igaunijā. Viņš ziņo savai valdībai 1888. gadā: „... Baltijas pazinēji šaubās, ka igauņi un latvieši ļaus sevi pārkrievot. Daudz ticamāk, ka, ieguvuši panākumus cīņā pret vāciešiem, tie nostāsies pret visu krievisko tikpat naidīgi kā tagad vācu baroni."

Jau toreiz (1880-tajos gados) vairāki latvieši domā par pilnīgu atbrīvošanos no krievu varas. Viņi (piem., rakstnieks Reinis Kaudzīte, tautskolu inspektors E. Grāvītis u. c.) pārrunā iespēju nodibināt patstāvīgu latviešu un leišu karaļvalsti. Par šādiem latviešu nodomiem krievu gubernātors ziņo valdībai un vairākus latviešus apcietina. —

Drīz vien kāda jauna spēcīga kustība saviļņo ļaužu prātus Latvijā.

74
JAUNI LAIKI, JAUNAS DOMAS

„Zemē kungus, kas lepnībā sēž,
Šķērdībā putina miljonu sviedrus!
Zemē kundzības draugus un biedrus,
Kas·savus brāļus spaida un plēš!"
(E. Veidenbaums)

LĪDZ 1860-TAJIEM gadiem lielākajai latviešu tautas daļai liktenis ir vienāds. Tikai nelielam skaitam pieder mājas un zeme, piemēram, kuršu ķoniņiem un latviešu namniekiem pilsētās, galvenā kārtā Rīgā.

19. gadu simteņa otrā pusē notiek lielas pārvērtības. Jaunie zemnieku likumi (skat. 66. nod.) dod iespēju

zemniekiem iepirkt zemi. Tā rodas patstāvīga latviešu zemes īpašnieku šķira — saimnieki. Turīgākos no tiem (sevišķi Zemgalē) mēdz dēvēt par „pelēkajiem baroniem".

Tomēr vairāk kā puse no lauku iedzīvotājiem paliek bezzemnieki. Tie strādā par kalpiem (laukstrādniekiem, gājējiem) muižās un pie saimniekiem. Atšķirība saimnieku un kalpu starpā ar laiku pieaug. Daudzās lauku mājās ierīko īpašu „saimnieku galu", bet gājēji dzīvo visi kopā vienā saimes istabā („kalpu galā").

Rūdolfs Blaumanis (1863.—1908.) tēlo kādu bagātu un iedomīgu saimnieku:

„Visā draudzē slavens Dūču Deicis,
Viņam divas izmaksātas mājas,
Viņam četras meitas, četri dēli,
Raiba zīļu josta, resns vēders..."

Daudz bezzemnieku dodas uz pilsētām (Rīgu, Liepāju), kur šajā laikā ceļ jaunas rūpnīcas un darbnīcas. Ne visiem tur laimējas vienādi. Vienai daļai izdodas kļūt par namu un rūpnīcu īpašniekiem, tirgotājiem un amatu meistariem, bet vairums kļūst fabriku strādnieki — tā sauktais „rūpniecības proletāriāts". Sākumā strādnieku stāvoklis ir grūts — algas mazas, darba laiks garš un dzīvokļi slikti.

Tā latviešu tauta sadalās šķirās: uz laukiem — saimnieki un kalpi, pilsētās — pilsoņi un strādnieki.

Latviešu galvenajā centrā — Rīgas latviešu biedrībā noteicēji ir turīgākie latvieši („māmuļnieki"). Tie darbojas agrākajā tautas atmodas laikmeta garā un nevēro, ka latviešu vairumam ir vēl citas neatliekamākas vajadzības. „Māmuļnieki" turpina jūsmot par latviešu skaisto senatni, teic cēlas, „tautiskas" runas, bet atstāj novārtā dzīves īstenību. Tāpēc tautas vadība izslīd no Rīgas latviešu biedrības rokām. Tā gan joprojām veic krietnu darbu latviešu valodas kopšanā (šim nolūkam pastāv „Zinību komisija").

Lielāku ietekmi tautā tagad iegūst vīri, kas nostājas zemāko, mazturīgāko šķiru pusē. Viņi nāk no latviešu jaunākās izglītotās paaudzes. Paraugs tiem ir Rietumeiropa, kur jau agrāk sākusies cīņa par strādnieku tiesībām. Viņi interesējas galvenā kārtā par saimnieciskiem, sabiedriskiem (sociāliem) un valsts dzīves (politiskiem) jautājumiem. Uzskati, ko viņi sludina, dabū nosaukumu „jaunā strāva". Tā parādās 1880-tajos gados. Šo jauno domu paudējus tādēļ sauc par „jaunstrāvniekiem".

Dzejā „jauno strāvu" spēcīgi izsaka Tērbatas Ūniversitātes tieslietu students Eduards Veidenbaums (1867.—92.):

„Kur dzelži un cirvji bez rimšanas klaudz,

Pēc maizes, pēc pārtikas vergi kur sauc,

No stiprākā samīts, vājāks kur lūst,

Un asins un sviedri ik dienas kur plūst..."

Viņa dzejoļi rokrakstā slepeni iet no rokas rokā. Sevišķi tie aizrauj jaunatni, kas tos lasa satraukumā degošiem vaigiem.

Par jaunstrāvnieku laikrakstu kļūst „Dienas Lapa", ko sāk izdot Rīgā 1886. gadā.

1891. gadā par „Dienas Lapas" redaktoru nāk kāds jauns latviešu advokāts — Jānis Pliekšāns (1865.—1929.).

„Laika šalkas trīs
Manā tēvijā,
Visi lauki drīz
Dunēs dūkoņā."
(J. Rainis)

75
CEĻA SOMA AR BĪSTAMU SATURU

JAUNAIS advokāts Jānis Pliekšāns ir bagāta vairāku muižu nomnieka dēls. Viņš ieguvis ļoti labu audzināšanu un izglītību. Tomēr mierīga un pārtikusi dzīve Pliekšānu nevilina. Viņš stājas jaunstrāvnieku rindās un kļūst par to ievērojamāko vadoni.

Ilgāku laiku tas slepenībā dzejo un tulko cittautu rakstnieku darbus (starp citu — Gētes „Faustu"), bet arvienu vēl šaubās par savām dzejnieka spējām. Kad viņa darbus sāk iespiest, viņš tos paraksta ar vārdu „Rainis". Ar šo vārdu viņš arī uz visiem laikiem ieiet latviešu vēsturē.

No apspiesto šķiru aizstāvja Jānis Rainis notikumu gaitā izaug par visas tautas brīvības cīnītāju un pravieti. Ar apbrīnojamu gaišredzību viņš vēlāk arī tieši nosaka laiku, kad nodibināsies Latvijas valsts. Raiņa dzejā beidzot savienojas tautas atmodas nacionālie centieni ar jaunstrāvnieku prasībām pēc lielākas taisnības cilvēku starpā.

No 1891. līdz 1895. gadam viņš vada jaunstrāvnieku laikrakstu „Dienas Lapu". Redzamākie līdzstrādnieki tajā ir advokāts Pēteris Stučka un nesaudzīgais literātūras kritiķis Jānis Jansons-Brauns. Turpmākie lielie notikumi un cīņas šos vīrus tomēr noved šķirtos ceļos (skat. 96. nod.). —

1893. gadā Rainis dodas ceļojumā uz Rietumeiropu. Tur rūpniecība ir attīstījusies sevišķi strauji, un līdz ar to izveidojusies plaša strādnieku šķira. Vācijā rodas jauna mācība — modernais sociālisms. Vairākās Rietumeiropas valstīs nodibinās sociāldemokratu partijas. Sākumā tās bieži vien spiestas darboties slepeni.

Viens no sociālisma galvenajiem pamata licējiem ir Kārlis Markss („marksisms"). Sociālisti aicina strādnieku šķiru apvienoties kopīgai cīņai pret pārējām turīgākajām šķirām. Mērķis ir — pārņemt varu strādnieku šķiras (proletāriāta) rokās. Tad tiks ievesta jauna kārtība: šķiru vairs nebūs, nebūs arī atsevišķa (privāta) īpašuma tiesības un izbeigsies nemantīgo ļaužu izmantošana par labu mantīgajiem.

Par to, kā tas panākams, pašu sociālistu starpā valda dažādi uzskati. Viena daļa domā, ka nepieciešams lietot varu. Pārējās šķiras bez žēlastības jāapspiež, un jānodibina proletāriāta vienvaldība (diktātūra). Tāpēc jāgatavojas uz bruņotu sacelšanos — revolūciju. Šie „marksisti" vēlāk pazīstami ar nosaukumu — komūnisti. Citi sociālisti turpretī ir ar mieru sadarboties ar pārējām šķirām, lai pakāpeniski uzlabotu strādnieku stāvokli. Tie arī patur apzīmējumu — sociāldemokrati.

Vācijā un Šveicē Rainis plaši iepazīstas ar sociāldemokratu mācībām. Braucot uz mājām, viņš savā ceļa somā noslēpj lielāku skaitu sociālistu grāmatu un rakstu. Krievu ierēdņi to neatklāj, un Rainis ar visu aizliegto kravu iebrauc Rīgā. „No manas ceļa somas izauga Latvijas sociāldemokratu partija", viņš vēlāk izsakās.

„Dienas Lapā" tagad sāk parādīties raksti par sociālisma mācībām. Kādu laiku valdība par to daudz neinteresējas. Sociālistu domas izplatās strādnieku vidū. Drīz vien (1896.—97. g.) vairākās Rīgas fabrikās strādnieki pārtrauc darbus (piesaka streiku), lai panāktu sava stāvokļa uzlabošanu.

Nu iejaucas valdība — daudzus jaunstrāvniekus apcietina un „Dienas Lapu" uz laiku slēdz.

Jāni Raini izsūta uz Iekškrieviju. Viņam līdzi dodas tā sieva, ievērojamā dzejniece Aspazija. Iesākas viņu pirmā trimda.

Vairāki jaunstrāvnieki paši atstāj Latviju un dodas uz rietumiem. Daži nonāk Amerikā, kur (1898. g.) izdod sociālistu laikrakstu latviešu valodā.

Latvijā palikušie turpina darboties slepeni („pagrīdē"), un viņu skaits aug. 1904. gadā tie apvienojas un Rīgā nodibina „Latvijas sociāldemokratisko strādnieku partiju" (LSDSP). Tā ir vecākā latviešu polītiskā partija. Sociāldemokratu uzsaukumā teikts:

„Mēs prasām, lai katra tauta, kas atrodas Krievijas valsts sastāvā, var pati izšķirt savu turpmāko likteni. Vienīgi pašas tautas valoda lietojama skolās un valsts iestādēs..."

Latviešu sociāldemokrati šajā laikā atrodas Rietumeiropas ietekmē. Viņu partija ir pilnīgi neatkarīga no krievu sociālistiem.

Blakus LSDSP nodibinās (1903. g.) vēl „Latvijas sociāldemokratu savienība", vēlākie „sociālrevolūcionāri", kas sevišķi interesējas par bezzemnieku stāvokli. To vadītāji (M. Valters, Rolavs, J. Akurāters) prasa latviešiem tiesības zināmos apstākļos atdalīties no krievu valsts. Pēc Latvijas valsts nodibināšanās šī partija drīz izbeidz darboties. —

Gadsimtu maiņā Latvijā ir pieaudzis saspīlējums un cīņas noskaņojums.

76
CĪŅAS NOJAUTAS GADSIMTU MIJĀ

„Mani spārni nes, man rokās spēks,
Es grauju — un pasaule plaisā.
Un brīvu elpu es atelšos vien
Tik aukā un pērkonu gaisā."
(Aspazija)

APBRĪNOJAMS ir tas ceļš, ko latviešu tauta nostaigā pussimt gadu laikā (apm. 1850.—1900. g.). Kā pavasara ūdeņi pārrauj aizsprostus un noskalo visu, kas tiem ceļā, tā latvieši neapturami un strauji laužas uz priekšu.

Nepārtraukti mācoties un strādājot, tie pārvērš savu zemi par attīstītāko un izglītotāko visā Krievijā. Latviešu saimnieki savus laukus jau apstrādā ar modernām mašīnām, pilsētās rindām paceļas jauni latviešu nami, uz visām augstākām Krievijas mācības iestādēm plūst latviešu studenti. Rīga ir modernākā un eiropiskākā pilsēta Krievijā. Simt gadu laikā tās iedzīvotāju skaits pieaug vairāk kā desmitkārtīgi (1905. g.: 380 000).

Īsā laikā izaug plaša latviešu literātūra, strauji attīstās latviešu teātris, parādās ievērojami latviešu gleznotāji un mūziķi.

Visā frontē latviešu apspiedēji ir atspiesti aizstāvēšanās pozicijās. Visi viņu agrākie apgalvojumi un paredzējumi par latviešiem izrādījušies aplami un nepareizi. — „Apbrīnojama ir šīs tautas dzīšanās pēc izglītības," atzīst vācu vēsturnieks R. Vitrams. Līdzīgi izsakās V. Lencs: „Viņu (latviešu) ārkārtējās spējas un derīgums nav noliedzams."

Agrākās pārvācošanās vietā notiek gluži pretējais. Daļa vāciešu tagad sāk ieplūst latviešu tautā (sevišķi izglītoto latviešu vācu sievas).

Visās malās darbojas latviešu biedrības, notiek

priekšlasījumi, pārrunas, koncerti un teātra izrādes. Nav gandrīz tāda latvieša, kas nelasītu laikrakstus un neinteresētos par notikumiem savā dzimtenē un pārējā pasaulē.

Daudz kas tomēr jādara un jāapspriež pagaidām vēl tikai slepenībā, piemēram, par strādnieku šķiras vajadzībām un nākotnes plāniem. Tādā kārtā „pagrīdē" izaug Latvijas sociāldemokratiskā strādnieku partija.

Kaut gan neviens vairs nemēģina tā kā agrāk noliegt latviešu spējas un krievi tos labprāt aicina ienesīgos amatos uz Krieviju, savā zemē tie joprojām tiek turēti aizbildniecībā. Ķeizara vara Krievijā ir neierobežota, un pavalstniekiem nav noteikšanas valsts dzīvē. Latvijā vēl arvienu visu izlemj cara ieceltie ierēdņi un vācu muižnieku landtāgs.

Vairāk nekā puse no Latvijas zemes atrodas nedaudzu muižnieku rokās. Vēl arvienu pastāv dažādas veclaicīgas kārtu privilēģijas. Muižnieki ieceļ mācītājus, tikai muižniekiem ir medību un zvejas tiesības, viņiem nav jāpiedalās ceļu labošanā u. t. t. Latviešu valoda joprojām ir aizliegta kā skolās, tā pārvaldes iestādēs.

Lai arī latvieši ir sadalījušies šķirās, kuŗām ir dažādas intereses un vajadzības, tomēr galvenā jautājumā tauta ir vienota — tiem pašiem jāiegūst tiesības pārvaldīt savu zemi, latviešu valoda jālieto skolās, tiesās un valsts iestādēs. Tādēļ krievu cara patvaldība un vācu muižnieku netaisnās privilēģijas ir jāsalauž. Ka to nevarēs panākt miera ceļā, par to liecina pretinieku nepiekāpība un stūrgalvība.

19. un 20. gadu simteņa maiņā cīņas nojauta skan Aspazijas, Raiņa, Skalbes, Akurātera, Plūdoņa un citu latviešu dzejnieku darbos. Tie tur tautu spraigumā un lielu notikumu gaidās.

1903. gadā Rainis saraksta dzejoli „Pastarā dienā", kuŗā viņš uzsauc tautas apspiedējiem:

„Bet mēmā zeme
Tad muti vērs
Un aprīs jūs,
Un kūpēs sērs."

77
LATVIEŠU LIELĀ REVOLŪCIJA

> „Kas dzīvs, tas iet uz asins kauju,
> Un pilis kritīs, troņi grūs.
> Jums mirušiem lai mūžam slava,
> Mēs dzīvie ejam atriebt jūs."
> (J. Akurāters)

Saspīlējums Latvijā ir tik liels, ka pietiek ar dzirksteli, lai visa zeme atrastos liesmās. Uz to nav ilgi jāgaida.

1904. gadā izceļas krievu un japāņu kaŗš. Lai gan cara virsnieki lielīgi solās, ka tie „japāņus ar cepurēm nomētās", krievu armija un flote piedzīvo smagu neveiksmi. Tas vēl skaidrāk parāda trūkumus un nekārtības visvarenā cara valstī. Nemiers pieaug visā Krievijā.

1905. gada 22. janvārī (šī diena dabū nosaukumu „melnā svētdiena") Pēterpils strādnieki ar sievām un bērniem priesteŗa Gapona vadībā iet uz ķeizara pili, lai iesniegtu valdniekam savus lūgumus. Kaŗaspēks uz tiem atklāj uguni. Kritušo un ievainoto skaits pārsniedz 400. Visās lielākās pilsētās strādnieki izsludina streiku, kam seko nemieri. Tā sākas 1905. gada revolūcija (sacelšanās pret valsts varu) Krievijā. Visasāk un visplašāk tā norisinās Latvijā.

24. janvārī Latvijas sociāldemokratiskā strādnieku partija (LSDSP) pasludina Rīgā vispārēju streiku (ģenerālstreiku) — visas rūpnīcas pārtrauc darbus.

26. janvārī (pēc vecā stila 13. janvārī) 50 000 latviešu strādnieku iziet protesta demonstrācijā Rīgas ielās. Dzird saucienus: „Nost ar carismu!", „Lai dzīvo demokratiska republika!" (t. i. valsts, kuŗā vara pieder tautai).

Pie Daugavas tiltiem sadursmē ar kaŗaspēku krīt 80 vīru un ap 200 tiek ievainoti. Latvijas valsts laikā šo notikumu vietu nosauc par „13. janvāŗa ielu".

Jānis Akurāters raksta:
> „Un asinis, kas nevainīgas
> Uz balta sniega kvēloja,
> Tās neizkvēlos gadu gadus —
> Tās kvēlos mūsu karogā!"

Ievērojama nozīme turpmākajos notikumos ir latviešu sociāldemokratiem. Viņu partijā 1905. gadā ir 18 000 biedru, un tā ir lielāka nekā krievu sociāldemokratu partija. Tās redzamākie vadoņi ir J. Ozols, J. Asaris, J. Jansons-Brauns un J. Rainis, kas 1903. gadā atgriezies no trimdas. Sociāldemokrati izdod laikrakstu „Cīņa" 10 000 eksemplāros un 1905. gadā izplata apm. 1 miljonu skrejlapu (uzsaukumu).

Tomēr 1905. gada revolūcija ir vairāk nekā strādnieku šķiras cīņa. Latvijā tā kļūst par visas tautas sacelšanos.

Drīz vien galvenie notikumi norisinās nevis pilsētās, bet uz laukiem. Cīnītāju rindās soļo kā kalpi, tā saimnieki un viņu dēli. Visus vieno senais naids pret muižniekiem un to varas aizstāvjiem (muižnieku ieceltajiem vācu mācītājiem). Ļoti maz ir tādu latviešu, kuŗus neaizrauj 1905. gada revolūcija.

Muižās sākas kalpu streiki, baznīcās notiek revolūcionāru sapulces. Sarīko gājienus, liekot mācītājiem iet priekšgalā ar sarkaniem karogiem rokās.

Pilsētās un muižās valdība novieto kaŗaspēka daļas. Muižnieki bruņojas un dibina pašaizsardzības vienības. Vairākās vietās apcietina un spīdzina nemieru dalībniekus.

Bet bruņojas arī latvieši — visās malās kaļ un gatavo ieročus. Lauku iedzīvotāji pāriet uzbrukumā pret krievu kaŗaspēka nodaļām un vācu muižniekiem.

Augustā valdība izsludina kaŗa stāvokli Kurzemē un dažus mēnešus vēlāk arī Vidzemē.

Tomēr cara kaŗaspēka un muižnieku spēki Latvijā izrādās par vājiem, lai sacelšanos apspiestu. Arī pašā Krievijā stāvoklis ir bīstams.

Tad ķeizars piekāpjas. 1905. gada 30. oktobrī Nikolajs II izdod manifestu (vēstījumu) tautai: turpmāk atļauta vārda un sapulču brīvība, pavalstnieki varēs izvēlēt pārstāvjus Valsts domei, kas piedalīsies likumu un valsts lietu apspriešanā...

Turpmākos divos mēnešos latviešu lielā revolūcija sasniedz savu augstāko pakāpi. —

78
TAUTA PĀRŅEM VARU

"Gaidīt un cerēt ir labi,
Un rātni ir prasīt un lūgties:
Labāk ir negaidīt daudz,
Neprasīt, nelūgties — ņemt."
(J. Rainis)

Pēc 30. oktobŗa vēstījuma latviešu strādnieku partija iznāk no "pagrīdes". Atklāti izplata viņu laikrakstu, Rīgā notiek milzīgas tautas sapulces, kuŗās piedalās 50 000—100 000 cilvēku.

Vadoņi aicina turpināt cīņu un neticēt cara solījumiem. Galvenie mērķi tagad ir — gāzt cara patvaldību, ievēlēt satversmes sapulci un ķeizarvalsts vietā nodibināt republiku (valsti, kuŗā valsts galva ir tautas vēlēts).

Valdības iestādes ir pārsteigtas un apjukušas. Rīgā lielu nozīmi iegūst „Federātīvā (apvienotā) komiteja", ko noorganizējuši revolūcionāri. Kārtības uzturēšanai nodibina tautas miliciju.

Divos turpmākajos mēnešos latviešu revolūcionāri pārņem varu savās rokās. Krievu ierēdņi, muižnieki, policija un kaŗaspēks uz laiku pazaudē noteikšanu Latvijā.

Sakarā ar to uz laukiem norisinās daudzas asinainas cīņas (1905. gadā Latvijā notiek ap 1000 bruņotu sadursmju). Kaŗaspēka nodaļas atstāj muižas un atkāpjas uz pilsētām. Daudzi muižnieki aizbēg uz Rīgu, citi dodas projām uz Vāciju. Šo cīņu laikā nodedzina 128 muižnieku pilis, daudzos gadījumos gan — nevajadzīgi.

Vairākās Kurzemes un Vidzemes pilsētās notiek kaujas starp krievu kaŗaspēku un tautas miliciju. Tukumā revolūcionāriem padodas kaŗaspēka nodaļa ar vairākiem lielgabaliem. Pie Lielvārdes tautas milicija sagūsta lielāku skaitu muižnieku ar viņu ģimenēm, kas kavalerijas apsardzībā mēģina izlausties uz Rīgu. Latvieši pret gūstekņiem izturas cilvēcīgi un, pēc sarunām ar muižnieku pārstāvi no Rīgas, tos atlaiž brīvībā.

23. novembrī 400 latviešu skolotāji sapulcējas uz kongresu Rīgā. Nolemj, ka skolās jāmāca latviešu valodā un visā zemē jānodibina tautas vēlēta pārvalde.

Neilgi pēc tam (2. decembrī) Rīgā sanāk ap 1000 ievēlētu pārstāvju (delegātu) no Vidzemes un Kurzemes pagastiem. Plašās tautas pārstāvju sanāksmes ierosinātājs ir Kokneses pagasta darbvedis Jānis Kroders. Tā pasludina varas pārņemšanu tautas rokās.

Nolemj: atcelt līdzšinējās pagastu valdes un to vietā ievēlēt pagastu rīcības komitejas, neatzīt cara valdības iestādes un nemaksāt tām nodokļus. Bez tam paziņo, ka vācu muižnieku privilēģijas ir atceltas, Latvijai prasāma pašvaldība un Krievijā jāsasauc vēlēta satversmes sapulce.

Soli tālāk iet Latvijas sociāldemokratu savienība (M. Valters, E. Rolavs). Tā pieprasa Latvijas Satversmes sapulces sasaukšanu.

Krievijas sociāldemokratu (vēlāk komūnistu) vadonis V. Ļeņins atzīst, ka nekur cara Krievijā 1905. gada revolūcija nav bijusi tik asa un guvusi tādus panākumus kā Latvijā. To viņš izskaidro ar latviešu augstāko attīstību un izglītību, un viņu nacionālo apspiestību. Ļeņins raksta: „Latviešu strādnieku šķira (īstenībā — tauta. Red.) noveda revolūciju līdz tās visaugstākajam punktam — bruņotas sacelšanās pakāpei."

Vairāki vācu vēsturnieki, aprakstot 1905. gada vētrainos notikumus Vidzemē un Kurzemē, devuši tiem nosaukumu — „Latviešu revolūcija" (skat. A. von Transehe-Roseneck, Die lettische Revolution. Berlin 1907).

Pretēji krievu zemniekiem, kas šajā laikā paliek vienaldzīgi, latviešu kalpi un saimnieki ir dedzīgākie revolūcijas cīnītāji.

Arī daudzas latviešu sievietes iet līdzi un upurējas 1905. gada cīņās. Revolūcijas laikā viņas piedalās visās vēlēšanās līdzīgi vīriešiem. Tādā kārtā Latvija ir pirmā zeme Eiropā, kur sievietes iegūst vēlēšanu tiesības un arī pašas tiek ievēlētas par tautas pārstāvjiem. —

Latviešu lielā revolūcija parāda, cik nedrošas patiesībā ir vācu muižnieku un krievu cara pozicijas Latvijā.

„Vējš augstākās priedes nolauza,
Kas kāpās pie jūrmalas stāvēja —

Tu lauzi mūs naidīgā pretvara, —
Vēl cīņa pret tevi nav nobeigta!"
(J. Rainis)

79
«BĒGOT NOŠAUTS...«

PAŠĀ KRIEVIJĀ 1905. gadā nesaceļas visa tauta, bet galvenā kārtā tikai rūpniecības strādnieki. Tur cara valdība revolūciju apspiež vispirms. Kad tas noticis, tā sūta karaspēku pret latviešiem.

1905. gada beigās no divām pusēm (Pēterpils un Viļņas kara apgabala) uz Latviju virzās krievu bruņotie spēki — tā sauktās „soda ekspedīcijas". Revolūcionāriem nav īstas armijas, ko sūtīt pretī, bet tautas milicija ir par vāju apbruņota.

Slepkavojot un dedzinot „soda ekspedīcijas" dodas cauri Vidzemei un Kurzemei. Ar sevišķu nežēlību izceļas krievu ģenerālis Orlovs un vairāki Baltijas muižnieku pārstāvji. Vairāk kā 2000 cilvēku nošauj bez tiesas un izmeklēšanas. Ziņojumos par to vienkārši paskaidro: „Bēgot nošauts". — Tādēļ Rainis raksta:

„Pie klusiem kapiem ejam,
Nav tālu jāstaigā,
Mēs savus mīļos rodam
Ikkatrā atmatā."

Soda ekspedīciju pēdās plūst asinis un paliek kūpošu drupu kaudzes. Nodedzina ap 300 latviešu zemnieku māju (3 miljonu rubļu vērtībā), vairākas skolas un biedrību namus.

Tad sāk darboties lauku kara tiesas un vēlāk arī parastās kara tiesas, kas apsūdzības vairāk vai mazāk izmeklē. Piespriež simtiem nāves sodus, spaidu darbus un cietumu. Uz Sibiriju izsūta tuvu pie 3000 cilvēku.

1906. gada sākumā revolūcija Latvijā ir satriekta. Daudzi tomēr negrib padoties un, sabēguši mežos, turpina pretoties. Tos mēdz saukt par „meža brāļiem", bet viņi nespēj grozīt cīņas iznākumu. Šim drūmajam laikmetam veltīta V. Plūdoņa balāde „Tīreļa noslēpums":

> „... Dēls, pajemi pelēku akmeni
> Un par zīmi uz kapa man uzstādi,
> Lai zina, lai uziet ļautiņi,
> Kur trūd mani salauztie kauliņi."

Lai izbēgtu vajāšanām ne mazāk kā 4000 latviešu atstāj savu zemi. Lielākā daļa dodas uz Amerikas Savienotajām Valstīm, citi uz Šveici, Somiju, Angliju, Franciju, Beļģiju u. c. Ārzemēs tie turpina neatlaidīgu cīņu par savas tautas atbrīvošanu. Rakstos un vārdos viņi iepazīstina cittautiešus ar latviešu likteņiem un taisnīgajām prasībām. Daudziem no viņiem vēlāk ir lieli nopelni Latvijas atbrīvošanā un valsts celšanā.

Trimdinieku vidū ir arī Rainis un Aspazija. 14 gadus (1906.—1920.) viņi pavada Kastaņolā, Šveicē. Tur rodas Raiņa ievērojamākie darbi, no turienes viņš kā pirmais pareģo nākošos brīvības laikus.

Kaut arī Latviešu lielā revolūcija ir noslāpēta asinīs un liesmās, Rainis raksta:

> „Reizi, šo reizi mēs tomēr
> Par cilvēkiem jutušies esam. —
> Tagad mēs zinām, kas vīrs!
> Tagad mēs jūtam, kas gars!"

Tikai 1908. gada septembrī krievu valdība paziņo, ka beidzies kaŗa stāvoklis Latvijā.

„Uguns mums aprija mājas,
Un lauks mūsu asinis dzēra —
Vai tā par dārgi gan pirkts
Nākotnes brīvības vārds?"
(J. Rainis)

80
ZAUDĒJUMI UN IEGUVUMI

L<small>IELAJĀ</small> latviešu revolūcijā tauta zaudē vairākus tūkstošus kritušu, daudziem jāmeklē patvērums svešumā. Bet cīņa stiprina tautas pašapziņu, lepnumu un ticību nākotnei.

Gluži citādi jūtas vācu muižnieki un cara valdība. Revolūciju tiem gan šoreiz izdevies asinaini apspiest, bet viņu pašpaļāvība ir smagi iedragāta. Tas, kas noticis 1905. gadā var atkal atkārtoties. Un kas tad var galvot par iznākumu?

Nedrošības sajūta ir tik liela, ka daļa muižnieku pārdod savus īpašumus un atstāj Latviju. Citi mēģina nodrošināt savu stāvokli, nometinot vācu zemniekus Kurzemē. Ar krievu valdības piekrišanu tur saved ap 20 000 vācu kolonistu, kas līdz tam dzīvojuši Iekškrievijā. R. Blaumanis par šiem muižnieku varas glābējiem raksta:

> „Saratovā[1]) zīle dzied
> Vārtu staba galiņā.
> 'Geh, frauchena, klausītiesi
> Kādu ziņu zīle nes!'
>   Zīle nesa tādu ziņu:
>   Uz Kurzemi mums būs iet.
>   Uz to Dieva Kurzemīti
>   Kungiem — brāļiem palīdzēt!"

Krievu valdība savukārt cenšas Latgalē iepludināt krievu zemniekus, bet latviešus saistīt darbā Krievijā.

---
[1]) Pilsēta un apgabals pie Volgas.

Tomēr arī šādā veidā neizdodas latgaliešus pārkrievot. Tieši šajā laikā Latgalē sākas novēlotā tautas atmoda. 1904. gadā ir atcelts aizliegums iespiest latgaliešu rakstus. Tūlīt parādās latgaliešu laikraksti („Gaisma", „Druva") un grāmatas. Katoļticīgajā Latgalē izglītotākie vīri ir garīdznieku aprindās. Tādēļ pirmie tautas modinātāji un vadoņi ir baznīckungi — K. Skrinda un Francis Trasuns. Viņi cīnās pret pārpoļošanu un pārkrievošanu, nemitīgi atgādinot, ka latgalieši, vidzemnieki un kurzemnieki pieder vienai latviešu tautai. Tā tiek sagatavots ceļš visu Latvijas novadu apvienošanai.

1905. gada revolūcija pamudina krievu valdību tomēr izdarīt arī dažus uzlabojumus un pārmaiņas. Skolās latviešu valoda iegūst lielākas tiesības (1906.—13. g.), var nodibināties arī vairākas privātas latviešu mācības iestādes.

Notiek Krievijas valsts domes vēlēšanas (kaut arī ierobežotas) un tur ievēl vairākus (6) latviešu pārstāvjus. Starp tiem ir Latgales atmodas darbinieks Fr. Trasuns un vēlākais Latvijas valsts pirmais prezidents Jānis Čakste.

Latvijas pilsētu pārvaldes sāk viena pēc otras pāriet latviešu rokās.

Liela rosība valda saimnieciskajā dzīvē. Strauji turpina augt tautas turība. To savukārt veicina latviešu dibinātās lauksaimniecības biedrības un krājaizdevu sabiedrības.

Arvienu modernāk strādā latviešu lauksaimnieki, arvienu vairāk latvieši laužas iekšā rūpniecībā un tirdzniecībā. Līdz ar saimniecisko dzīvi plaukst un attīstās latviešu māksla un zinātne. Rīgā darbojas divi latviešu teātŗi, Liepājā, Jelgavā un Ventspilī — pa vienam. Notiek daudzi latviešu mākslinieku koncerti, gleznu izstādes, zinātniskas sapulces. Parādās pirmā ievērojamā latviešu vēsturnieka J. Krodzenieka pētījumi — „Iz Baltijas vēstures".

Bet šajā darba steigā un trauksmē nebūt nav aizmirsti Lielās revolūcijas mērķi. Vareni un briesmīgi notikumi jau pēc nedaudziem gadiem satricina visu pasauli. Sākas latviešu jaunāko laiku vēstures varoņu laikmets.

„Piecus gadus uguns degs,
Sesto gadu pelni segs."
(J. Rainis)

81
LATVIJA KĻŪST KAUJAS LAUKS

20. GADU simteņa sākumā bīstami pieaug pretešķības Eiropas valstu starpā. Lielvalstis sacenšas par tirgiem saviem rūpniecības ražojumiem, cenšas iegūt īpašumus (kolonijas) citās pasaules daļās un — nepārtraukti bruņojas.

Vācija ir noslēgusi savienību ar Austroungāriju un Italiju (tā vēlāk gan pāriet Vācijas pretinieku pusē), bet Francija sabiedrojas ar Krieviju un Angliju.

1914. gada 28. jūnijā kāds serbu students nošauj Austroungārijas troņmantnieku Franci Ferdinandu. Šie septiņi revolvera šāvieni ir tā dzirkstele, kas liek uzliesmot ilgam un asinainam karam (1914.—18.). Pamazām tajā iesaistās 29 valstis, kāpēc tas dabū (pirmā) pasaules kara nosaukumu. Pret Vāciju, Austroungāriju, Turciju un Bulgāriju cīnās Francija, Krievija, Anglija, Serbija, Beļģija (vēlāk arī Japāna, Italija, ASV u. c.).

1914. gada 1. augustā Vācija piesaka karu Krievijai. Vēl nesen latvieši ir cīnījušies pret ienīsto krievu ķeizara patvaldību savas Lielās revolūcijas laikā. Tomēr vēl dziļāks ir tautas senais naids pret vācu baroniem. Tāpēc, karam izceļoties, latvieši nostājas krievu pusē. Uz to viņus pamudina arī simpatijas pret progresīvajām Rietumeiropas valstīm Franciju un Angliju, kas ir Krievijas sabiedrotās.

Kara sākumā krievu armijā iesauc lielu skaitu latviešu. Dažas karaspēka daļas sastāv gandrīz vienīgi no viņiem. Tā, piemēram, XX armijas korpusu mēdz dēvēt par „latviešu korpusu".

Lai palīdzētu vācu apdraudētajai Francijai, krievu armijas lielā steigā un nekārtībā iebrūk Austrumprūsijā. Krievu spēki ir slikti apbruņoti un vāji vadīti. Tomēr ar savu lielo skaitu tie sākumā gūst panākumus.

1914. g. rudenī vācu karavadoņi Hindenburgs un Ludendorfs ar veiklu manevru ielenc un iznīcina šīs krievu armijas. Kauja norisinās pie Mazuru ezeriem un Augustovas mežos, un vācieši tai devuši nosaukumu (otrā) „Tannenbergas kauja" (skat. 36. nod.).

XX krievu armijas korpuss, kur pārsvarā latvieši, cīnās, nāvi nicinot. Tie krīt, bet nepadodas. Kāds kara vēsturnieks (M.P.Kamenskis grāmatā „XX korpusa iznīcināšana") šīs vienības varonību salīdzina ar slavenās Napoleona gvardijas cīņu un galu Vaterlo kaujā 1815. gadā.

Nemākulīgās krievu vadības dēļ minētais korpuss zaudē vairāk kā 30 000 kritušu. Tie ir lielākie latviešu karavīru zaudējumi pasaules kara laikā. Slavu par viņu drošsirdību kaujā piedēvē krieviem, jo latvieši cīnās krievu vienībās un zem krievu karogiem.

Cara armija turpina nekārtībā atkāpties, un 1915. gada pavasarī vācieši jau ielaužas Kurzemē. Svešnieku daudzkārt iekārotā latviešu zeme atkal kļūst par kaujas lauku. Kārlis Skalbe raksta:

„Pa zaļo Kurzemes lauku
Skrien melnas jātnieku ēnas.
Skrien ēnas, skrien dūmi, dun pakavi, —
Dievs, sargi dzimteni!"

Krievu armijas kaujas spējas ir tā sabrukušas, ka, šķiet, visa Latvija drīz būs vāciešu varā. No Rīgas fabrikām sāk aizvest mašīnas, lai tās nekristu ienaidnieka rokās. Bēgošā krievu armija spiež iedzīvotājus frontes tuvumā doties bēgļu gaitās uz austrumiem. Bagātā Zemgale un Kurzeme piedzīvo ilgi neredzēta posta dienas. Gan spaidu kārtā, gan labprātīgi kurzemnieki pamet savas mājas un iekoptos laukus, lai dotos nezināmā ceļā. No 800 000 Kurzemes iedzīvotājiem ap 400 000 atstāj savu novadu. Ir sākušies „bēgļu laiki". Līdzīgs liktenis draud arī Vidzemei un Latgalei.

Šajā krievu radītajā sajukumā un nekārtībā paspīd kāda cerība. Maija pirmajās dienās pie Jelgavas vāciešiem stājas pretī divi Daugavgrīvas zemes sargu bataljoni, kas sastāv no latviešiem, un atsit vācu uzbrukumu. Tas notiek laikā, kad krievu armijas bēg pa visiem ceļiem.

Latviešu tautā rodas doma — latviešu zemi varēs noturēt, ja tiem pašiem būs savas kaŗaspēka vienības. Sevišķi enerģiski par to iestājas latviešu studenti Rīgā un vairāki ievērojami latviešu darbinieki (Sp. Paegle, G. Ķempelis, V. Zāmuēlis). 1915. gada jūnijā latviešu pārstāvis Krievijas valsts domē J. Goldmanis iesniedz krievu armijas virspavēlniekam Nikolajam Nikolajevičam lūgumu atļaut dibināt atsevišķas latviešu kaujas vienības latviešu virsnieku vadībā.

Pret šo latviešu nodomu cīnās Baltijas vācieši. Cara valdībai bez tam vēl ir atmiņā 1905. gada notikumi. No otras puses, stāvoklis frontē ir bīstams, un krievu armijas vadībai ir labi zināms, cik drošsirdīgi latvieši cīnījušies līdzšinējās kaujās.

1915. gada 1. augustā (pēc vecā stila 19. jūlijā) ziemeļrietumu frontes virspavēlnieks izdod pavēli Nr. 322 par latviešu karaspēka vienību formēšanu. Tās dabū nosaukumu — „latviešu strēlnieku bataljoni" (vēlāk — pulki).

Šai pavēlei ir milzīga nozīme visos turpmākajos vēsturiskajos notikumos. —

82
«PULCĒJATIES ZEM LATVIEŠU KAROGIEM!«

„Strēlnieki,
Latviešu strēlnieki!
Apžilbst man prāts
No šiem vārdiem
Vairāk
Kā rudens naktī
Uz ielas
No uguņu šalts."
(A. Čaks)

1915. GADA 1. augustā latviešu pārstāvji Krievijas valsts domē J. Goldmanis un J. Zālītis izlaiž uzsaukumu latviešu tautai:

„Pulcējaties zem latviešu karogiem! ... Brāļi, stunda ir situsi. Kas tic, tas uzvar. Uz priekšu ar latviešu karogu par Latvijas nākotni! ... "

Kāda būs Latvijas nākotne, tas toreiz vēl nav skaidri nosakāms. Bet visi jūt, ka jānotiek kaut kam lielam.

12. augustā sāk darboties latviešu brīvprātīgo pieņemšanas komisija. Divu nedēļu laikā pirmie divi bataljoni ir jau saformēti. To sastāvā daudz Kurzemes bēgļu un Rīgas jauniešu. Nepārtraukti uz strēlnieku bataljoniem plūst latviešu vīri un pat gluži jauni zēni. Daudzi jānoraida tāpēc, ka tie kara dienestam par veciem vai jauniem.

Augšā - pirmais brīvprātīgais strēlnieks Roberts Poga; 5. Zemgales latviešu strēlnieku bataljona karogs

Vidū - organizācijas komitejas birojs un strēlnieku pieņemšanas vieta Tērbatas ielā 1/3, Rīgā

Apakšā - ģen. Radko Dimitrijevs, 12. armijas komandieris

Tie latviešu karavīri, kam tas iespējams, izstājas no krievu vienībām un piesakās latviešu daļās. Novembrī ir sastādīti 8 latviešu strēlnieku bataljoni un viens rezerves bataljons.

Tautu ir pārņēmusi ārkārtīga sajūsma, lepnums un cerības. Strēlnieku izvadīšana no Rīgas kļūst par īstiem tautas svētkiem. Kārlis Skalbe par to stāsta „Mazajās piezīmēs": „... un tad piepeši top gluži klusu, orķestris spēlē, un jaunie strēlnieki dzied: Dievs, svētī Latviju!' Ļaudis uz ielas noņem cepures un klausās. Kā šī dziesma aizņem elpu! Es domāju, ka uz ielas dziedās līdz. Bet neviens nevar dziedāt, daudzi raud. Arī es nedziedu, lai nesāktu raudāt. Ak, tas nav šai dziesmā, tas ir vārdā Latvija... Ļaužu straume sakustas, un caur viņu izspiežas trīs lieli misiņa ragi. Saule atspīd uz misiņa, taures izstieptas gaida. Tad pa vārtiem grūst ārā jaunekļi pušķotām krūtīm un cepurēm, un droši un skaņi atskan latviešu tautas maršs. Jā, man liekas, ka es nekad neesmu dzirdējis tik dārdošu kaŗa mūziku... Tautas straume plūst un sajūk ar jauniem kareivjiem. Jā, tā jau ir, kaŗā iet visa tauta... Pūlis te aizklāj, te atsedz jauno kareivju straumi. Es redzu te krūtis rozēs, te gavilējošas acis jaunekļa pierē. No kurienes šīs gaviles? Vai jaunība paredz mūsu dzimtenei gaišāku nākotni?... Beidzot mēs stāvam Daugavas malā. Kuģītis „Valdemārs" jau lēnām griež barku (liellaivu), kuŗa stāv pilna ar jauniem strēlniekiem, nost no krasta. Un baltas un sārtas puķu šaltis birst pār dārgo laivu, kuŗa nu izskatās kā viens puķu šķirsts. Barka aiziet, zēni kliedz urrā un vicina cepures, un viss krasts ir balts no lakatiņiem..."

Latviešu jauno kaŗaspēku vada latviešu virsnieki, un tajā atļauts komandēt latviešu valodā. Katrs strēlnieks nes pie krūtīm sevišķu nozīmi — zobens pār sauli ozollapu vainagā. Katram bataljonam ir savs latviskā garā darināts karogs ar uzrakstu (devīzi) latviešu valodā. —

1. Daugavgrīvas bataljona karogā ir lēcoša saule ar krustotiem šķēpiem un uzraksts: „Nebēdāj'ties kaŗavīri, sidrabota saule lēc."

2. Rīgas bat. — Pērkons met zibeņus uz tēvijas ienaidniekiem un uzraksts: „Tēvuzemei grūti laiki, dēliem jāiet palīgā."

3. Kurzemes bat. — ozols ar varavīksni un uzraksts: „Uz ežiņas galvu liku, sargāt savu tēvu zemi."

4. Vidzemes bat. — lēcoša saule ar zobenu un ozola zaru pār to, bez uzraksta.

5. Zemgales bat. — zobens pār sauli ozola vainagā un uzraksts: „Tēvuzemes brīvestību pirksim mēs ar asinīm."
Apstiprinot zemgaliešu karoga metu (projektu), ķeizars Nikolajs II atzīmējis dokumenta malā: „Devīzi var dažādi saprast." —

6. Tukuma bat. — lēcoša saule ozola vainagā ar zobenu pār to un uzraksts: „Dievs, svētī Latviju."

7. Bauskas bat. — aiz ozola zariem apvīta zobena lēcoša saule un uzraksts: „Naidniekam zvēroša liesma, tēvijai saules stars."

8. Valmieras bat. — zobens ozola vainagā, aiz tā lēcoša saule un uzraksts: „Imanta nevaid miris."
Kad dibinās latviešu strēlnieku bataljoni, vācu ar-

mija ir ieņēmusi Kurzemi un Zemgali. Fronte austrumos no Doles salas jau sasniedz Daugavu. Purvainajā apgabalā uz rietumiem no Rīgas (skat. karti) vācieši vēl līdz Daugavai nav tikuši. Tomēr 1915. gada oktobrī arī tur viņi sāk virzīties uz priekšu. Tiem pretī lielā steigā sūta pirmos latviešu strēlnieku bataljonus.

It īpaši 1. Daugavgrīvas bataljonā ir daudz Rīgas strādnieku jaunās paaudzes. Zēni, kas pazīstami ar savu veiklību, pārgalvību un vīrišķību. Uzauguši Rīgas nomalēs un rūdīti daudzos kautiņos („Rīgas pašpuikas"), tie nav paraduši griezt pretiniekam ceļu. No viņiem lielā mērā sastādās vltn. (vēlāk pulkveža) Fr. Brieža vadītā un daudz apbrīnotā 1. bataljona 1. rota. Tagad tā parādās kaujas laukā.

   A. Čaks saka:

„ ... Jūs pirmie,
Gaismas svīdumā vājā,
Gājāt

— — — — —

Kad krievi jau savas muguras lieca,
Gājāt
Pretim smaidoši Misai un Iecavai
Ar vienu domu un tvīkumu:
Aizsargāt ceļu uz Rīgu.
Gājāt
Asi un cieti
Ar savu vadoni Briedi,
Jo pašpuika nespēj liekties:
Tas no kaķu trakajām astēm
Prot tikai debesīs triekties."

Augšā - visu Juŗa krustu kavalieŗi 1. Daugavgrīvas latviešu strēlnieku
bataljona virsseržanti Junkers un Lauris
Apakšā - vltn. Frīdrichs Briedis apbalvo savus pirmos kaŗavīrus

3. Kurzemes latviešu strēlnieku bataljona pirmā kauja pie Slokas 1915. gada 4. novembrī

Pulkv. Jānis Kalniņš, 3. Kurzemes latviešu strēlnieku bataljona komandieris

3. Kurzemes latviešu strēlnieku bataljona izlūki, Juŗa krusta kavalieŗi. No labās: Zirnis, Lapiņš un Liepiņš

„Un asins sārtumā dzimst rīta stunda sveikā:
Tur, zibot zobeniem, pulks dzīvais iejāj teikā."
(J. Medenis)

83
CIK VĒRTS
IR LATVIEŠU
STRĒLNIEKS?

DIBINOT strēlnieku bataljonus, armijas vadība paredz latviešus izlietot kā izlūkus, sakarniekus, ceļu pazinējus un tulkus. Tomēr jau sākumā strēlniekiem jāuzņemas parastie kaujas uzdevumi, jo krievu karaspēka cīņas spējas ir smagi iedragātas.

Tikai dažus mēnešus apmācīti, strēlnieki iet kaujā, lai apturētu vācu uzbrukumu rietumos no Rīgas.

Mangaļu rajonā 1915. gada 25. oktobrī notiek 1. bataljona uguns kristības. Kad bataljona komandieris kapt. (vēlāk ģenerālis) R. Bangerskis ierodas frontes stābā, krievu divīzijas komandieris to saņem vārdiem: „Apsveicu jūs ar jūsu strēlnieku kaujas kristībām un panākumiem. Esmu ļoti sajūsmināts un no visas sirds apsveicu." — Sajūsma viegli saprotama — līdz šim neuzvarētie vācieši bijuši spiesti atkāpties jauno latviešu karotāju priekšā.

Pirmajā kaujā kritušos trīs strēlniekus svinīgi apglabā Rīgas Meža kapos. Tur vēlāk izveidojas latviešu cīnītāju atdusas vieta, Brāļu kapi.

Tagad pārsteigumi seko cits citam. 29. oktobrī Fr. Brieža rota pārdrošā un negaidītā triecienā uzbrūk četrreiz lielākiem vācu spēkiem (bataljonam) pie Plakaniem. To apdzejojis A. Čaks („Kauja pie Plakaniem"):

> „Naktī trakā un aukstā
> Jūs toreiz uz Plakaniem gājāt.
> Dubļi koda līdz ceļgaliem kājā,
> Un granātas glūnēja plaukstā..."

Krievi, kas par to brīnās un brīdina latviešus no drošas nāves, saņem atbildi:

„Ei, cāļi, ne vīri jūs, bārdainie Penzas Jefimi,
Vai domājat,
Ka Rīgas pašpuikas slimi?"

Pāri purvam un cauri dzeloņstiepuļu aizsargsprostiem strēlnieki iebrūk vācu nocietinājumos un tos sagrauj. Vācieši zaudē 27 kritušus, 45 ievainotus un 34 gūstekņus. Strēlnieku pusē ir tikai trīs ievainotie, jo Briedis savus vīrus ir rūpīgi iztrenējis šāda veida uzbrukumiem un viss iepriekš ir pamatīgi apsvērts un izlūkots.

Šis notikums rada veselu sensāciju. To atzīmē armijas virspavēlnieka ziņojumā, un latviešu strēlnieku vārds aplido pasaules kaŗa frontes.

Drīz kaujā metas 2. Rīgas un 3. Kurzemes bataljons. Vāciešus sakauj pie Slokas un izsit no Ķemeriem (11. novembrī).

Novembrī Fr. Brieža rota atkārto līdzīgu neticamu uzbrukumu kā pie Plakaniem oktobrī. Tā ir kauja pie Veisiem.

Vācieši redz, ka tiem pretī stājies jauns, negaidīti bīstams pretinieks. Latviešu panākumi iedrošina arī krievus, un Rīgas fronte sāk nostiprināties. Vācieši zaudē cerības drīzumā ieņemt Rīgu un sāk izveidot aizstāvēšanās pozicijas. A. Čaks raksta:

„Kauja pie Plakaniem, kauja pie Veisiem,
Pirmā mirdzošā, veiksmā,
Tā pārvērta strēlnieku asinis teiksmā.
Dzirdiet,
Kā kauju gājējai, pirmai rotai,
Un viņas vadonim Briedim

Soļi, no purvājiem kāpdamies,
Mūžībā iedim."

Strēlnieku pārdrošie uzbrukumi un izlūku gājieni nedod vairs vāciešiem mieru. Par latviešu kaŗa darbiem izplatās gluži neticami nostāsti. Par latviešu strēlniekiem runā un raksta arī Rietumeiropā. Ievērojamais beļģu dzejnieks Emils Verharns (miris 1916. g.) tiem veltī šādas rindas:

„Un mēs pie Verdenas,
Izeras klausāmies,
Elpa pat klust —
Kā Latvijas ozoli sasaucas,
Tie locīties neprot, bet lūzt."

Kādā italiešu laikrakstā lasāms jautājums: „Cik vērts viens latviešu strēlnieks?", un turpat seko atbilde: „Tik, cik viņš pats sveŗ zeltā." — Bet kāds Eiropas valstsvīrs, izlasījis ziņojumus par strēlnieku kaujām, īsi piezīmē: „Jauna valsts ir dzimusi."

Klausīdamies kaujas atbalsī, Rainis 1916. gadā Šveicē raksta:

„Zeme, zeme — kas tā zeme,
Ko tā mūsu dziesma prasa?
Zeme tā ir valsts."

Tajā pašā gadā viņš saraksta arī savu slaveno pareģojumu:

„Es saku skaļi, uzklausāt!
Drīz laiks, drīz laiks, ka izdarāt:
Par diviem gadiem trešajā,
Tad saies valstis lielajā.
Tad saplosīsies nezvēri,
Tad kritīs abi pretnieki*)..."

Bet strēlnieku cīņas ir vēl tikai pašā sākumā. —

---
*) Vācija un Krievija.

84
STRĒLNIEKU BATALJONI KĻŪST PAR PULKIEM

"Viens pēc otra, astoņi skaitā,
Pāri rindām tiem karogi kūp,
Viņu kaislai un brāzmainai gaitai
Priekšā gaisma krīt ceļos un drūp."
(A. Čaks)

1916. GADA pavasarī jau visi astoņi latviešu bataljoni atrodas Rīgas frontē. 12. armijas komandieris ģenerālis Radko-Dmitrijevs sūta strēlniekus kopā ar krievu (sibiriešu) pulkiem vairākos asinainos uzbrukumos pret stipri nocietinātām vācu pozicijām. Niknākās cīņas notiek marta un jūlija mēnešos, un tāpēc dabūjušas nosaukumu — marta un jūlija kaujas.

Latviešu bataljoni atkal vairākkārt ielaužas vācu līnijās, bet krievu pulki tiem nespēj sekot, un strēlnieku varonība ir veltīga. Pieaug nicināšana pret krieviem („vaņkām") un sašutums par nevajadzīgiem upuŗiem. Marta kaujās smagi ievaino arī Fr. Briedi. Kā drūma atbalss no marta un jūlija kaujām skan A. Čaka rindas:

„Katrīnmuiža, Katrīnmuiža rūgtā,
Jūlijs baigais ceturtais un piektais..."

Krievu ģenerāļi (piem., sibiriešu ģen. Trikovskis) nav paraduši kaŗavīrus taupīt. Latviešu virsniekiem bieži vien tikai ar grūtībām izdodas aizkavēt pavisam nejēdzīgu pavēļu izpildīšanu.

Latviešu bataljonos kareivju un virsnieku starpā valda draudzīgas un sirsnīgas attiecības. Latviešu komandieŗi arī nesalīdzināmi vairāk kā krievu virsnieki rūpējas un gādā par saviem strēlniekiem. Viņu vienības izceļas nevien ar savu varonību un apķērību kaujās, bet ar savu dzīvo un možo garu vispār. Savus uzdevumus tie veic it kā rotaļājoties, kur tie ierodas, tur sprēgā asprātības un skan dziesmas. Rīgas mūŗus šais kaŗa gados daudzkārt tricina latviešu tautas dziesmas, strēlniekiem maršējot uz fronti. Tāpat jo bieži atskan gan brašā „Kaut klinšu akmens šķeltos...", gan pār galvīgā dziesma — „Ķemeru Anniņa".

Strēlnieku vidū ir daudz latviešu mākslinieku — rakstnieki (Virza, Skalbe, Akurāters, A. Grīns u.c.), gleznotāji — (J. Grosvalds, K. Baltgailis, N. Strunke, V. Tone u. c.), aktieŗi, dziedātāji un žurnālisti. Blakus kaujas darbībai tur notiek rosīga mākslas dzīve. Daudz kas no strēlnieku varoņgaitām ir saglabāts mākslinieku darbos. Ļoti raksturīgi šī laikmeta noskaņojumu izsaka Skalbe:

> „Jauns es biju, jauns es gāju
> Kaŗa gaitas slavenas.
> Daugava ir manas bruņas —
> Krūšu sudrabs spožs un tīrs.
> Rīgas tornis slaiki turas, —
> Tad lai neturētos vīrs!"

Kā strēlnieku vadoņi prot stiprināt savu kaŗavīru garu un ticību uzvarai, liecina šāds zīmīgs gadījums. 1916. gada 17. jūlijā 5. Zemgales bataljons atrodas ceļā uz Smārdes fronti. Ejot cauri Piņķu muižai, bataljona komandieris pulkvedis J. Vācietis pavēl visiem sapulcēties vecajā Piņķu dievnamā. Tur viņš saka bataljonam savu slaveno spredīķi, ko apdzejojis A. Čaks:

> „... Brīnās ļaudis — kur tam vecam zvanam
> Vēl tāds spars pie pašām beigām — ko nu!
> Latvju strēlnieks torņa galā kāpis...

— — — — —

> Īsi nočīkst ģērbkambaŗa durvis,
> Ienāk Lerche, adjutants, vīrs stāvā
> Tāds kā krāsns, ar smagu dūri kaujā:
> — Pulkvedi, jūs zemgalieši gaida,

Dziesma sākta, kādu pavēlējāt. —
Un kad dziesma rupjām balsīm pusē,
Kuŗā teikta Kunga žēlastība,
Pulkvedis no ģērbkambaŗa iznāk,
Kancelē kāpj lēniem, stingriem soļiem.

— — — — —

— Zemgalieši, lūkojiet šo gleznu,
Svēto gleznu velvju iedobumā —
Rāda viņš ar savu strupo pirkstu.
Balss kā bazūne skan biezos mūŗos.
— Kristus tur virs ūdeņiem kā smiltīm
Iet un negrimst, tāpēc ka viņš tic sev,
Savam garam, darbam, ko viņš dara.
Ticiet jūs, un arī nenogrimsiet,
Neatslīksiet nebūtībā otrreiz,
Kur jau bijāt simtiem, simtiem gadu."

Vairāki vēl dzīvie latviešu strēlnieki šo sprediķi atceras līdz šai dienai.

1916. gadā latviešu bataljoni sevišķi izceļas, aizstāvot „Nāves salu". Tas ir nocietinājums Daugavas rietumu krastā iepretim Ikšķilei. No trim pusēm to apņem vācu pozicijas, bet no ceturtās — Daugava. Vācieši tur nikni uzbrūk, un Nāves salā nav tādas vietas, ko nebūtu uzarušas viņu granātas un mīnas. Tomēr viņi nespēj to ieņemt. Vislielākie nopelni tās aizstāvēšanā ir 3. Kurzemes bataljonam pulkveža Kalniņa (saukta „Vecais") vadībā.

Minētā gada beigās strēlnieku bataljonus sāk papildināt. Četru rotu vietā katrā bataljonā tagad ir astoņas, un tos pārdēvē par pulkiem. Cīņu starplaikos strēlniekus nepārtraukti apmāca sevišķi grūtiem uzdevumiem — nakts kaujām un stipri nocietinātu līniju pārraušanai. Armijas komandieris Radko-Dmitrijevs plāno lielāku uzbrukumu, lai pārrautu vācu fronti.

Ir pierādījies, ka krievi šādam uzdevumam neder. Tādēļ arī palielina latviešu spēkus un savelk tos vienkopus.

Kad pienāk 1916. gada novembris, Rīgas frontē astoņu bataljonu vietā stāv astoņi latviešu strēlnieku pulki. Tie ir dabūjuši lepno apzīmējumu — ,,Zvaigžņu pulki". Taču šis nosaukums nav radies aiz latviešu lielības. To latviešu kaujas vienībām dod viņu pretinieku — vāciešu kaŗavadoņi, salīdzinādami strēlnieku pulkus ar astoņām mirdzošām zvaigznēm pie Rīgas debesīm.

Sargājot Rīgu un Austrumlatviju, strēlnieku acis nepārtraukti veŗas uz vācu ieņemtās Kurzemes pusi.

Kā klājas šajā laikā Kurzemē un latviešu bēgļiem Krievijā?

,,Trimdinieks:
Domādams aizmirsos,
Ieskanēja senā dziesma:
Pūt vējiņi, dzen laiviņu,
Aizdzen mani Kurzemē!"
(J. Rainis)

85
IZKLĪDINĀTIE UN APSPIESTIE

Pirmajā pasaules kaŗā bēgļu gaitās uz Krieviju aiziet ap 800 000 latviešu, galvenā kārtā kurzemnieki un zemgalieši. Baidoties, ka vācieši ieņems Rīgu, krievu valdība no turienes izved daudz mašīnu un citu vērtīgu mantu. Tāpēc arī vairāku rūpnīcu strādnieki spiesti doties uz Krieviju. Latviešu tauta bēgļu gaitās zaudē nesalīdzināmi vairāk cilvēku, nekā strēlnieku asinainajās cīņās frontē. Daudz bēgļu, sevišķi bērni un vecāki ļaudis, mirst slimībās un aiz pārtikas trūkuma. Krievi visumā izturas naidīgi pret bēgļiem, jo bieži vien uzskata tos par vāciešiem. No nolaidīgās krievu valdības velti gaidīt palīdzību, tāpēc latvieši sāk rīkoties paši, lai glābtu svešumā izklīdinātos.

Kādās 260 vietās nodibinās „Bēgļu apgādāšanas komitejas", bet Pēterpilī — „Latviešu bēgļu apgādāšanas centrālkomiteja" (1915. gada augustā). Šo plašo organizāciju ar lielu prasmi un pašaizliedzību vada Vilis Olavs (1867.—1917.). Tā vāc ziedojumus trimdinieku vajadzībām un sāk saņemt līdzekļus arī no valdības. Drīz vien Latviešu bēgļu apgādāšanas centrālkomiteja kļūst par lielāko latviešu organizāciju. Tā izglābj daudzus latviešus no galīga posta, ierīko Krievijā latviešu skolas, slimnīcas, atver darbnīcas. Tas palīdz saturēt kopā izkliedētos latviešus un stiprina viņu paļāvību nākotnei.

A. Švābe bēgļu likteni un cerības izteicis rindās:
„Zobena vara
Mūs aizdzina pasaulē
Lapkritņa stundā.
Zobens kad sakapāts būs,
Gaidāt tad pārnākam mūs!..."

Tajā pašā laikā Kurzemē un Zemgalē saimnieko vācieši. Tur palikušie latvieši smagi izjūt vācu „nagloto papēdi". Visus vīriešus no 18 līdz 45 gadu vecumam spiež celt nocietinājumus vācu armijai un iedzīvotājiem uzliek smagas nodevas.

Vācu muižnieki ar vācu ģenerāļu atbalstu kaļ plānus par šo latviešu novadu pilnīgu pārvācošanu. Muižnieki apņemas par nelielu atlīdzību dot ⅓ no muižu zemēm vācu zemnieku (kolonistu) nometināšanai Kurzemē. Bez tam paredz pusi no latviešu saimnieku īpašumiem nodot vācu jaunsaimniekiem. Aizbēgušo latviešu zemnieku mājas atdodamas vācu iecelotājiem, un latviešu bēgļiem jāaizliedz atgriezties savā zemē. Tādā veidā Kurzemē cer iepludināt ap 1,5 miljonu vāciešu. Jau tūlīt pēc Kurzemes ieņemšanas visās skolās ieved vācu valodu.

Kurzemes barons S.Brederichs raksta: „... Ar vācu kolonistu nometināšanu Baltijā mēs pēc vienas paaudzes panāksim tīri vācisku zemi..." Par latviešu atbildi var uzskatīt Raiņa pantu:

„Zīdāt asins, čūskas,
Neizbēgsat tūskas,
Pušu sprāgsat raustoties —
Zeme paliks mūsu."

Kā vācu apspiestie latvieši Kurzemē, tā Krievijā izklīdinātie vērīgi klausās savu strēlnieku cīņu atbalsī. Tuvojas 1916. gada Ziemassvētki. Rīgas frontē tie atnāk ar salu un sniegputeni. —

„Radko-Dmitrijevs:
Jūs strēlnieki,
Jūs visas armijas un tautas zieds,

Jums jālauž vācu tēraudžogs,
Un Kurzeme mums jāpaver, kā logs.
Jūs..."
(A. Čaks)

86
GATAVOŠANĀS UZBRUKUMAM

Jau minēts, ka 1916. gada beigās 12. armijas komandieris ģen. Radko-Dmitrijevs gatavojas uzbrukumam Rīgas frontē. To dara lielā slepenībā, lai trieciens vāciešus pārsteigtu. Kaujai izrauga purvainu apvidu starp Babītes ezeru un Olaini. Tur izplešas strēlnieku vēsturē daudz pieminētais Tīreļa purvs.

Visas cerības šoreiz liek tikai uz astoņiem latviešu pulkiem. Uzdevums ir nedzirdēti grūts — bez artilerijas atbalsta latviešiem plašā frontē jāpārrauj trīs smagi nocietinātas vācu ierakumu līnijas un bez kavēšanās jādodas uz priekšu ienaidnieka aizmugurē. Viņiem pakaļ tad gāzīsies krievu karaspēks.

Vācu pozicijas aizsarga vairāki dzeloņstiepuļu žogi un labi nocietinājumi (bunkuri) ar ložmetējiem un lielgabaliem. Tur atrodas arī tā sauktais Ložmetēju kalns, kas izveidots par īstu cietoksni un tiešā (frontālā) uzbrukumā nemaz nav ieņemams.

Artilerijas viesuļuguns varētu uzbrukumu lielā mērā atvieglot, sagraujot aizsprostus un apklusinot vācu automātiskos ieročus. Tomēr armijas komandieris to šoreiz negrib lietot. Tad vācieši uzreiz saprastu, kas gaidāms, un varētu pievilkt papildspēkus. Bez tam latvieši ir pierādījuši, ka spēj pārvarēt gluži neticamus šķēršļus.

Latviešu strēlniekus sajūsmina doma, ka, pārraujot vācu fronti, pavērsies ceļš Kurzemes atbrīvošanai. Viņi arī jūtas pārāki par vācu karavīriem („fričiem"), kurus tie līdz šim uzveikuši daudzās tuvcīņās, cīnoties vīram pret vīru. Nekad vēl latviešu pulki nav visi reizē gājuši uzbrukumā. Tagad tas notiks.

Latviešu spēkus iedala divās brigādēs, kas kopā izveido latviešu divīziju. I brigādi (1.—4. pulku) komandē ģen. Misiņš, kas reizē ir arī divīzijas komandieris. II brigādi vada pulkvedis Auzāns.

Pret uzbrukuma plānu ir noskaņoti daži augstākie latviešu virsnieki, sevišķi zemgaliešu pulkvedis J. Vācietis. Tie šaubās, vai zaudējumi atsvērs ieguvumus. Šos iebildumus tomēr neievēro.

I brigādes trieciengrupas priekšgalā ies daudz apbrī-

Pulkv. Jukums Vācietis, 5. Zemgales latviešu strēlnieku bataljona komandieris

vltn. Frīdrichs Briedis, 1. Daugavgrīvas latviešu strēlnieku bataljona pirmās rotas komandieris

pulkv. Andrejs Auzāns, 7. Bauskas latviešu strēlnieku bataljona un vēlāk II strēlnieku brigādes komandieris

Kapt. Rūdolfs Bangerskis, 1. Daugavgrīvas latviešu strēlnieku bataljona komandieris

notais kapteinis Fr. Briedis, kas atveseļojies no ievainojumiem marta kaujās. II brigādes trieciena vadību Auzāns piedāvā Zemgales pulka komandierim Vācietim, kam liela kaujas pieredze, bet tas atsakās. To uzņemas pulkvedis K. Goppers, kas tikai nesen ieradies Rīgas frontē.

Uzrunājot strēlnieku pulku komandierus, ģen. Radko-Dmitrijevs saka: „... Latvieši kaļ savu nākotni kā varoņi ar ieročiem rokās. Es vēlu jums vislabākos panākumus. Uzbrukums iesāksies tieši plkst. piecos 23. decembrī visā frontē un bez šāviena. Tā ir mana pavēle, un tikai neiedomājami dabas spēki varēs mani piespiest šo pavēli ņemt atpakaļ. Ja debess ar zemi ies kopā, tas vēl būs par maz, lai es atteiktos no uzbrukuma!"

Apvienotie latviešu strēlnieku pulki sāk uzbrukumu noteiktajā laikā, un cīņas ilgst 25 dienas. Kaŗa vēsturē tās dabūjušas nosaukumu — „Ziemassvētku kaujas". —

87 STRĒLNIEKI PĀRRAUJ VĀCU FRONTI

„Kurp doties šai vilkaču naktī, kad bailēs ir paslēpies viss, Ar granātām, ložmetiem, flintēm grib kaŗaspēks drausmīgais šis?"
(Ed. Virza)

NAKTĪ NO 22. uz 23. decembri (pēc vecā stila) Rīgas frontē plosās sniegputenis. Tikko samanāmas ēnas klusi slīd uz vācu nocietinājumu pusi. Tās ir latviešu strēlnieku izlūku, dzeloņstiepuļu griezēju un spridzinātāju komandas baltos aizsargtērpos. Ienaidnieka acu priekšā — dažu desmit soļu atstatumā no vācu sargposteņiem, strēlniekiem jāizgriež ejas vācu žogos. Tie ir kapteiņa Fr. Brieža slavenā pirmā batal-

jona vīri, kam jāveic šis ārkārtīgi grūtais uzdevums.
A. Čaks raksta:
> "Balti un mēmi kā spoki
> Gājāt,
> Gājāt
> Jūs —
> Nāvē
> Pret kaskotiem vāciem."

Aiz viņiem kaujas gatavībā guļ sniegā astoņi latviešu strēlnieku pulki un gaida pavēli mesties virsū ienaidniekam.

Dažās vietās vāciešu sargi kļūst uzmanīgi. Gaisā skrien viņu raķetes, atskan uz labu laimi šauti šāvieni. Tomēr baltajā sniega laukā neredz nekā aizdomīga. Vairākus strēlniekus smagi ievaino vācu poziciju priekšā, bet tie neizdveš ne skaņu. Nekas nedrīkst ienaidniekam nodot, ka latvieši lauž ejas viņa aizsprostos.

Pirmās brigādes uzbrukuma sākumu tēlo Aleksandrs Grīns: „... Drāšu griezēji atviegloti uzelpo. Atkal trakā steigā kustas tiem rokas: laiks ir tālu gājis pretim rītam, tūliņ klāt uzbrukuma brīdis.

Tad beidzot daugavgrīviešiem ir vaļā ceļš! Meinerts aizlien to ziņot Malceniekam, un šoreiz līksmi iegailas drūmās leitenanta acis, dzirdot, ka kaut vai tūliņ var gāzties uz priekšu pirmais strēlniekpulks. Viņa rotas jau virzās cauri piesnigušam kārklu laukam. Un daugavgrīviešiem aiz muguras un sānis sāk celties kājās un gatavojas skrējienam uz vācu vaļņa pusi Klinsona vadītā pirmā kurzemnieku puse, abi Rīgas strēlnieku bataljoni... Leitenants Malcenieks, kam šonakt klausa drāšu griezēji un grenadieri, iet pretim savējiem un klusēdams ar roku māj uz vācu žogu pusi, kur nupat beigta izgriezt eja. To apzīmēdama, zaļi un reizē nikni gail sniegā nomestās un pretim uzbrucēju valnim grieztās kabatlaterniņas acs...

„Augšā, puikas, skriešus uz zaļo uguni!"

Sakustas apsnigusī gulētāju masa. No pleciem un mugurām nopurinādams sniegu, ceļas kājās pēc viļņa vilns, un zem tūkstots skrejošām kājām iedimdas sasalušais purva lauks.

„Augšā, un skriešus uz zaļo uguni!" dveš virsnieki un instruktori, kaut sniegā gulētāju vairs neviena nava, jau bataljonus nes atakas (uzbrukuma) vilnis.

„Skriešus uz priekšu! Skriešus uz priekšu, puikas!" skrējēji mudina cits citu, un strēlnieku lavīnes avangards jau eju sasniedzis un plūst pāri drātīm..."
(„Dvēseļu putenis", II).

Ar durkļiem un rokas granātām satriekuši pārsteigtos vāciešus, pirmās brigādes pulki izlaužas cauri vācu nocietinājumiem. Drīz vien viņu rokās krīt arī vācu artilerija. —

Tajā pašā laikā uzbrukumu tālāk pa labi sāk otrā latviešu strēlnieku brigāde. Triecienā kā pirmais iet 7. Bauskas strēlnieku pulks ar pulkvedi K. Gopperu priekšgalā. Uzbrucēji nes līdzi no klūdziņām (zariem) pītus „tiltiņus", lai pārvarētu dzeloņstiepuļu žogus.

Vācieši nepagūst ne atjēgties, kad bauskenieki ir jau pārrāvuši viņu līnijas un gāžas iekšā dziļāk aizmugurē. Tiem pakaļ traucas 8. Valmieras pulks, bet pārrāvumu sargāt paliek 6. Tukuma pulka strēlnieki.

Neticamais ir paveikts. Bieziem dzeloņstiepuļu žogiem apjoztā un pēc visiem kaŗa mākslas likumiem nocietinātā vācu fronte pie Rīgas ir pārrauta. Tas noticis bez neviena lielgabala šāviena. Pirmā pasaules kaŗa vēsturē tas ir kaut kas gluži nedzirdēts. —

Ceļš uz Kurzemi ir atrauts vaļā. Kas notiek tālāk?

> „Tas dvēseļu putenis gaisā, kad Ziemsvētki, ceļas viņš tad,
> Pār Latviju gaudo un griežas un nenobeigs gaudot nekad."
> (Ed. Virza)

88
DVĒSEĻU PUTENIS

PĀRRĀVUŠI vācu fronti, latviešu strēlnieki, kā pavēlēts, laužas uz priekšu. Visu dienu tie pavada niknās cīņās, atsitot vācu pretuzbrukumus. Bet viņi paliek vieni, tāpat kā agrākajās kaujās. Izrādās, ka apsolīto palīgspēku krieviem nav. Divi sibiriešu pulki šajā laikā sadumpojas un atsakās izpildīt kaujas pavēli.

Vakarā pirmā latviešu brigāde spiesta atiet uz frontes pārrāvuma rajonu. Smagi ievainotu no kaujas lauka iznes varonīgo kapteini Fr. Briedi.

Stipri noasiņojis ir 5. Zemgales strēlnieku pulks, kam jāuztur sakari abu brigāžu starpā. Ieņēmuši pirmo vācu nocietinājumu līniju, zemgalieši cieš lielus zaudējumus otrās līnijas priekšā.

Otrā latviešu brigāde turpina kauju dziļi vācu aizmugurē un paplašina pārrāvumu frontē. Kad daži 7. strēlnieku pulka virsnieki jautā pulkvedim Gopperam, kas būs, ja vācieši atgūs pārrāvumu un ielenks 7. un 8. latviešu pulku no visām pusēm, viņš atbild: „Ja jau mēs izlauzāmies caur vācu nocietinājumiem frontāli, tad izlauzties no aizmugures būs daudz vieglāk." —

Divas diennaktis (23. un 24. dec.) stiprā salā un bez atpūtas cīnās latviešu strēlnieku pulki. Pienāk Ziemassvētku nakts. Otrās brigādes komandieris A. Auzāns stāsta:

„Mežā pie ugunskura (vācu aizmugurē) tieši Ziemassvētku naktī pieņēmām uzbrukuma plānu Ložmetēju kalnam.... Turpat pie ugunskura, kuŗš bija mums Ziemassvētku eglītes vietā, pēc uzbrukuma plāna pieņemšanas notika svinīgs brīdis. Klusā balsī kaŗavīri nodziedāja „Klusa nakts, svēta nakts" un citas Ziemassvētku dziesmas... 25. decembrī nakts aizsegā, dažas stundas pirms gaismas, visas trīs kolonas (3. un 7. latviešu strēlnieku pulks un 53. Sibirijas pulks) vienlaicīgi pārgāja pēkšņā straujā triecienā... Vēl pirms pusdiviem pirmos Ziemassvētkos viss Ložmetēju kalns krita mūsu rokās. Saņemta bija visa Ložmetēju kalna vācu artilerija un citas bagātīgas trofejas (kaŗa laupījums). Daļa vācu kaŗaspēka krita, daļa pārbēga pār Lielupi, vairāk kā 1000 bija saņemts gūstā... Septiņu kilometru plati vārti rezervēm bija atvērti... Gaidīju 3. Sibirijas divīzijas un 6. Sibirijas korpusa virzīšanos pāri Ložmetēju kalnam uz Jelgavu..."

25. decembrī krievu armijas vadībai vēl reiz ir izdevība izmantot strēlnieku varenos panākumus. Vēl reiz tas netiek darīts. Kāpēc? — Tas, šķiet, paliks vēstures noslēpums, jo 12. armijas dokumenti vēlāk gājuši bojā. Kaŗa vēsturnieki domā, ka vainīga krievu vadības nemākulība, tūļība un stāvokļa neizpratne. Iespējams, ka krievi tik lielus latviešu sasniegumus nemaz nebija gaidījuši. —

Uzbrukums uz Jelgavu netiek turpināts, un Kurzeme paliek vācu rokās. No rietumu kauju laukiem vācieši pārsviež 2. kājn. divīziju, lai saglābtu latviešu pārrauto fronti pie Rīgas. Tā Ziemassvētku kaujas atslogo arī fronti Francijā.

Pēc ilgām, nepārtrauktām cīņām latviešu pulkus 31. decembrī beidzot atvelk rezervē. Viņu iekaŗotajos vācu nocietinājumos ieiet krievu kaŗaspēks.

Šīs vienības nespēj izturēt vācu pretuzbrukumus. Drīz vien vācieši izsit krievus no iegūtajām pozicijām, un draud izcelties vispārējs sajukums.

Gandrīz skriešus latviešu strēlniekiem jādodas no

Rīgas glābt fronti. Bez apdoma un sajēgas krievu ģenerāļi triec latviešus kaujā. Sevišķi baigs ir 3. un 4. strēlnieku pulka liktenis. Tiem pavēl uzbrukt pāri klajam tīrelim, kur tos no trim pusēm sagaida vācu uguns. Viens pēc otra tur saļimst nāvē šo varonīgo pulku vadi un rotas ar saviem virsniekiem priekšgalā.

Latvieši arī šoreiz veic uzdevumu — atsit vāciešus un saglābj fronti, bet neprātīgās vadības dēļ cieš gluži nevajadzīgus zaudējumus.

Pēc vācu uzbrukuma atsišanas pie Rīgas uz laiku iestājas klusums.

Ziemassvētku kaujas sākās 1916. gada 23. decembrī un beidzās 1917. gada 18. janvāri (pēc jaunā stila: no 1917. gada 5. janvāra līdz 31. janvārim). Šajās kaujās latviešu strēlnieki sasniedz savas slavas lielākos augstumus pirmajā pasaules karā. Par viņu neticamajiem varoņdarbiem raksta nevien Krievijā, bet visā Rietumeiropā. Ar lepnumu un pašapziņu latvieši raugās uz saviem karapulkiem. Mēdz teikt, ka latviešu strēlnieki ir „latviešu tautas pirmā mīlestība". Lielas tāpēc ir sēras par kritušajiem varoņiem.

Ar Virzas dzejoli „Nakts parāde" Ziemassvētku kaujas iegūst apzīmējumu — dvēseļu putenis. Tā savu kara romānu nosauc arī Aleksandrs Grīns, Dzīvi palikušie strēlnieku pulku karotāji vēlāk tiek saukti par latviešu vecajiem strēlniekiem. Katru gadu 6. janvārī Latvijā pulcējās vecie strēlnieki, lai pieminētu Ziemassvētku kaujas. Šai dienā no Kara mūzeja iznesa viņu slaveno pulku karogus un notika gājiens uz Brāļu kapiem. 6. janvara naktī tur aizdedzināja piemiņas uguni. Pie tās baltos mēteļos un apbruņojumā stāvēja veco strēlnieku goda sardze.

Pirms Ziemassvētku kaujām astoņos latviešu pulkos

ir 16 000 vīru, bet kopā ar rezerves pulku — 30 000. Dvēseļu putenis izrauj no latviešu kaŗavīru rindām vairāk kā 10% cīnītāju. Pa lielākai daļai tie krīt krievu neprātīgās vadības dēļ. Sašutums un naids pret šo vadību strēlniekos tāpēc ir milzīgs. Tikpat liela ir viņu nicināšana pret krieviem. To nespēj mazināt arī daudzie ordeņi un paaugstinājumi, ko latviešu strēlnieki saņem pēc Ziemassvētku kaujām.

Drīz vien izplatās baumas, ka krievi tīšā prātā nodevuši latviešus un centušies viņu pulkus iznīcināt nejēdzīgos uzbrukumos. Šī doma izteikta arī J. Medeņa pantos:

„ ... Un pirmās uzvarās viņš kaŗa slavā auga
    Tik valdonīgs un spējs,
Ka skauģi radīja no sava viltus drauga,
    Kas kļuva nodevējs.
Tas ceļus atvēra un vērsa ložu šalku
    Pret tevi, strēliniek,
Un no tās nedienas tev atriebības alku
    Ne mūžam nepietiek! ..."

Kaut arī apzināta nodevība nav pierādīta, latviešu strēlnieku sašutumam arī tāpat ir pietiekami daudz iemeslu.

Tam ir ārkārtīgi likteņīgas sekas turpmākajos notikumos.

89
FEBRUĀRA REVOLŪCIJA UN PAVĒLE NR 1

„Ko tie lieli vēji vēda? Dzirdu gaisos draudu vārdus,
Dzirdu vecai jodu mītnei brakšķam simtu gadu ārdus."
(J. Medenis)

1917 GADA 22. februārī (pēc jaunā stila — 7. martā) Pēterpils ielās pulcējas satrauktu ļaužu bari, galvenā kārtā strādnieku sievas. Sliktā transporta dēļ pilsētā uz brīdi ir aptrūkusi maize. Tas ir signāls ilgi slēptam nemieram. Pūlī atskan saucieni: „Nost ar kaŗu!", „Mēs prasām maizi!", „Nost ar patvaldību!"

Nākošajās dienās strādnieki pārtrauc darbu, sākas demonstrācijas un sadursmes ar policiju. Pēterpilī atrodas samērā daudz kaŗaspēka, un valdība cer ar tā palīdzību apspiest nemierus. Tās ir veltas cerības. Krievu armijai jau sen ir apnicis kaŗot. 1917. gadā ienaidnieka gūstā atrodas ap trīs miljoni krievu kaŗavīru. Arvien biežāk krievu pulki atsakās izpildīt pavēles (piem., Ziemassvētku kaujās). Sociāldemokratu un lielinieku (boļševiku, komūnistu) sludinātāji slepeni kūda kareivjus neklausīt virsniekiem un valdības rīkojumiem.

Pēterpilī viens pulks pēc otra pāriet nemiernieku pusē, un dažās dienās ķeizara valdība ir gāzta. Nikolajs II ir spiests atteikties no troņa (viņu nošauj 1918. gadā), Krievijas ķeizarvalsts beidz pastāvēt. Šos notikumus sauc par februāŗa (marta) revolūciju Krievijā. Tā ievada astoņus mēnešus ilgu demokratisku (tautas valdības) periodu — vienīgo visā Krievijas vēsturē. Pirmo reizi Krievijas pavalstniekiem ir pilnīga vārda, rakstu un biedrošanās brīvība. Visas polītiskās partijas var brīvi darboties — sākas īsts runu un sapulču laikmets.

Februāŗa revolūcija bija nākusi pēkšņi. Tā bija tautas sacelšanās, un neviena polītiska partija to nebija vadījusi. Cerības uz labāku nākotni ir lielas, bet stāvoklis valstī ļoti neskaidrs. Nodibinās Pagaidu valdība, kuŗā pārsvars mērenām pilsoņu partijām, bet tās vara ir niecīga. Blakus tai darbojas „Zaldātu un strādnieku padome", kas izdod pavēles un rīkojumus pati uz savu roku. Tanī visa noteikšana atrodas sociāldemokratu un sociālrevolūcionāru rokās. Lieliniekiem sākumā nav gandrīz nekādas ietekmes. Viņu skaits ir neliels, un to galvenie vadoņi atrodas trimdā ārzemēs, vai Sibirijā.

1917. gada 1. martā (pēc jaunā stila: 14. martā) minētā padome izsludina savu „Pavēli nr. 1.", kas galīgi sagrauj vecās krievu armijas disciplīnu. Pēc šīs pavēles visās kaŗaspēka vienībās noteikšanu iegūst kareivju vēlētas padomes („sovjeti"). Kareivjiem ir arī tiesības ievēlēt un atcelt virsniekus. Daudzās vietās virsnieki tiek piekauti, daži pat nogalināti.

Kārtība joprojām valda latviešu strēlnieku pulkos, kur attiecības starp virsniekiem un kareivjiem ir tuvākas un biedriskākas. Daudzi latvieši sagaida no revolūcijas lielāku brīvību savai tautai. To izsaka vārdos — „brīvu Latviju brīvā Krievijā". Marta beigās latviešu pulki izvēl „Latviešu strēlnieku izpildu komiteju", ko saīsināti dēvē par „Izkolastrelu". Sākumā tur pārsvars demokratiski un nacionāli noskaņotiem strēlnieku pārstāvjiem.

1917. gada aprīlī Pēterpilī no Šveices atgriežas lielinieku vadonis Ļeņins. Lai radītu sajukumu Krievijā, vācieši viņu aizzīmogotā vagonā izlaiduši cauri savai zemei. Maijā no Amerikas Krievijā ierodas nenogurstošais revolūcionārs Trockis. Lielinieki kļūst ļoti darbīgi un neatlaidīgi. Tie gatavojas gāzt Pagaidu valdību un sagrābt varu savās rokās.

Krievijā ir daudz nenokārtotu jautājumu — armija ilgojas pēc miera, zemnieki pēc zemes, apspiestās nekrievu tautas grib iegūt pašnoteikšanās tiesības. Pagaidu valdība nevienu no šiem jautājumiem nespēj kaut daļēji atrisināt. Pret nekrievu tautu brīvības centieniem tā izturas noteikti naidīgi. Visus šos apstākļus lielinieki veikli izmanto savā labā. Viņi pārspēj visas pārējās partijas, solot nodibināt vēl neredzētu taisnības un miera valsti. Tie prasa nekavējoties izbeigt karu, uzlabot strādnieku un zemnieku stāvokli un dot Krievijas apspiestajām tautām tiesības pašām noteikt savu nākotni. Lielinieku aģitātori ir izveicīgi un rūdīti, viņu saukļi vienkārši un iespaidīgi — „par mieru, par maizi, par tautu brīvību!" „Visu varu strādnieku un zaldātu padomēm!"

Jo sevišķu vērību viņi veltī latviešu strēlnieku pulkiem, kuŗiem armijā vislielākā kaujas slava. Lielinieki glaimo un kūda. Tie plaši izmanto strēlnieku sašutumu par Ziemassvētku kaujām, lai sakurinātu naidu pret armijas vadību un pret latviešu virsniekiem, kas tos veduši kaujās. Kas domā citādi, tos lielinieki apzīmē par „muižnieku un kapitālistu kalpiem". —

Nav jāaizmirst, ka latvieši šai laikā ir apspiesta koloniāla tauta. Latvijā vēl puse no visas lauksaimniecībā izmantojamās zemes ir vācu muižnieku rokās. Strēlnieku pulkos ir daudz strādnieku, kalpu un mazturīgu ļaužu dēli, kāpēc lielinieku vilinājumiem ir panākumi. Latviešu pilsoniskās partijas sāk organizēties tikai 1917. gadā (piem., Zemnieku Savienība). Latviešu virsniekiem trūkst piedzīvojumu un atbalsta cīņā pret lielinieku aģitātoriem. Trūkst droši un skaidri izteiktu nacionālu mērķu un prasību par labu nemantīgajām šķirām.

Kaut gan lielinieku skaits strēlnieku pulkos ir nepilni 5%, tiem izdodas iegūt vadību „Izkolastrelā". Ar 1917. gada 17. maija (v. stils) rezolūciju tas izsaka neuzticību Krievijas Pagaidu valdībai un prasa „visu varu strādnieku, zaldātu un zemnieku deputātu padomēm".

Daļa latviešu virsnieku un kareivju augusta sākumā nodibina „Latvju kareivju nacionālo savienību" (LKN

S), lai cīnītos pret lielinieku ietekmi. Tas tomēr nenākas viegli, jo lielinieki vēl nav parādījuši savu īsto dabu.

Viens no viņu galvenajiem saukļiem ir: ,,Nost ar karu!" Tie aicina brāļoties ar vācu karavīriem un tā panākt kara darbības izbeigšanu. Vācieši to izmanto, lai vājinātu pretinieka cīņas garu un iepazītos ar tā pozicijām. Sākas neparasti skati — ienaidnieki sāk apciemot viens otru, sadzert, apmainīties cigaretēm u. taml. Vācu virspavēlniecība tikmēr plāno jaunu lielu uzbrukumu Rīgas frontē.

Nekārtība un sajukums kā pašā Krievijā, tā armijā pieaug ar katru dienu. Augusta beigās vācieši nolemj, ka laiks pāriet triecienā.

Tos, kas brāļojušies ar krieviem un latviešiem, drošības pēc aizsūta uz rietumiem, bet Rīgas frontē atsūta jaunas vācu divīzijas.

90. STRĒLNIEKIEM JĀGLĀBJ BĒGOŠĀ KRIEVU ARMIJA

,,No Juglas,

Kur zemgalieši
Vācu gvardiem un jēģeriem blakus guļ cieši..."
(A. Čaks)

1917. GADA 1. septembrī piecos no rīta vairāk simtu vācu lielgabalu atklāj viesuļuguni Rīgas frontē pie Ikšķiles. Krievu karaspēks atstāj savas pozicijas Daugavas labajā krastā un bēg ko kājas nes. Krievu artileristi izšauj dažus šāviņus, tad pamet lielgabalus un steidz pakaļ bēgošajiem kājniekiem. Vācu pulki dodas pāri Daugavai un draud ielenkt visu 12. armiju. Rīgā sākas nekārtības un sajukums.

Atkal lielā steigā cīņā sūta vienīgo kaujas spējīgo karaspēku — latviešu strēlniekus. Pie Mazās Juglas upes vācu izlases vienībām pretī stājas II latviešu brigāde. Tai jāglābj bēgošā krievu armija no ielenkuma un iznīcināšanas. Galvenais ienaidnieka trieciens jāiztur 5. Zemgales strēlnieku pulkam. Vāciešu uzbrukumu atbalsta spēcīga artilerija un lidmašīnas, zemgaliešu rīcībā ir viens smagais un daži vieglie lielgabali.

Nežēlīgā un asinainā cīņā 26 stundas no vietas (no 1. līdz 3. septembrim) Zemgales strēlnieku pulks atsit nepārtrauktos vācu uzbrukumus. Tādā kārtā 12. krievu armija paspēj atkāpties no Rīgas un izglābties no krišanas gūstā.

Zemgaliešu komandieris plkv. Vācietis ir atstāji sīku aprakstu par šo kauju. Kādu no daudzajiem vācu uzbrukumiem 2. septembrī viņš tēlo šādi: „... Ap plkst. 13 artilerija apklusa visā frontē, un piepeši visā frontē vācieši nāca uz priekšu, sākot ar ķēdēm un beidzot ar rezervēm, kuŗām sekoja tranšeju lielgabali. Šī uzbrukuma kārtība bija tāda, kādu mēs vairāk reizes redzējām lauku kaŗa pēdējā momentā. Tas bij — „furor teutonicus" („vācu šausmas"). Zemgaliešu frontei tuvojās vairāk tūkstošu vāciešu spīdošās kaskās (bruņu cepurēs), labi apģērbti un dūšīgos augumos... Uz reizi varēja redzēt, ka badu cietuši viņi nav. Tā bija prūšu gvardijas divīzija, kuŗai bija pavēlēts šovakar būt 12. armijas aizmugurē... Droši nāca uz priekšu vācieši, simtiem viņu krita, un simtiem viņu soļoja pāri saviem kritušiem biedriem. Dažās vietās viņiem izdevās pārraut mūsu aizžogojumus un ielauzties tranšejās, bet tur viņi atrada savu kapu."

A. Čaks par šo kauju raksta:
„Dienu un nakti
Pie Juglas,
Traki un melni

Kā čuguna lieti,
Jūs,
Vācu lepnumam — gvardiem
Un viņu pārspēkam
Stāvējāt pretī.
Un ko vairs neņēma lodes,
Nobeidza mieti."

Vācu virspavēlniecība 4. septembrī ziņo: „... Abpus Juglas upei stipras krievu karaspēka nodaļas (lasi: latviešu strēlnieki. Red.) izmisīgos, asinainos uzbrukumos triecās pret mūsu spēkiem, lai segtu atkāpšanos sakautajai 12. krievu armijai. Niknās cīņās tās gāja bojā zem mūsu triecieniem..."

Plkv. Vācietis raksta: „Bet latviešu strēlnieku asinis plūda pie Juglas krastiem, viņas rādīja vāciešiem, ka mūsu krūtīs pukst karsta sirds, pildīta ar mīlestību uz Latviju, ka mēs neizklīdīsim... ka mēs centīsimies nākt atpakaļ kā uzvarētāji." —

Tā ir pēdējā lielākā strēlnieku kauja uz Latvijas zemes. Izpildījuši kaujas uzdevumu, tie saņem pavēli atiet uz tālākām pozicijām Vidzemē. Lielākā daļa no zemgaliešiem ir ievainota, daudzi krituši.

Pa to laiku 12. armija neticamā nekārtībā atkāpjas uz austrumiem. Pārbaidītie krievu pulki vairākkārt notur viens otru par vāciešiem un apšauj paši savējos.

3. septembrī Rīgā ienāk vācu karaspēks. Bet vācu stāvoklis rietumos ir bīstams, un pēc Rīgas ieņemšanas tiem jāsūta vairākas divīzijas uz Francijas fronti. Viņiem jāpārtrauc tālākie uzbrukumi Vidzemē.

1917. gada septembrī pulkvedis Vācietis iesniedz lūgumu armijas vadībai un Krievijas Pagaidu valdībai (Kerenskim) atļaut dibināt latviešu strēlnieku korpusu ar latviešu artileriju, aviāciju un citām techniskām daļām. Viņš acīmredzot cer, ka tas varētu būt pamats latviešu armijai nākotnē. Kerenskis šādu atļauju tomēr nedod. —

Kaut arī Latvija ir sašķelta divās daļās (Rietumlatviju un Rīgu ieņēmuši vācieši) un liela tautas daļa ir trimdā, enerģiskākie latvieši šajā laikā turpina kalt savus nākotnes plānus.

„Laime, par mums lemi!
Dod mums mūsu zemi!
Viena mēle, viena dvēsle,
Viena zeme mūsu."
(J. Rainis)

91
PAR VIENOTU LATVIJU

JAU TAUTAS atmodas laikmeta dzejnieki pareģo „Gaismas pils" (Latvijas) augšāmcelšanos un Lāčplēša uzvaru par Melno bruņinieku (skat. 72. nod.). Daži toreiz pat lolo cerības nodibināt apvienotu latviešu un leišu karaļvalsti.

1905. gada Lielās latviešu revolūcijas vadoņi prasa visu latviešu novadu apvienošanu un pārvaldes nodošanu latviešu tautas rokās. Citi iet tālāk un prasa Latvijas Satversmes sapulces sasaukšanu (skat. 78. nod.).

1916. gadā J. Rainis no Šveices pasludina: „Zeme — tā ir valsts!" Viņš prasa:

„Paša zemi, paša valsti,
Dzīvi paša darinātu,
Paša valstī kungs."

Pēc 1917. gada februāra revolūcijas latvieši sāk organizēties, lai apvienotu latviešu novadus un radītu tiem latvisku pārvaldi.

Valmierā sapulcējas Vidzemes pagastu pārstāvji un ievēl Vidzemes pagaidu zemes padomi ar Dr. A. Priedkalnu un agronomu Kārli Ulmani priekšgalā.

Tā kā Kurzeme ir vācu varā, tad Kurzemes bēgļu

pārstāvji sanāk Tērbatā un tur izvēl Kurzemes pagaidu zemes padomi. Tās priekšsēdis ir advokāts Jānis Čakste.

1917. gada maija sākumā Latgales latvieši pulcējas uz kongresu Rēzeknē. Sanāksmes apsardzībai ierodas 40 latviešu strēlnieku virsnieka J. Rubuļa vadībā. Kongress pieņem vēsturisko lēmumu — „Latgales, Vidzemes un Kurzemes latvieši ir viena tauta ar vienu valodu, un visiem jāapvienojas vienā valstī." Ievēl Latgales pagaidu zemes padomi ar Fr. Trasunu un V. Rubuli priekšgalā.

Krievijas Pagaidu valdība nav labvēlīga latviešu centieniem. Tā negrib atzīt pat Latvijas pašpārvaldes (autonomijas) tiesības, nemaz nerunājot par latviešu tiesībām uz neatkarīgu valsti. Šī stūrgalvīgā un tuvredzīgā rīcība nāk par labu lieliniekiem, kas sola brīvību visām Krievijas tautām.

1917. gada oktobrī Pēterpilī pulcējas pārstāvji no visām trim latviešu pagaidu zemes padomēm, bēgļu apgādāšanas centrālkomitejas un vairākām citām organizācijām un partijām. Nolemj dibināt vienu kopēju organizāciju, kas varētu runāt tautas vārdā — Latviešu pagaidu nacionālo padomi (LPNP).

To tomēr nepagūst sasaukt Pēterpilī. 1917. gada 24.—25. oktobrī (pēc j. stila: 6.—7. novembrī) lielinieki izdara bruņotu apvērsumu un gāž Krievijas Pagaidu valdību, kas daudz runājusi, bet maz paveikusi. Ar oktobra (novembra) revolūciju sākas vairāku gadu ilgs sajukuma un pilsoņu kara laikmets Krievijā.

Latviešu pagaidu nacionālās padomes dibināšanas sanāksme notiek Valkā 1917. gada 16. novembrī. Kā novērotāji tur ierodas arī latviešu sociāldemokrati, bet latviešu lielinieki nepiedalās nemaz.

Sanāksme pasludina LPNP nodibināšanos un 18. novembrī izlaiž Kārļa Skalbes sarakstīto uzsaukumu — „Visiem latviešiem":

„... Latvieši! Lielais atlaišanas vārds ir atskanējis: pašnoteikšanās tautām! (domātas rietumu sabiedroto deklarācijas, kas gan nebija paredzētas Krievijas tautām. Red.). Ņemat paši to zemi, kuŗu mūsu tēvi pirkuši ar asins sviedriem un ceļat tur labāku un taisnīgāku valsti nekā tā, kuŗa tagad iet bojā. Lai dzīvo brīva, apvienota Latvija!"

Latvijas turpmākā iekārta jānosaka tautas ievēlētai Satversmes sapulcei. Nolemj sūtīt uz ārzemēm trīs vīru delegāciju — J. Čaksti, J. Kreicbergu un Z. Meierovicu. Tiem jāaizstāv Rietumeiropā latviešu tautas tiesības uz brīvību un neatkarību.

Sauciens pēc vienotas un patstāvīgas Latvijas ir izskanējis, bet cīņas un pārbaudījumi tikai sākas.

Turpmākie notikumi nesola neko labu. Vēl brīvajā Vidzemes daļā liela ietekme ir lieliniekiem, un kuŗu katru brīdi gaidāms jauns vācu trieciens. 1918. gada februārī, pēc izjukušām miera sarunām ar lielinieku valdību, vācieši visā austrumu frontē pāriet uzbrukumā. Krievu armija vairs nekaŗo un nekārtībā atkāpjas uz Iekškrieviju. Latvija, Igaunija un Ukraina nāk vācu rokās.

Kas notiek ar latviešu strēlniekiem?

„*Viņi kāpjas no Daugavas zilgās:*
Tautas bēdas un ienaids tos nes.
Viņu briesmās un sūrumā ilgā
Rītos ļodzās pus pasaules."
(A. Čaks)

92
LIELAIS PĀRGĀJIENS

Latviešu strēlnieku pulki cīņās pret vācu armiju iegūst gluži teiksmainu slavu. Tajā pašā laikā pieaug viņu naids un nicināšana pret cara ģenerāļu nemākulīgo vadību. Tā neprot izmantot strēlnieku panākumus, un latviešu karavīriem vairākkārt jācieš nevajadzīgi **zaudējumi**.

Vairums strēlnieku ir mazturīgu ļaužu dēli. Viņi labprāt vēlētos taisnīgāku valsts iekārtu un muižnieku lielo zemes īpašumu sadalīšanu. Viņi ir lepni, ka ir latvieši, un dedzīgi vēlas atbrīvot savu dzimteni no vācu okupācijas un sagādāt tai labāku nākotni.

Krievijas Pagaidu valdība (no 1917. gada februāŗa revolūcijas līdz oktobŗa revolūcijai) negrib **atļaut pat** Latgales apvienošanu ar citiem Latvijas novadiem **un** atsakās dot latviešiem pašpārvaldes tiesības.

Lielinieku vadoņi turpretī neskopojas ne ar kādiem solījumiem. Tie sola mūžīga miera paradīzi, sociālu taisnību un brīvu Latviju. Tāpēc arī, sarūgtināti par veco kārtību, laba daļa strēlnieku notic skaistajiem solījumiem.

Lieliniekus šajā laikā daudzi uzskata tikai par sociāldemokratu kreisāku novirzienu, kas noteiktāk un skaidrāk cīnās par „tautas tiesībām". Arī Rietumeiropas un Skandinavijas valstīs netrūkst tādu, kuŗus aizrauj lielinieku saukļi un revolūcionārā romantika. Ka lielinieku vara nākotnē izvērtīsies par nelielas grupas necilvēcīgu diktātūru, to revolūcijas gados daudzi nespēja ne iedomāties. To 1957. gadā īsi un kodolīgi izteicis viens no pazīstamākiem zviedru polītiķiem un rakstniekiem, Tūre Nērmans: „Es kļuvu boļševiks pirms 40 gadiem tādēļ, ka es domāju, ka tas nozīmē būt brīvības cīnītājam. Šodien es apkaŗoju boļševismu, jo esmu nācis pie pārliecības, ka visiem, kas cīnās par brīvību, ir jācīnās pret boļševismu." —

Oktobŗa revolūcija paātrina vecās krievu armijas iziršanu, jo lielinieki ir pret kaŗa turpināšanu ar Vāciju.

Tūkstošiem krievu karavīru vienkārši pamet savas vienības un iet uz mājām. „Līdz Kazaņai*) jau vācieši neatnāks!" dzird viņus sakām.

Latviešu strēlnieku stāvoklis ir citāds. Vienīgi daļa vidzemnieku un latgaliešu var nokļūt mājās. Lielāko Latvijas daļu līdz ar Rīgu ir ieņēmusi vācu armija. Uz turieni atgriezties nav iespējams (1918. gada februārī vācieši okupē visu Latviju). Karavīra lepnums strēlniekiem liedz padoties vāciešiem, kurus tie spējuši uzveikt daudzās smagās cīņās. Tādēļ arī daļa strēlnieku joprojām paliek savos pulkos un nokļūst lielinieku varas dienestā (tā sauktie sarkanie latviešu strēlnieki).

Daudzi strēlnieku virsnieki nevēlas to darīt un atstāj strēlnieku pulkus. To starpā ir arī abi Ziemassvētku kauju varoņi, Fr. Briedis (lielinieki viņu Maskavā apcietina un nošauj 1918. g.) un K. Goppers. Citi paliek savos pulkos un cenšas strēlniekus saturēt kopā.

1917. g. dec. beigās latviešu strēlniekus apvieno latviešu korpusā (vēlāk pārdēvē par divīziju) un par tā komandieri ieceļ pulkvedi Vācieti. Šis nelielais, bet varonīgais un disciplinētais latviešu karaspēks iegūst gluži neiedomājamu nozīmi turpmākajos vēstures notikumos.

Lai gan lielinieki ir sagrābuši varu, tomēr viņu stāvoklis nav drošs. Tāpēc latviešu pulkus izsauc uz Pēterpili, Maskavu un citām svarīgākajām vietām. Tā bez mājām palikušie strēlnieki sāk savu lielo pārgājienu uz austrumiem. To notēlojis J. Medenis balādē „Aizbraucēji":

„Balsis: — Mosties, kara draudze! Garā šaubu
                                  nakts ir galā,

---
*) Pilsēta pie Volgas.

Skaties: Mūsu soļu gaida pilsēts rīta debess malā! —
Sauca tie un durkļiem šķīra jaunu laikameta lapu,
Smagiem soļiem pāri kāpjot viņu spēkam rakto kapu."
Līdz ar to iesākas viņu gandrīz neticamās dēkas Krievijas pilsoņu karā, kur latviešu strēlnieku vārds drīz vien iedveš nāves bailes visiem pretiniekiem. J. Medenis raksta:

„Kur gāji, izbailes un sajukumu sēja
Tavs zobens un tavs vārds,
Un apjozt skrējienā pus zemes lodes spēja
Tavs kaŗa ratu dārds."

Bet Latvija ir palikusi bez latviešu karaspēka, kad pienāk likteņīgais 1918. gads — pasaules kaŗa beigu cēliens. —

93
GALS UN SĀKUMS

„Es saku skaļi, uzklausat!
Tad taisat, visu sataisat!
Tas trešais gads jau atnācis,
Vai gatavus jūs atradis?"
(J. Rainis)

PĒDĒJAIS Vācijas šķietamais lielākais panākums pirmajā pasaules kaŗā ir miera līgums ar Krievijas lielinieku valdību, kuŗa spiesta pieņemt visus vāciešu noteikumus. To paraksta Brest-Ļitovskas pilsētā 1918. gada 3. martā. Krievija atsakās no Baltijas (izņemot Latgali), Polijas, Somijas, Ukrainas un Gruzijas. Vācija iegūst Kurzemi un Rīgu, bet Vidzemei un Igaunijai pašām jānosaka savi turpmākie likteņi.

Īstenībā ieguvēji tomēr ir lielinieki, jo miera līgums izglābj tos no pilnīgas sakāves. Vāciešu sajūsma par panākumiem izrādās pāragra. Ieņemtajos apgabalos bezdarbībā jātur ievērojami bruņoti spēki, un komūnisma mācības sāk saindēt arī vācu armiju.

Sevišķi grūts ir latviešu stāvoklis. Latviju ir ieņēmis svešs kaŗaspēks, tā ir sašķelta vairākās daļās, tauta izklīdināta, un liela daļa no latviešu labākā kaŗaspēka ir aizgājusi uz Krieviju.

Pazaudējuši savu dzimteni, sarkanie latviešu strēlnieki bezbailīgi kaujas plašajā Krievijā pret visiem, kas grib atjaunot „lielo, nedalāmo Krieviju". Viņi tic, ka atgūs brīvību savai zemei ar lielinieku palīdzību. Latviešu strēlnieki līdz pat 1918. gada beigām ir vienīgais disciplinētais un cīņas spējīgais lielinieku kaŗaspēks. Ar viņu durkļiem Ļeņins apspiež vairākas bīstamas sacelšanās pret lielinieku varu, kad viss karājas mata galā. Kad Padomju Krievija sāk organizēt jaunus bruņotus spēkus — sarkano armiju, par tās pirmo virspavēlnieku kļūst strēlnieku komandieris plkv. Vācietis (no 1918. gada septembŗa līdz 1919. gada jūlijam). A. Čaks saka par strēlniekiem:

„Valda milžus tie nedaudzi skaitā,
Tā kā valdījis tos nav neviens."

Šajā laikā Baltijas vācieši saziņā ar vācu ģenerāļiem un valdību centīgi darbojas, lai pakļautu Baltiju Vācijai. Latviju un Igauniju tie grib pārvērst par Baltijas hercogisti Vācijas virskundzībā un nometināt tur lielāku skaitu vāciešu. Lai varētu runāt visu iedzīvotāju vārdā, vācieši mēģina atrast piekritējus arī latviešu un igauņu vidū. Bet, izņemot nedaudzus „puskoka lēcējus", Baltijas hercogistei nav piekritēju tautā.

Pret vācu nodomiem jau kopš 1917. gada Rīgā slepeni cīnās latviešu organizācija Demokratiskais bloks. Tur sadarbojas latviešu polītisko partiju vadoņi, atskaitot lieliniekus un vācu atbalstītājus. 1918. gada jūnijā latviešu sociāldemokrati („mazinieki") galīgi norobežojas no lieliniekiem un nodibina Rīgā jaunu sociāldemokratu partiju, kas stāv par neatkarīgu Latvijas valsti.

1918. gada vasarā arī Latvijas pagaidu nacionālās padomes (LPNP) locekļi pārceļas uz Rīgu un stājas sakaros ar Demokratiskā bloka vīriem.

Notikumi rit arvienu straujāk — pirmais pasaules karš tuvojas noslēgumam. 1918. gada rudenī vācu fronte rietumos sāk ļodzīties zem sabiedroto armiju (franču, angļu, amerikāņu) triecieniem. 9. novembrī Vācijā izceļas revolūcija, ķeizars Vilhelms II spiests atteikties no troņa un aizmūk uz Holandi. 11. novembrī Vācija atzīstas, ka ir sakauta un paraksta pamiera noteikumus, ko nodiktē rietumu sabiedrotie.

Šajā pašā dienā Anglijas ārlietu ministrs lords Balfūrs ar rakstu paziņo LPNP pārstāvim Londonā Z. Meierovicam, ka angļu valdība atzīst Latvijas neatkarību de facto (tas ir — par notikušu)*). Rakstā piezīmēts, ka Latvijas jautājumu galīgi izlems miera konference.

Laiks, ko sludinājuši latviešu tautas vadoņi un dzejnieki, ir pienācis. 17. novembrī Demokratiskais bloks nolemj dibināt jaunu latviešu tautas pārstāvju organizāciju — Tautas padomi, kuŗa proklamēs brīvu Latvijas valsti. Tautas padome sastādās galvenā kārtā no latviešu polītiskajām partijām. Par tās priekšsēdi ievēl Jāni Čaksti, par priekšsēža biedriem — Marģeru Skujenieku un Gustavu Zemgalu. Par Latvijas Pagaidu valdības ministru prezidentu vienbalsīgi ievēl Kārli Ulmani.

Latvijas neatkarību nolemj pasludināt nākošajā dienā plkst. 16.00 vēlākā Nacionālā teātŗa telpās.

---

*) Kādas valsts pilnīgu jeb likumīgu atzīšanu sauc par atzīšanu de jure („pēc likuma").

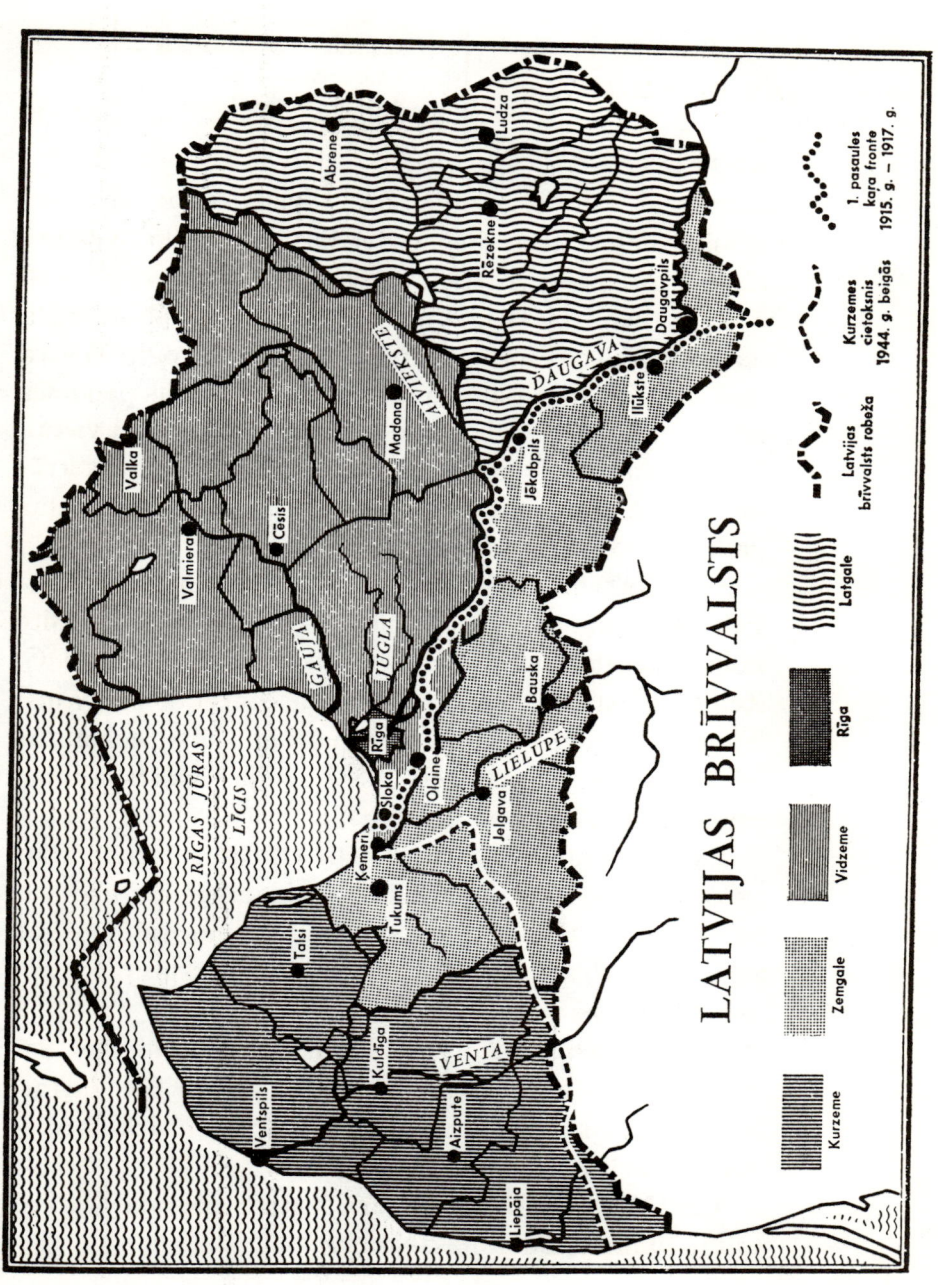

94
«LATVIJAS PILSOŅI!...«

„Vienā tumšā vakarā
Sarkanbalta debess mirdz —
Sarkanbaltās debesīs
Atviz trijas zelta zvaigznes."
(J. Rainis)

1918. GADA 18. novembris ir vēsa un apmākusies rudens diena. Bet latviešu tautas vēsturē tā ir ieguvusi neizdzēšamu spožumu.

Šajā dienā pie Rīgas pilsētas 2. teātra (Nacionālā teātra) vējā pland sarkanbaltsarkani karogi. Teātra zālē pulcējas latviešu vīri un sievas uz Tautas padomes svinīgo sēdi. Drīz vien zāle ir pilna līdz pēdējai vietai. Teātra skatuve ir greznota latviešu nacionālajām krāsām un zaļumiem. Uz turieni cauri zālei dodas Tautas padomes locekļi un ieņem savas vietas.

Svinīgo sēdi atklāj priekšsēža biedrs Gustavs Zemgals (J.Čakste nav vēl ieradies Rīgā). Sekretārs E.Bite nolasa rakstu par 17. novembra vienošanos. Tad G. Zemgals paziņo, ka valsts vara Latvijā pārgājusi Tautas padomes rokās. Paziņojumu visi noklausās kājās stāvot. Pirmo reiz, kā Latvijas valsts himna, atskan: „Dievs, svētī Latviju!"

Pagaidu valdības galva Kārlis Ulmanis uzrunā klātesošos. Viņš ziņo par valdības nodomiem un uzdevumiem un uzaicina tautu atbalstīt jauno valdību tās grūtajā darbā. Pēc tam runā partiju pārstāvji un apsveic Latvijas valsti.

Svinīgo sēdi slēdzot, atkal atskan valsts himna. Sajūsminātie klausītāji to dzied trīs reizes pēc kārtas. Daudziem grūti valdīt asaras, un tikai lēni izklīst vēsturiskā brīža aculiecinieki.

Vēl tās pašas dienas vakarā Tautas padome un Pagaidu valdība izdod uzsaukumu:

Latvijas neatkarības proklamēšana 1918. gada 18. novembrī Nacionālajā teātrī, Rīgā

„Latvijas pilsoņi!

Latvijas Tautas Padome, atzīdama sevi par vienīgo varas nesēju Latvijas valstī, pasludina, ka:

1) Latvija, apvienota etnografiskās (tautiskās) robežās (Kurzeme, Vidzeme un Latgale), ir patstāvīga, neatkarīga demokratiski-republiska valsts, kuŗas satversmi (pamatlikumu) un attiecības pret ārvalstīm noteiks tuvākā nākotnē Satversmes sapulce, sasaukta uz vispārēju abu dzimumu tiešu, vienlīdzīgu, aizklātu un proporcionālu vēlēšanu tiesību pamata.

2) Latvijas Tautas Padome ir nodibinājusi kā augstāko izpildu varu Latvijā — Latvijas Pagaidu valdību.

Latvijas Tautas Padome uzaicina Latvijas pilsoņus uzturēt mieru un kārtību un visiem spēkiem pabalstīt Latvijas Pagaidu valdību viņas grūtajā un atbildīgajā darbā.

Latvijas Pagaidu valdības ministru prezidents:
Ulmanis.
Latvijas Tautas Padomes priekšs. biedrs:
Zemgals.
Rīgā, 18. novembrī, 1918. gadā."

Turpmākie vēstures notikumi stāsta, kā Latvijas valsts vadītāji smagās un mainīgās cīņās atbrīvo Latviju no svešiem iebrucējiem un izcīna brīvību latviešu tautai. Laiku no 1918. līdz 1920. gadam tāpēc sauc par brīvības cīņu laikmetu.

„Ko jūs guļat? Ko jūs guļat?
Nākat sargāt latvju zemi!"
(J. Rainis)

95
TIE, KAS NEŠAUBĀS

Latvijas Pagaidu valdībai ir jāsāk darbs tukšām rokām. Tai nav ne armijas, ne līdzekļu. Zeme ir karā izpostīta, rūpniecība sagrauta, tauta izklīdināta un nogurusi.

Tāpēc jo lielāki ir to vīru nopelni, kas ar nesalaužamu ticību un drosmi strādā un cīnās, lai nostiprinātu jauno valsti.

Kā vienmēr, kad jāķeŗas pie lieliem un grūtiem uzdevumiem, ticīgo un drošsirdīgo nav daudz. Vairums strādnieku un bezzemnieku šajā laikā vēl tic lielinieku solījumiem. Tie gaida padomju varas nodibināšanu Latvijā. Turīgākie latviešu pilsoņi sadarbojas ar vāciešiem, bet Latvijas vāciešu lielākā daļa ir naidīgi noskaņota pret jauno latviešu valsti.

Parakstot pamiera noteikumus 1918. g. 11. novembrī, Vācija apņemas aizsargāt austrumu fronti pret lieliniekiem, kamēr rietumu sabiedrotie to atzīst par vajadzīgu. Bet arī vācu karaspēks ir jau pa daļai saindēts ar komūnisma mācībām. 8. vācu armijā, kas atrodas Latvijā, dibinās krieviju padomes un brūk disciplīna.

Latvijas Pagaidu valdība 6. decembrī nodibina Apsardzības (vēlāko Kaŗa) ministriju ar J. Zālīti priekšgalā, lai izveidotu latviešu bruņotos spēkus. 7. decembrī valdība slēdz ar Vācijas sūtni Vinnigu līgumu par latviešu vienību formēšanu. Noteikumi nav izdevīgi, bet citas izejas nav, jo ieroči un vara vēl ir vācu armijas rokās. Vācieši apņemas dot apbruņojumu, bet 1/3 no bruņotajiem spēkiem jāsastāda no baltvācu zemes sargiem („landesvēra"). Par virspavēlnieku jāaicina kāds sabiedroto virsnieks, bet pagaidām šis postenis jānodod vācu rokās. Tādā kārtā vācieši cer arī nākotnē paturēt savas lielās priekšrocības un ietekmi Latvijā.

Tomēr viņi nepilda pat šos noteikumus. Ieroči pirmajām latviešu vienībām jāiegūst aplinkus ceļā — uzpērkot un iemainot no kaŗot apnikušajiem vācu kaŗavīriem.

Latviešu spēku organizēšanā rosīgi piedalās tie LK NS (skat. 89. nod.) locekļi, kas tai laikā atrodas Rīgā. Par nākošās Latvijas armijas pamatu kļūst 3 brīvprātīgo rotas:

1) Virsnieku un instruktoru rezerves rota, ko vēlāk par kauju nopelniem pārdēvē par Neatkarības rotu. To vada stāba kapteinis J. Balodis.

2) Cēsu rota (vairums virsnieki) pulkveža-leitnanta O. Kalpaka vadībā.

3) Studentu rota, kas rodas pēc Rīgas latviešu studentu korporāciju „Selonijas" un „Tālavijas" lēmuma, ka to locekļiem nekavējoties jāiestājas Latvijas armijā. To komandē kapteinis N. Grundmanis.

Par latviešu vienību virspavēlnieku valdība 1919. gada 1. janvārī ieceļ pasaules kaŗā rūdīto latviešu virsnieku Oskaru Kalpaku.

Šajā brīdī lielinieku kaŗaspēks jau apdraud Rīgu. —

Pulkv. Oskars Kalpaks

Kalpaka bataljona ģērbonis

Kalpaka bataljona karavīru grupa

96
LIELNIECISMA TVAIKOS

> *„Krauklis krauklim aci saudz,*
> *Vilks vilkam nekož rīkli —*
> *Kādi zvēri esam mēs?*
> *Kožam paši savu tautu!"*
> (J. Rainis)

1918. GADA decembra sākumā sākas lielinieku karaspēka uzbrukums, kurā piedalās latviešu sarkano strēlnieku pulki. Viņi tic, ka nāk, lai nobeigtu 1917. gadā pārtraukto cīņu ar vāciešiem un atbrīvotu Latviju no to varas. Par Ulmaņa valdību tiem maz kas zināms. Lielinieku vadoņi sludina, ka tā ir vāciešu iecelta un grib nodot Latviju vāciešiem.

A. Grīns „Dvēseļu putenī" tēlo sarkano strēlnieku ienākšanu Valkā: „... Pilsētas ielās vēl šur tur redz vācu atstātos uzrakstus, un (strēlnieks) Konrads, apstājies pie nama, virs kura durvīm salasāms, ka te bijusi komandantūra, nicīgi nospļaujas un saka: — Skat nu! Tik fiksi aizšļūkuši projām, ka pat savu vizītkartiņu aizmirsuši paņemt līdz! Vai ziniet, mīlīši, man šitas karš liekas pavisam cita padarīšana, nekā tā nebeidzamā kaušanās pa vaņku zemi ar šādiem tādiem krieviņiem. Kauties ar fričiem, kauties pašu zemes dēļ, tā gluži cita, daudz feināka lieta! Sensenais latvju puiku amats, tā teikt. — "

17. decembrī Valkā nodibinās Padomju pagaidu valdība un pasludina Latviju par neatkarīgu Padomju republiku.

22. decembrī Pad. Krievijas valdība ar Ļeņina parakstītu lēmumu paziņo: „Krievijas Padomju valdība atzīst Latvijas Padomju republikas neatkarību... kuras priekšgalā atrodas biedrs Stučka." (skat. 75. nod.)

Pēc oktobra revolūcijas Stučka piederēja pie lielākajiem varas vīriem Padomju Krievijā — viņš bija tās pirmais tieslietu tautas komisārs (ministrs). Otrs ievērojamākais lielinieku vadonis Padomju Latvijas valdībā ir Daniševskis, kas bija ieņēmis Pad. Krievijas Augstākās kara padomes locekļa amatu.

Pad. Latvijas armijas virspavēlnieks skaitās pulkvedis Vācietis, kas tai pašā laikā ir visu Pad. Krievijas bruņoto spēku virspavēlnieks. Viņš un daļa latviešu karavīru joprojām atrodas Krievijā, kur turpinās pilsoņu karš. Vēlāk par Pad. Latvijas armijas komandieri ieceļ plkv. Slavēnu, bet par tā palīgu plkv. Avēnu (martā to nomaina plkv. Mangulis)*).

Minētajā laikā vēl latviešu lielinieku vadoņi jūtas visvareni, un arī Ļeņinam jāievēro to domas. Izšķirot kādu strīdīgu jautājumu, Stučka aizrāda: „Mums vēl ir latviešu strēlnieki!" — Bet, tāpat kā krievu lielinieki, viņi sapņo par komūnisma uzvaru visā pasaulē („pasaules revolūciju"), un tautas vēlēšanās un vajadzības tiem ir blakus lieta.

Vācu 8. armija sarkano strēlnieku priekšā atkāpjas bez cīņas, bieži vien pametot ieročus un municiju, ko tā liedzas nodot latviešu nacionālajam karaspēkam. Igaunijā vācieši pat sagāž kara materiālus jūrā — lai tos neiegūtu jaunā igauņu valdība. Tikai landesvērs mēģina stāties pretī, bet tiek sakauts. Lielinieki ziņo: „31. decembra un 1. janvāra kaujās zem varonīgo latviešu strēlnieku triecieniem krita Rīgas priekšpostenis — Inčukalns, ko vācieši bija nocietinājuši jau pagājušā gadā..."

---

*) Kā Mangulis, tā Avēns turpmāko cīņu gaitā pārnāk nac. armijas pusē.

Lieliniekiem tuvojoties Rīgai, angļu karakuģi, kas atrodas Rīgas ostā, paceļ enkurus un aizbrauc. Pulkveža Kalpaka rīcībā ir tikai ap 400 bruņotu vīru. Rīga nav noturama. 1919. gada 2. janvārī Latvijas Pagaidu valdība aizbrauc uz Jelgavu, pēc tam uz Liepāju. To pavada Studentu rota. Kā pēdējais Rīgu atstāj Kalpaks ar 200 vīriem, sedzot atkāpšanos. Tas notiek 3. janvāra rītā.

Tās pašas dienas vakarā ar kara orķestri priekšgalā Rīgā iesoļo 6. strēlnieku pulks. Janvāra pirmajā pusē lielinieku rokās krīt Kurzemes lielākā daļa. Bet tai pašā laikā no ziemeļiem lieliniekiem ar panākumiem uzbrūk igauņu armija, bruņoto vilcienu atbalstā. Padomju pulki tiek izkliedēti plašā frontē Vidzemē un Kurzemē. Lielinieku armijas vadība ir svārstīga savos lēmumos (daudzi no tās augstākajiem virsniekiem ar laiku pārnāk nacionālo spēku pusē), un padomju vēsturnieki vēlāk to apvaino apzinātā nodevībā. Fronte Kurzemē apstājas Ventas krastos. Lielinieku vara Latvijā gan ir sasniegusi savu augstāko pakāpi, bet līdz ar to sākas šīs varas iziršana. Tam ir vairāki iemesli.

Jau minēts, ka lielinieku fronte ir ļoti izstiepta un spēki izsvaidīti. Lielākā strēlnieku daļa nav nekādi komūnisti. Lielinieku mācības tie saprot pēc sava prāta — galvenā kārtā kā cīņu pret vācu baroniem un par taisnīgākas kārtības nodibināšanu. Sludinātā „pasaules revolūcija" tos maz interesē. Pēc Rīgas ieņemšanas daļa strēlnieku izklīst pa mājām, un pulku sastāvs kļūst vājāks. Tie, ko padomju valdība iesauc armijā piespiedu kārtā, papildina gan sarkanos pulkus skaitliski, bet ne cīņas spēju ziņā.

Latviešu bezzemnieki ir gaidījuši, ka lielinieki dos

tiem ilgi kāroto zemi, sadalot lielās vācu muižas. Viņi rūgti pievīļas. Radīt jaunu, patstāvīgu sīkzemnieku šķiru — tas nesaskan ar komūnisma mācībām. Tai vietā lielinieku valdība ierīko kopsaimniecības un valsts saimniecības. Bet strādāt kopsaimniecībās („komūnās") zem lielinieku uzraugiem ir tas pats, kas vergot muižai. Ļaudīm zūd darba prieks un uzticība jaunajai varai.

Pilsētās valdība pārņem savās rokās visas rūpnīcas un uzņēmumus, bet nespēj tos vadīt. Tas pavairo izpostītās zemes grūtības. Sākas pārtikas un preču trūkums. Rīgā valda bads. Lielinieki meklē „kaitētājus", kam uzvelt vainu par savu neprātīgo rīcību. Sākas vajāšanas, apcietināšanas un cilvēku apšaušana — t. s. „sarkanais terrors".

Daudzi sāk nožēlot, ka nav klausījuši Latvijas Pagaidu valdības aicinājumam un paļāvušies uz lielinieku solījumiem. Strēlnieku pulkos rodas šaubas par cīņas jēgu un neapmierinātība. Uz aģitātoru paskaidrojumiem tie sāk atbildēt ar ironiskām piezīmēm, piem.: „Čomiņ, klepo, klepo, tev jau labi veicas." (Pēc lielinieku komisāra V.Feldmaņa atmiņām). Lēnām, bet neatturami gaist lielniecisma tvaiks. Manot nemieru tautā, lielinieki pastiprina sarkano terroru — arvienu lielāks kļūst komūnisma upuru skaits.

Drīz vien frontē par jaunu sāk runāt ieroči.

97
LĪGUMU UN SAZVĒRESTĪBU LAIKMETS

> *„Ziemeļu viesuļi pūta,*
> *Dega sarkani kāvi,*
> *Latvija Kalpaku sūta*
> *Kaŗot ar postu un nāvi.*
>
> *Visur slazdi un žņaugi,*
> *Debeši negaisus perē..."*
> (A. Brigadere)

1919. GADA pirmā puse Latvijas Pagaidu valdībai ir smagu pārbaudījumu laiks. Brīvs palicis tikai neliels apgabals Latvijas rietumu daļā. Decembŗa beigās no Tautas padomes ir izstājušies sociāldemokrati. Liepājas strādnieki, kas komūnismu vēl nepazīst, gaida lieliniekus. Galvenā noteikšana Rietumkurzemē joprojām ir vācu kaŗaspēka rokās.

Astotai vācu armijai atkāpjoties uz Austrumprūsiju, vācu bruņotie spēki Latvijā sastādās no divām lielākām vienībām. Pirmā ir landesvērs — baltvācu zemes sargi, otra — Dzelzs divīzija. Tā saformēta no vācu brīvprātīgiem, kuŗi cer iegūt zemi Latvijā.

14. februārī par visa Rietumkurzemes kaŗaspēka pavēlnieku nāk vācu ģenerālis grāfs Rīdigers fon der Golcs. Viņš ir naidīgi noskaņots pret Latvijas valdību, un tam ir pašam savi fantastiski plāni. Pagaidām Golcs tos tur slepenībā. Viņš cer satriekt lieliniekus Krievijā, atjaunot tur ķeizara varu un pēc tam ar krievu palīdzību pārvērst Vāciju atkal par ķeizarvalsti. Tad varētu sākt atriebības kaŗu pret rietumu sabiedrotiem. Vācieši ar nolūku kavē latviešu kaŗaspēka palielināšanu un apbruņošanu.

Rietumvalstu pārstāvjiem Latvijā nav viegli iegūt pārskatu sarežģītajā stāvoklī, un tie izturas nogaidoši.

Tomēr tieši šajā draudīgajā un grūtajā laikā Pagaidu valdība liek pamatus nākošajām uzvarām.

11. janvārī ministru prezidents Ulmanis dodas uz ārzemēm, lai iegūtu atbalstu Pagaidu valdībai un iepazīstinātu ārvalstis ar patieso stāvokli Latvijā. Ulmanis apmeklē Kopenhāgenu, Stokholmu, Helsinkus, Tallinu un Kauņu. Angļu sūtnis Kopenhāgenā apsola ieročus latviešiem, Lietuvas valdība piešķir 3 miljonu aizdevumu vācu markās, un ar Igauniju noslēdz aizsardzības līgumu, kam ir liela nozīme nākošajās cīņās.

Pasaules karā Igaunija ir maz cietusi. Tās karavīri un tauta nav izklīdināti. Ar somu palīdzību tiem izdevies atvairīt lieliniekus, kaut arī kaujas nav beigušās. Pēc līguma igauņi apņemas pret atlīdzību apbruņot un apgādāt latviešu karavīrus Igaunijā un Ziemeļvidzemē kopīgai brīvības cīņai. Ziemeļlatvijas armija līdz turpmākam atradīsies igauņu virspavēlniecībā. Par latviešu vienību komandieri uz Igauniju nosūta pulkvedi J. Zemitānu. — Tā seno laiku pretinieki, latvieši un igauņi (skat. 3., 21. un 22. nod.) izlabo sentēvu kļūdas un likteņigā brīdī apvienojas ieroču brālībā. Pret to vēlāk sabrūk vācu mēģinājumi uzkundzēties jaunajās latviešu un igauņu valstīs.

Februāra beigās angļu flote Liepājā nodod Pagaidu valdībai 5000 šautenes un 50 ložmetējus latviešu karavīru apbruņošanai.

Tautas vienošanai un audzināšanai daudz paveic laikraksts „Latvijas Sargs", kas sāk iznākt 21. janvārī A.Krodera vadībā. Tā līdzstrādnieki ir E.Virza, K. Skalbe, J.Akurāters, kapt. A.Plensners, J.Bankavs, E. Freivalds u. c. Laikraksts kaunina mazticīgos, uzmudina gļēvos un apkaro ienaidnieku melu ziņas.

Pagaidu valdībai arī nāk par labu kādas vācu sazvērestības atklāšana 1919. gada februārī. Tās organizētājs, vācu muižnieks H.f.Strīks, dēvē sevi par ordeņa mestru un plāno pārvērst Latviju un Igauniju par viduslaiku Livonijai līdzīgu valsti. Viņu izsūta uz Vāciju, un arī šaubīgie redz, ka Ulmaņa valdība nav nekādi vācu kalpi.

Martā valdība izdod pirmo Latvijas naudu, aprīļa sākumā Liepājā pienāk kuģis ar Amerikas pārtikas sūtījumu.

Atjaunojusies ir arī kaŗa darbība frontē. 3. martā kalpakieši (tā sauc Kalpaka bataljona vīrus) un vācu vienības sāk uzbrukumu plašā frontē. Latvieši pāriet Ventu un padzen lieliniekus no Jaunās muižas. 6. martā Kalpaka bataljons dodas uzbrukumā Skrundas-Saldus rajonā. Pārpratuma dēļ notiek sadursme ar Dzelzs divīziju. Kaujā pie Airītēm no vācu lodēm krīt latviešu pirmais virspavēlnieks pulkvedis Kalpaks un Studentu rotas komandieris kapt. Grundmanis.

Kalpaka nāve rada dziļu saviļņojumu tautā. Bērēs Liepājā kritušo pulkvedi pavada milzīgs sērotāju pulks. Šim notikumam veltīts Virzas dzejolis „Pulkveža atgriešanās":

„Stāv ļaužu pulks atsegtām galvām, gods atdots no
    kareivjiem tiek.

Viens otrs pie nodurtām acīm sev roku trīcošu liek.

Un komanda atskan, rīb zalves, un spēlēt mūzika sāk,
Jo, nobeidzis uzvaras savas, uz mājām nu pulkvedis
    nāk.

Viņš klus. Tik ar Latvijas zemi vēl sajaukties nesas
 tam prāts:
Šis karogs sarkanbaltsarkans pār kritušo Pulkvedi
 klāts."

Kalpaka bataljona vadību pārņem J.Balodis, kuŗu par panākumiem kaujās drīz paaugstina par pulkvedi. 20. martā bataljonu papildina ar jauniem spēkiem un pārdēvē par brigādi (tanī 3 bataljoni). Marta beigās ir jau sasniegta Lielupe. Sāk vairoties pārbēdzēju skaits no sarkanās armijas, kuŗi pievienojas Baloža brigādei.

Vārti uz Rīgu ir vaļā, bet virspavēlnieks, ģen. Golcs, pavēl apturēt uzbrukumu. Vēl pirms Rīgas ieņemšanas vācieši grib nodrošināt savu virskundzību Latvijā. Gatavojas jauna sazvērestība pret Pagaidu valdību.

„Lūk! jo mošķi nebeidz cīņu,
Vilki ģērbjas avju drēbēs,
Nopeļ mūsu jauno dzīvi,
Māca cienīt veco jūgu."
(J. Rainis)

98
APVĒRSUMS LIEPĀJĀ UN «BALTAIS TERRORS» RĪGĀ

1919. GADA marta beigās ģen. Golcs atsauc uz Liepāju „atpūtā" vairākas vācu vienības — barona Manteifela nodaļu u. c. Baloža brigādi turpretī atstāj frontē un no Liepājas vēl izsūta kapteiņa Zolta rotu.

Kad vācieši ir droši par savu pārspēku Liepājā, tie atklāj savas kārtis. 16. aprīlī viņi uzbrūk latviešu sargposteņiem, ieņem Pagaidu valdības iestādes un izlaupa valsts kasi. Viņu nolūks ir gāzt Ulmaņa valdību un

Latvijas pagaidu valdība uz Saratova 1919. gadā

apcietināt latviešu ministrus. Tomēr tikai divi no tiem (M.Valters un J.Blumbergs) krīt vācu rokās. Pārējie paglābjas angļu sūtniecībā un uz angļu kara kuģiem. Tādā kārtā nodevīgais apvērsums („16. aprīļa pučs") izdodas tikai pa daļai. Pagaidu valdības locekļi vēlāk pāriet uz kuģa „Saratovs", kas atrodas angļu apsardzībā. Latviešu sociāldemokrati, izmantojot savus sakarus ar vācu sociālistu partijām, panāk vairāku asu protestu publicēšanu Vācijas presē. Tie atbalsojas arī Skandinavijā un iepazīstina sabiedrisko domu ar baronu intrigām Latvijā.

Pret vācu rīcību protestē visas latviešu partijas. Pulkvedis Balodis paskaidro, ka latviešu brigāde joprojām par vienīgi likumīgo atzīst Ulmaņa valdību. Tāpat uzticīgs valdībai paliek Ziemeļlatvijas karaspēks. Angļu valdības pārstāvji nosoda apvērsumu un pieprasa, lai Ulmaņa valdībai ļauj atjaunot darbu.

Tad vāciešiem izdodas sameklēt dažus padevīgos, kas ir gatavi darboties viņu vadībā. 11. maijā mācītājs un rakstnieks A. Niedra paziņo, ka viņš nodibinājis jaunu Latvijas valdību (tā sauktā Niedras-Vankina valdība), kuŗā ir 6 latvieši un 4 vācieši. Vienīgie, kas šo „valdību" atzīst, ir tās iecēlēji — ģen. Golcs un vācu muižnieki.

Ļoti grūts ir Baloža brigādes stāvoklis. Tai jācīnās pret lieliniekiem kopā ar vācu vienībām un vācu vadībā, kas gāzusi likumīgo valdību. Vācu spēki ir pārāki par latviešu brigādes spēkiem, un lielinieki vēl atrodas Rīgā. Tādēļ Balodis no atklātas sadursmes ar vāciešiem izvairās.

Maijā atjaunojas cīņas ar lieliniekiem. Sevišķu varonību parāda kapt. Zolta rota, kuŗas pozicijas atrodas jūrmalas kāpās. Kad jāatsit kāds sarkano uzbrukums, izrādās, ka ložmetēji pieputināti smiltīm, bet šautenēm atsūtītas nepareizas patronas. Tad kapt. Zolts dod komandu: "Ar durkļiem triecienā!" Ejot savu vīru — Liepājas strādnieku — priekšgalā, kapteinis krīt, bet rota satriec uzbrucējus.

22. maijā latviešu un vācu spēki sāk uzbrukumu Rīgai. Padomju pulki šai laikā atrodas jau pa daļai sairuma stāvoklī (skat. 96. nod.). Baloža brigādei pavēl virzīties uz priekšu gar jūrmalu, bet vācu spēki dodas virzienā tieši uz Rīgas tiltiem. Vajājot atejošos lieliniekus, landesvērs vēl tai pašā dienā pāri Daugavas tiltiem ielaužas pilsētā. Triecienā krīt dēkainais barons Manteifels.

Kāds noskaņojums tobrīd valdīja padomju pulkos, par to liecina kāda lielinieku komisāra (V.Feldmaņa) atmiņas: "... Varbūt lieki te būtu piebilst, ka, ja 1. pulks būtu bijis savā agrākā morāliskā stāvoklī, kāds tas bij, Latvijā ienākot, tad, pie tagadējā skaitliskā sastāva, pulks varēja Rīgas likteni grozīt. Bet, par nožēlošanu, zināmu polītisku apstākļu dēļ, ne te esošās armijas daļas komandieriem nebij priekš tam vajadzīgās enerģijas, ne strēlniekiem gribas to darīt. Strēlnieku masa bez steigas, bez pānikas, pūlīšos, nelielās daļās plūda prom... Daži no strēlniekiem aizgāja ,apskatīt' mājiniekus, bet atpakaļ rets kāds vairs atgriezās..." Pēc pašu lielinieku ziņām turpmākajā atkāpšanās gaitā viņu pulki, sakarā ar dezertēšanu un pārbēgšanu pie nacionālās armijas, zaudē apm. 30—40% no sava sastāva.

Rīga ir atbrīvota no sarkanā terrora, bet tai vietā vācieši sarīko zvērīgu latviešu slepkavošanu. Turpmāko dienu notikumus Latvijas galvaspilsētā mēdz saukt par "balto terroru".

Bez jebkādas izmeklēšanas apšauj simtiem cilvēku, to starpā arī tādus, kas brīvprātīgi pārnākuši balto pusē, bet nokļuvuši vācu rokās.

23. maijā Rīgā iesoļo Baloža brigāde. Tikai pēc vairākkārtējas plkv. Baloža un sabiedroto pārstāvju iejaukšanās vācieši ierobežo patvaļīgo latviešu apšaušanu. Pavisam vācieši apcietina ap 4000 cilvēku, pa lielākai daļai uz nepatiesu apsūdzību un aizdomu pamata. Īstie vainīgie ir aizbēguši kopā ar sarkano armiju.

Tajā laikā igauņi un Ziemeļlatvijas pulki (Zemitāna brigāde) ar panākumiem dzen ārā lieliniekus no Vidzemes. Tas arī atvieglo Rīgas ieņemšanu, jo lielinieku spēkiem draud ielenkšana. No mežiem un aizmugures sarkaniem uzbrūk „Zaļā armija" jeb „meža brāļi" (partizāni). Tie sastādās no vīriem, kas uz savu roku sākuši cīņu pret komūnistu varu lielinieku ieņemtajos apgabalos.

Rīgu drīz atstāj Baloža brigāde, lai turpinātu kauju ar lieliniekiem. Vācieši turpretī pagriežas uz ziemeļiem, kur lielinieku vairs nav, un maršē pret igauņu un ziemeļlatviešu bruņotajiem spēkiem. —

„Baskājiešu kaŗa pulki,
Ozolvīru sūra vara,
Tie atņēma latvju zemi
Svešu ļaužu varmākām."
(J. Rainis)

99
MUIŽNIEKI ZAUDĒ CĪŅU

JĀNIS RAINIS ir zīmīgi teicis par Baltijas vācu muižniekiem: „Kaps viņus izmācīs!" Zem visādu valdnieku varām tie sīvi un sīksti ir cīnījušies tikai par vienu — par savas kārtas privilēģijām. Muižnieki ir pieraduši dzīvot no citu pūlēm un sviedriem. Viņi nevar iedomāties, ka kaut kas šajā kārtībā varētu grozīties. Patstāvīgas latviešu un igauņu valstis un valdības tiem šķiet nepieļaujams ļaunums.

Tādēļ arī pēc Rīgas ieņemšanas vācu muižnieki un viņu kara kalpi (Dzelzs divīzija) dodas pret igauņu un latviešu spēkiem Vidzemē. Vāciešiem pakalpīgā Niedras valdība izsludina igauņus par iebrucējiem, bet Zemitāna brigādi par lieliniekiem, kuŗi jāpadzen. Sabiedroto (angļu ģen. Gofa) pavēlēm, lai vācieši iet pret sarkano armiju, viņi vienkārši neklausa.

Jau jūnija sākumā notiek pirmās sadursmes. Galvenie igauņu un latviešu spēki ir saistīti cīņās ar lieliniekiem. Tāpēc latvieši tagad steigā papildina savas vienības. No Cēsu un Valmieras vidusskolu audzēkņiem saformē skolnieku rotu leitnanta Grīna vadībā. Zēni tūliņ dodas pretī vāciešiem, kuŗiem tomēr izdodas ieņemt Cēsis.

Pamazām abas puses savelk lielākus spēkus un sagatavojas izšķirīgai kaujai. Tā notiek pie Cēsīm no 1919. gada 19. līdz 22. jūnijam. Brīvības cīņu vēsturē to sauc par Cēsu kauju.

Landesvēram un Dzelzs divīzijai pretī stājas Cēsu pulks (plkv. Berķis) un igauņu 3. divīzija. Kaujas vadība ir igauņu stāba priekšnieka plkv. Rēka rokās.

Skaita ziņā pretinieki ir gandrīz vienādi, bet vāciešiem ir daudz labāks apbruņojums, sevišķi artilerija. Tāpēc tie ir pārliecināti par uzvaru.

Trešajā kaujas dienā landesvēram izdodas izlauzties cauri Cēsu pulka pozicijām, bet ar to vācu panākumi izbeidzas. Saņēmuši papildspēkus, igauņi un latvieši no trīs pusēm ielenc ienaidnieku, kas iekļuvis „maisā".

Sasisti frontāli un apdraudēti no sāniem, vācieši metas bēgt, pametot daudz kaŗa materiālu. Liels skaits baronu uz visiem laikiem paliek guļam cīņas laukā. Ar asinainu muižnieku kaŗaspēka sagrāvi beidzas vēsturiskā Cēsu kauja. Tā izšķiŗ gadsimtu ilgo cīņu starp muižu un zemnieku sētu (skat. 33. nod.). Muižas varai ir gals.

Straujā gaitā igauņi un latvieši („ziemeļnieki") tuvojas Rīgai. No galīgas iznīcināšanas vāciešus šoreiz izglābj sabiedrotie, kas piespiež uzvarētājus noslēgt pamieru. Kaut gan 3. igauņu divīzijas komandieris ģen. Peders par šo iejaukšanos ir līdz nāvei pārskaities, viņam jāpiekāpjas sabiedroto pārstāvju priekšā. (Rietumu lielvalstis šajā laikā vēl vairāk atbalsta vecās Krievijas „atjaunotājus" nekā jaunās valstis).

3. jūlijā Strazdmuižā paraksta pamieru. Vāciešiem ir jāizvācas no Rīgas un vācu kaŗavīriem, kas nav Latvijas pavalstnieki, jāatstāj Latvija. Jau 26. jūnijā ir atkāpusies bēdīgi slavenā Niedras valdība. Nākošā dienā Ulmaņa valdība ierodas Liepājā.

Trīs dienas pēc Strazdmuižas pamiera (6. jūlijā) Cēsu pulks ar trīs „ziemeļnieku" pulkvežiem priekšgalā (J. Zemitānu, Ed. Kalniņu un K. Berķi) svinīgi iesoļo Latvijas galvaspilsētā. Rīdzinieki to saņem ar ziediem un gavilēm. Uzvarētājus apsveic Tautas padomes prezidijs un pulkvedis Balodis ar saviem virsniekiem.

8. jūlijā ar „Saratovu" Rīgā atgriežas likumīgā Latvijas valdība ar K. Ulmani priekšgalā. Pirms pusgada šīs valdības locekļi kā bēgļi bija atstājuši galvaspilsētu nedaudzu uzticīgu kaŗavīru pavadībā. Tagad tos sagaida rietumu sabiedroto pārstāvji, ziemeļu un dienvidu brigāžu komandieŗi un Tautas padome. Neaprakstāma ir tautas sajūsma, un valdības ceļš uz Ārlietu ministriju (valdības mītni) līdzinās triumfa gājienam.

Valdība turpina bruņoto spēku izveidošanu. Vajadzī-

Ministru prezidents Kārlis Ulmanis atgriežas Rīgā 1919. gadā, 8. jūlijā ar tvaikoni „Saratovs"

bu ir daudz. Vēl joprojām trūkst apģērbu, apavu un ieroču, jo karavīru skaits ir stipri pieaudzis.

Baloža un Zemitāna brigādes tagad apvieno Latvijas armijā. Par virspavēlnieku ieceļ gados jau veco ģenerāli Sīmansonu (10. jūlijā). Armiju iedala 3 divīzijās—Kurzemes, Vidzemes un Latgales div.. Katrā divīzijā ir 3 kājnieku un 1 artilerijas pulks.

Par landesvēra komandieri ieceļ angļu (īru) pulkvedi Aleksandru. Tas ir otrā pasaules kaŗā daudz pieminētais angļu feldmāršals Aleksandrs.

Šķiet, ka tagad atlicis tikai atbrīvot Latgali no lieliniekiem. Bet izrādās, ka sakautais ģen. fon der Golcs gatavo vēl vienu sazvērestību pret Latvijas valsti. —

„Tēvs, es atminos, kā zēns
Rīgā redzēju vēl cīņas. —
Mēs vēl lodes iznēsājām!
Tā kā spārnos visi gāja."
(J. Rainis)

100
DAUGAVAS SARGI UN LĀČPLĒŠA DIENA

1919. GADA vasarā kāds Raiņa draugs atved līdz no Šveices uz Rīgu dzejnieka darbu „Daugava". To iespiež septembŗa mēnesī. „Daugavu" daudzus gadus spēlēja Nacionālajā teātrī valsts svētkos, kaut gan tā nav luga, bet virkne dziesmu par Latvijas likteņiem un latviešu likteņa upi Daugavu. Šajā darbā Rainis jau vairākus gadus pirms Latvijas tapšanas nosaka laiku, kad tas notiks, un apdzejo nākošās brīvības cīņas un vietu, kur tās norisināsies.

Brīnišķīgā kārtā visi Raiņa pravietojumi piepildās

burts burtā. Tādēļ var saprast nepiedzīvoto sajūsmu, ar kādu tauta sagaida dzejnieku, kad tas vēlāk no trimdas atgriežas dzimtenē.

Raiņa „Daugava" nāk īstā laikā — īsi pirms tajā paredzētajām likteņīgajām cīņām pie Daugavas. —

Ģenerālis Golcs nepilda Strazdmuižas pamiera noteikumus un vilcinās izvākt vācu kaŗaspēku no Kurzemes. Viņš nav atmetis savus iekaŗošanas plānus (skat. 97. nod.), un gadījums nāk tam palīgā.

Kāds krievu virsnieks ar šaubīgu pagātni — Bermonts („firsts Avolovs"), mēģina no krievu gūstekņiem Vācijā savākt armiju cīņai pret lieliniekiem. Šajā laikā rietumu lielvalstis atbalsta dažādus cara ģenerāļus (Kolčaku, Judeniču, Deņikinu u. c.), kas Krievijā cīnās par vecās kārtības atjaunošanu. Tādēļ arī jaunajām valstīm sabiedrotie tikai vilcinādamies sniedz palīdzību. Golcu savukārt ar naudu pabalsta vācu lielrūpnieki.

26. septembrī Golcs noslēdz slepenu līgumu ar Bermontu. Vācu kaŗaspēku Kurzemē pārdēvē par Rietumkrievijas armiju Bermonta vadībā. Tanī ieskaita arī Vācijā savāktos krievu gūstekņus un jaunus vācu brīvprātīgos. Golcs vēlāk izsakās: „Bermonts bija tikai izkārtne, uz ko spieda sabiedrotie un vājā vācu valdība."

1. oktobrī Jelgavā notiek slepena apspriede, kuŗā piedalās Golcs, Bermonts, A. Niedra u. c. Nolemj gāzt Latvijas un Igaunijas valdības un iecelt Niedru par Kurzemes un Vidzemes ģenerālgubernātoru Krievijas virskundzībā.

Golca un Bermonta rīcībā ir ap 50 000 vīru (no tiem 40 000 vāciešu), 100 lielgabalu, 600 ložmetēju, 3 bruņotie vilcieni, 10 bruņotie auto un 120 lidmašīnas.

8. oktobrī sākas uzbrukums Rīgai. Izdotajā kaujas

pavēlē Bermonts paziņo: „... lai nodibinātu kārtību boļševikiem draudzīgās Latvijas valdības vietā." Vācu sūtniecība šajā dienā slepus atstāj Rīgu un ierodas Jelgavā.

Latvijas valdību Golca un Bermonta uzbrukums pārsteidz. Latviešu labākās kaujas vienības un landesvērs, kas ieskaitīts Latvijas armijā, cīnās ar lieliniekiem Latgalē. Frontē pret Bermontu atrodas tikai ap 12 000 vīru.

Pēc divu dienu kaujām ienaidniekam izdodas izlauzties cauri frontei. Rīgā valda satraukums un neskaidrība par stāvokli. Valsts iestādes sāk atstāt galvaspilsētu.

1919. gada 10. oktobrī latviešu karaspēks atkāpjas uz Daugavas labo krastu un izgriež Daugavas tiltus. Steigā saformē jaunas vienības, kas novietojas tiltu galos un rok pozicijas Daugavmalā. Palīgā atsteidzas arī igauņu bruņotais vilciens. Tas gan atkal drīz aizbrauc, jo igauņi par palīdzību prasa vairāk, nekā tas latviešiem pieņemams.

Daugava ir kļuvusi par frontes līniju. Rainis raksta:

> „Rīga joza uguns jostu,
> Rīga vārtus aizbultēja.
> Sargājat vārtu bultas,
> Karsējat uguns jostu!"

Nodevīgais uzbrukums saviļņo un vieno visus latviešus. Sociāldemokratu partija izlaiž dedzīgu uzsaukumu Rīgas strādniekiem: „Pie ieročiem!..." Apklust visi sīkie strīdi un ķildas, jauni un veci stājas cīnītāju rindās. Lielu atbalstu frontei sniedz arī sieviešu palīga dienests — „Sieviešu palīdzības korpuss".

Mīnumetējs Bermonta kaujās Rātslaukumā 1919. gadā

Cīņas gara stiprināšanai ārkārtīga nozīme ir Raiņa „Daugavai", ko lasa kā frontē, tā aizmugurē. Mēdz teikt, ka „Daugava" atsvēra vismaz veselu karavīru pulku.

Bermonta cīņu laikā par armijas virspavēlnieku nāk plkv. Balodis, bet par stāba priekšnieku plkv. Radziņš, kas tikko atgriezies Latvijā. Radziņš pieskaitāms labākajiem kara mākslas pratējiem Baltijas valstīs. Viņa ierašanās ir milzīgs ieguvums jaunajai armijai.

Daugavas grīvā cīņu vēro 4 angļu un 4 franču kara kuģi. Pēc ilgākām sarunām ar sabiedroto virsniekiem, un pēc tam, kad bermontieši apšaudījuši kādu no minētiem kuģiem, latviešiem izdodas iegūt flotes artilerijas atbalstu.

15. oktobrī sabiedroto flotes komandieris, franču kapteinis Brisons, atklāj viesuļuguni uz Daugavgrīvas cietoksni un Bolderāju. Latviešu vienības pārceļas pār Daugavu un ieņem minētos punktus.

3. novembrī visā frontē sākas latviešu uzbrukums, ko ievada sabiedroto flotes uguns. Pret skaitā un apbruņojumā pārāko pretinieku latvieši iet kaujā ar milzīgu sparu un sajūsmu. Niknās cīņās tiek salauzta bermontiešu pretestība. 1919. gada 11. novembra rītā Rīgas baznīcu zvani vēstī, ka Pārdaugava iztīrīta no ienaidniekiem. Abi Daugavas krasti atkal ir latviešu rokās.

Tajā dienā („Latvijas valsts visgrūtākā cīņu dienā") nodibina Lāčplēša kara ordeni ar devīzi: „Par Latviju!" To piešķir par izciliem varoņdarbiem kaujas laukā. 11. novembri pasludina par Latvijas armijas svētku dienu — Lāčplēša dienu.

Tā piepildās A. Pumpura pareģojums par Lāčplēša uzvaru cīņā ar Melno bruņnieku Daugavas krastos (skat. 72. nod.).

Latvieši vairs neļauj sakautajam ienaidniekam apstāties un vajā to nepārtrauktos uzbrukumos. Latviešus šoreiz nespēj apturēt arī sabiedroto pārstāvji, kas mēģina panākt pamiera noslēgšanu.

18. novembrī ģen. Eberhards vācu valdības uzdevumā paziņo, ka viņš pārņem Bermonta armijas vadību un prasa pārtraukt kaŗa darbību. Tad Ulmaņa valdība atbild, ka Latvija ir kaŗa stāvoklī ar Vāciju. Rainis „Daugavā" raksta:

> „Ārā dzenat laupītājus,
> Ko ar viņiem kaulēties?
> Kaulējaties mēnešiem,
> Pēc kalposat simtus gadus."

21. novembrī bermontiešus izsit no Jelgavas, kur tie atriebjoties nodedzina hercoga pili un Pēteŗa akadēmiju (skat. 62. nod.). Atkāpjoties ienaidnieks mēģina vēl uzbrukt Liepājai. Pilsētas aizstāvjiem iet palīgā Liepājas strādnieki un vāciešus sakauj. Laupīdami un dedzinādami bermontieši turpina atkāpties. 28. novembrī Latvijas armija ietriec viņu atliekas Lietuvā un pāriet robežu.

1919. gada 1. decembrī Latvijas armijas virspavēlnieks ziņo: „Visa Kurzeme ir galīgi iztīrīta no ienaidniekiem." Latvijas telegrafa aģentūra paskaidro: „Kad vācu kaŗaspēks būs pilnīgi izvācies no Lietuvas, latviešu bruņotie spēki atstās tos Lietuvas pierobežu apgabalus, kuŗus tie pašlaik ieņēmuši, lai nodrošinātu Latvijas robežu aizsardzību." —

Vienā laikā ar Bermonta uzbrukumu Rīgai norisinās kāda izšķirīga kauja Krievijas pilsoņu kaŗā uz dienvidiem no Maskavas. Tanī piedalās latviešu strēlnieku pulki.

"Svētbilžu Kromnā,
Ukraines dzeltenās stepēs,
Jūsu
Trauksmīgo rindu
Varenā izkapts
Sagāza vālos
Carisko virsnieku sudraba pulkus."
(A. Čaks)

101
STRĒLNIEKI SATRIEC CARA VIRSNIEKU PULKUS

1918.—19. G. LATVIEŠU sarkano strēlnieku pulkos Krievijā iestājās lielāks skaits latviešu bēgļu un latviešu karavīru no krievu pulkiem. Daudziem tas bija vienīgais patvērums no bada un bojā ejas juku laikos pēc oktobra revolūcijas. Latviešu korpusā, ko vēlāk pārdēvē par divīziju, bija 9 pulki. Bez tam daudzās Krievijas pilsētās izveidojās vēl atsevišķas latviešu bruņotas nodaļas, kas piedalījās revolūcijas cīņās. Latviešu skaits revolūcijas karaspēkā aptuveni vērtējams pāris desmit tūkstošos.

Kad sākās padomju bruņoto spēku iebrukums Latvijā, iesāka formēt vēl otru latviešu divīziju. To tomēr nepaguva pilnīgi noorganizēt. 1919. gada vasarā, sarkanajiem pulkiem atkāpjoties no Rīgas un Vidzemes, tie stipri izirst (skat. 98. nod.). Tomēr ne visiem strēlniekiem rodas iespēja, ne arī visi vēlas pārnākt nacionālās armijas pusē. Dažiem to neļauj pašlepnums un šaubas, kā ar viņiem tādā gadījumā apiesies, citiem — ciešās saites ar vecajiem cīņu biedriem no pirmā pasaules kara laikiem. Kāds viņu bijušais komandieris (J. Razums) raksta: „Strēlniekiem bij ieradums, var teikt, streļķu psīcholoģija, ja kur iet — tad iet visiem..."

Tādā kārtā apmēram ⅔ joprojām paliek savos pulkos, lai gan komūnistu starp tiem ir tikai ap 6% (pēc pašu lielinieku ziņām). Abas latviešu divīzijas tagad atkal apvieno vienā un papildina ar tiem, kas palikuši Krievijā. Tomēr Latvijas frontē strēlniekus neatstāj, jo lielinieki tur viņiem vairs neuzticas. Strēlniekus atkal iesaista kaujās pret krievu baltajām armijām, kas cīnās par agrākās Lielkrievijas atjaunošanu. Pret bijušiem cara ģenerāļiem strēlniekiem ir vecs naids, un pret tiem viņi iet kaujā ar savu seno cīņas sparu. —

„Balto" krievu vadoņi, kurus atbalsta rietumu lielvalstis, nekā negrib dzirdēt par Krievijas apspiesto tautu (latviešu, igauņu, leišu, somu, ukraiņu u. c.) neatkarību. Tie vēlas nevien sakaut lieliniekus, bet arī iekļaut visas jaunās valstis „nedalāmajā" Krievijā. Tādēļ arī nav nekādas iespējas panākt saprašanos starp krievu baltajām armijām un jaunajām valstīm.

Tā rodas ļoti dīvains un sarežģīts stāvoklis. Latvija un viņas kaimiņvalstis atrodas karā ar lieliniekiem, bet tai pašā laikā tām jābaidās arī no „balto" armiju uzvaras par lieliniekiem Krievijā. Ja uzvarētu cara ģenerāļi, tad nav ko cerēt uz rietumu lielvalstu palīdzību, lai nosargātu iegūto brīvību. Sabiedrotie vairāk uzticas krievu ģenerāļu spējām, nekā maz pazīstamajām jaunajām valstīm. Tā ir kļūda, kurai likteņīgas sekas.

Krievijas pilsoņu kara izšķirīgajos notikumos vairākkārt ārkārtīga nozīme ir latviešu strēlnieku pulkiem. Kā nepārspējamus karotājus („revolūcijas priekšpulku") tos sūta cīņā visur, kur sarkanai armijai draud briesmas un sakāve. Latviešu divīzija (Latdivīzija) tādēļ ir bieži sadalīta pa dažādām frontēm. Tās pulkus pārsviež no vienas vietas uz otru, kā „glābšanas komandas" tur, kur noticis kāds frontes pārrāvums. Bieži vien pietiek ar ziņu, ka „latvieši tuvojas", lai balto krievu pulki pamestu kaujas lauku.

1919. gada oktobrī, kad Latvijas armija pie Rīgas

cīnās pret Bermonta un Golca „Rietumkrievijas armiju", cara ģenerālis Deņikins no Ukrainas ar uzvaru laužas Maskavas virzienā. Deņikina armijas priekšgalā iet trieciena divīzijas, kas sastādās tikai no cara virsniekiem — t. s. „drozdovci" u. c. Sarkanā armija tiek sakauta un bēg galvaspilsētas virzienā. Deņikins izsludina kaujas pavēli: „Uz Maskavu!" Lielinieku vara karājas mata galā. A.Čaks, kas kā sanitārs pavadījis strēlniekus pilsoņu kaŗā, raksta:

„Visi ceļi triekto pulku pilni;
Visa telpa viņu soļos sten.
Drozdoviešu trakais, baltais vilnis
Tos kā skaidas iznīcībā dzen."

Šajā brīdī pret Deņikina izlases spēkiem sviež latviešu strēlnieku divīziju. Maskavas liktenis izšķiŗas kaujās Orlas un Kromu pilsētu apkārtnē. Plkv. Vācietis par to saka: „Šis svarīgais vēstures mezgls bija jāatraisa latviešu strēlniekiem, un viņi to izdarīja ar vislielāko pašuzupurēšanos un ne ar ko nesalīdzināmu varonību divu nedēļu ilgstošās kaujās sirmās Kromu pilsētas apkārtnē." Kāds aculiecinieks (krievs Primakovs) raksta: „Pa slapjiem lauku ceļiem, pa nopļautiem laukiem, lietū, miglā gāja strēlnieku bataljonu kolonas, dobji dārdēja artilerijas bateriju riteņi... vēlā rudens dubļos, salā, slapjdraņķī latvju strēlnieki spīdēja ar disciplīnu..."

Šai latviešu strēlnieku divkaujai ar Deņikina armijas trieciena divīzijām veltītas A.Čaka rindas:

„Strēlniek, ciešāk turi saujā šauteni, lai durklis zib;
Jo tu stāj vissmagā kaujā, ko no tevis liktens grib.
Spēks, kas plūst tev mirdzot pretī, tas ir viņu
                                         beidzamais,
Savā apmātībā pretīgs, savā nežēlībā baiss."

Ar krievu virsnieku pulku sakāvi beidzas nežēlīgās kaujas pie Kromiem un Orlas, un sākas Deņikina armijas sabrukums. Līdz ar to sabrūk sapņi par „nedalāmās" Krievijas atjaunošanu.

Par šo strēlnieku kauju J. Medenis raksta:

„Kad tu uzvarēji Kromā, kas pie Orlas, kaujā baigā,
Kaujā ilgā — pāri spēku, asins sviedrus slaukot
vaigā,
Un kad kādu rītu juti, stāvu taisni liecot krasi,
Ka no vingrās rokas raidi citā gaitā zemes asi." —

102
LATVIJA SLĒDZ MIERU AR DIVĀM LIELVALSTĪM

„*Klusi rokas uzliekam
Brīvās Latves karogam.*"
(J. Rainis)

BERMONTA uzbrukums Rīgai nokavē Latgales atbrīvošanu no lieliniekiem. Tā sākas no jauna pēc bermontiešu satriekšanas.

Lai nodrošinātu ātrus panākumus, Latvijas valdība slēdz līgumu ar Poliju par kopīgu cīņu pret lieliniekiem (1919. gada 29. dec.). Poļi sūta latviešiem palīgā 20 000 vīrus ģenerāļa Smiglija-Ridza vadībā.

1920. gada 3. janvārī apvienotie latviešu un poļu spēki pāriet uzbrukumā. Sarkanās armijas pretestību salauž visā frontē, un jau cīņu sākumā krīt Daugavpils. 14. janvārī Latgales partizānu pulks ieņem Abreni, 21. janvārī atbrīvo „Latgales sirdi" — Rēzekni.

Godinot Latvijas armijas varonīgās cīņas, Tautas padome 23. janvārī ar sevišķu lēmumu paaugstina armijas komandieri pulkvedi Balodi ģenerāļa pakāpē. Pēc nepilna mēneša kaujām (1. februārī) latviešu karaspēks visā plašumā sasniedz Zilupi — valsts robežu.

Jau 1919. gada rudenī Padomju Krievija uzaicina Baltijas valstis sākt miera sarunas. Rietumu lielvalstis turpretī vēlas, lai latvieši un igauņi turpina karu pret lieliniekiem. Tomēr tai pašā laikā lielvalstis vairākkārt noraida Baltijas valstu lūgumus atzīt viņu neatkarību de jure. Sabiedroto pārstāvji paziņo baltiešu diplomātiem: „Bez baltās Krievijas valdības piekrišanas mēs Baltijas valstu neatkarību atzīt nevaram." Tādēļ arī Versaļas miera līgumā (1919. g. 28. jūn.), kas pieliek punktu pirmajam pasaules karam, ne ar vārdu nav pieminētas neatkarīgas Baltijas valstis. Tur runā vienīgi par šo apgabalu pagaidu valdībām.

Sevišķi vēsas pret jaunajām valstīm ir Francija un Amerika. Franči ir aizdevuši cara Krievijai vairākus miljardus franku un baidās, ka naudu zaudēs, ja neatjaunosies vecā „nedalāmā" Krievija. Amerikas prezidents V.Vilsons ir gan kļuvis slavens ar kādu paziņojumu — „katrai tautai ir tiesības pašai noteikt savu nākotni", bet to viņš dīvainā kārtā negrib attiecināt uz Krievijas apspiestajām tautām. Minētais paziņojums bija domāts galvenā kārtā Austroungārijas ātrākai satriekšanai pasaules karā. Par Krieviju Vilsonam ir ļoti miglaini priekšstati. Nekrievu tautu brīvības centienu lielo nozīmi viņš neprot novērtēt. Lai gan tajā laikā rietumos paceļas arī balsis Baltijas neatkarības labā, taču tās paliek bez ievērības. Tādā kārtā, protestējot pret sabiedroto Krievijas politiku, 1919. gadā no Baltijas lietu komisijas Parīzē aiziet Harvardas Ūniversitātes vēstures docents S. E. Morisons. Viņš publicē rakstu, kura noslēgumā teikts: „Latviešu, igauņu un leišu nacionālie centieni nav nekādas iedomas, bet gan reālitātes, kuru neievērošana pasaules kara uzvarētājiem nenāk par labu." —

Angļiem tik daudz nerūp vecās Krievijas atjaunošana, bet tiem jāievēro pārējo sabiedroto — Francijas un Amerikas nostāja.

Latvijas valsts visu brīvības cīņu laikā saņem kā aizdevumu nepilnu 1/13 no tā atbalsta, ko angļi dod vienam pašam ģenerālim Deņikinam (tas saņem 26 miljonus angļu mārciņu). Nespējīgo un izkurtējušo cara ģenerāļu atbalstam sabiedrotie izdod neskaitāmus miljonus. Liela daļa no šiem līdzekļiem nekad nenonāk frontes vajadzībām, bet tiek izšķērdēti un nodzīvoti aizmugurē vai nozagti un noblēdīti. Tikai vēlāk atklājas, ka šī nauda ir veltīgi „nomesta zemē".

Kad Ulmanis kaŗa turpināšanai pieprasa angļu aizdevumu un kaŗa materiālus armijas palielināšanai, angļu ministru prezidents Loids Džordžs to noraida (1919. g. 21. sept.).

Šādos apstākļos Baltijas valstis izšķiŗas sākt miera sarunas ar Padomju Krieviju. Igaunija pirmā paraksta miera līgumu ar lielinieku valdību. 1920. gada 1. februārī Latvija noslēdz pamieru ar Padomju Krieviju, bet to vēl tur slepenībā.

Nelielas kaujas un izlūku gājieni Krievijas pierobežā turpinās visu vasaru. Ar savu pārgalvību tur izceļas dēkainais kapteinis Helmanis. Izlūku grupas priekšgalā viņš kilometriem tālu izsiro visu sarkanās armijas aizmuguri. No šiem gājieniem tas pārved daudz kaŗa materiālu, pajūgu, gūstekņu un pat vairākus lielgabalus. Helmaņa izdomai un nebēdībai raksturīgs šāds gadījums: kādreiz atceļā no lielinieku aizmugures viņa izlūkiem uzbrūk lielāki krievu spēki. Tā kā latvieši šai gājienā ir saņēmuši gūstā krietnu skaitu sarkanarmiešu, Helmanis pavēl gūstekņiem bļaut „urrā", cik vien jaudas.

Uzbrucēji, domādami, ka tie sastapušies ar stipru latviešu vienību, pamet cīņas lauku. Helmaņa grupa netraucēta sasniedz robežu, un, lai būtu jautrāka soļošana, kapteinis liek gūstekņiem visu ceļu dziedāt sarkanarmiešu dziesmas. — Pamazām apklust arī pēdējās cīņas. 1920. gada 11. augustā Rīgā paraksta Latvijas un Padomju Krievijas miera līgumu. Tā otrais pants skan: „Padomju Krievija bez ierunām atzīst Latvijas valsts neatkarību, patstāvību un suverēnitāti un uz mūžīgiem laikiem atsakās no visām tiesībām, kuŗas piederēja Krievijai uz Latvijas tautu un zemi." Lielinieku valdība bez tam izmaksā Latvijai 4 miljonus zelta rubļu. Līgums paredz tiesības latviešu bēgļiem atgriezties dzimtenē.

Tādā kārtā Padomju Savienība kā pirmā valsts atzīst Latvijas neatkarību de jure, jo jūtas spiesta to darīt. Kādā runā 1920. gadā lielinieku vadonis Ļeņins saka: „Ja visas šīs mazās valstis būtu maršējušas pret mums... mēs bez šaubām būtu sakauti. Tas ir katram skaidrs. Bet tās nemaršēja pret mums..."

Var jautāt: kas būtu noticis, ja sabiedrotie 1919. gadā izšķirtos atzīt minēto valstu neatkarību un pietiekami atbalstītu tās ar kaŗa materiāliem turpmākā cīņā (Baltijas valstis un visas pārējās Krievijas „robežvalstis")? — To mēs nezinām, jo sabiedrotie to nedarīja. Bet iespējams, ka Ļeņina baigā nojauta būtu piepildījusies, un lielinieku varai būtu gals. —

Jau 1920. gada 15. jūlijā Latvija bija noslēgusi pagaidu miera līgumu ar Vāciju. Vēlāk to apstiprina galīgi.

Tā 1920. gadā ar uzvaru beidzas Latvijas brīvības cīņas, un latvieši noslēdz miera līgumus ar divām lielvalstīm — Vāciju un Padomju Krieviju. Brīvības kaŗu

Latvijas valdība sāk ar 400 karavīriem. To nobeidzot Latvijas armijā zem ieročiem atrodas ap 80 000 vīru. Atbrīvotajā valstī pamazām atgriežas daļa no svešumā izklīdinātiem. —

103
PĒC PĒDĒJĀS KAUJAS

"Tie ir — strēlnieki, kuŗu vairs nava
Un kuŗu nebūs otrreiz vairs.
Tikai viņu mūžīgā slava
Tautu sargās kā karogs kairs."
(A. Čaks)

LIELINIEKU vadoņi visiem spēkiem cenšas noslēpt latviešu sarkanajiem strēlniekiem ziņas par to, kas īstenībā notiek Latvijā. Viņi izplata dažādus melus par Latvijas valdību, glaimo strēlniekiem un sola tiem visādus labumus. Tā lielinieki cer slaveno ,,Latdivīziju" (Latviešu divīziju) paturēt savās rokās. Tomēr tas nenākas viegli. Kāds komūnistu varas vīrs (R. Apins) vēlāk atzīstas: — Latdivīzija atšķīrās no citām sarkanarmijas daļām ar to, ka tai bija īpašs ,,Latvijas jautājums". No šī jautājuma pareizas apgaismošanas atkarājās divīzijas kaujas spējas. —

Lielinieki, cik ilgi varēdami, slēpj, ka ar Latviju noslēgts miers un ka latviešiem ir tiesības atgriezties savā dzimtenē. Tomēr šī ziņa pamazām sasniedz strēlniekus un rada lielu saviļņojumu.

Tajā laikā Ukrainā norisinās pēdējās cīņas ar ,,baltā" krievu ģenerāļa Vrangela (Deņikina pēcnācēja) armiju. Vairākās latviešu vienībās sasauc sapulces, un strēlnieki pieprasa: ,,Visiem latviešiem, kas to vēlas, jāļauj atgriezties dzimtenē." — Daļa strēlnieku atklāti atsakās turpināt cīņu sarkanarmijas rindās.

Ar lielām pūlēm lielinieki beidzot pierunā strēlniekus piedalīties vēl pēdējā lielajā pilsoņu kaŗa kaujā. Tā notiek pret ģen. Vrangela spēkiem Krimas pussalā pie Perekopiem.

Grūti valdāmai un lepnajai Latdivīzijai jāveic gandrīz neiespējams uzdevums. Ejot pāri kādam seklam jūŗas šaurumam, tai jāieņem cietoksnim līdzīgas ienaidnieka pozicijas. Latdivīzija savā pēdējā kaujā cieš ārkārtīgi asinainus zaudējumus, bet arī šoreiz satriec pretinieku. Uz šo kauju attiecas J. Medeņa drūmais pants:

„... Un no Perekopas lauka celies pretī gaisam
   tīram, —
No tā lauka, kur par brīvi kriti tu līdz pēd'jam
   vīram."

Daļa strēlnieku tomēr pārdzīvo arī šo kauju. Tie, kas izšķīrušies par atgriešanos, vairs neklausa nekādām lielinieku pavēlēm un solījumiem. Apbruņojuši veselu vilcienu ar lielgabaliem un ložmetējiem, viņi Padomju Krievijā paceļ Latvijas nacionālo karogu un dodas uz mājām.

Strēlnieku kaujas slava vēl ir tik liela, ka neviens neuzdrošinās tiem stāties ceļā. Kad kādā stacijā (Ruzajevkā) tiem izsaka aizrādījumus par viņu „pilsoņu markas" karogu, strēlnieki pavēl lielinieku sarkano karogu noliekt sveicienam Latvijas karoga priekšā. Šo strēlnieku dēkaino ceļojumu caur Padomju Krieviju apdzejojis A. Čaks poēmā „Strēlnieku atgriešanās". Tanī viņš tēlo notikumus Ruzajevkas stacijā:

„Tikai tamdēļ visur svilpes kauc,
Kauc kā suņi nelaimē bez stājas,
Ka no frontēm latvju streļķi brauc,
Brauc uz dzimteni, uz savām mājām..."

Sākot ar 1920. gadu, gan lielākās, gan mazākās grupās Latvijā atgriežas daļa no leģendārās Latdivīzijas karotājiem, kuŗu durkļu priekšā bija drebējusi visa plašā Krievija.

Tā sauktos sarkanos latviešu strēlniekus labi raksturo kāds gadījums, ko atstāstījis vēlākais Latvijas iekšlietu ministrs G. Mīlbergs. Viņš bijis to valdības pārstāvju vidū, kas pie Latvijas robežas sagaidījuši un apsveikuši mājās braucējus sarkanos strēlniekus. Strēlnieku izvēlētie pārstāvji paskaidrojuši, ka jūtoties maz ko palīdzējuši Latvijas neatkarības izcīnīšanā. Bet viņi gribot savu parādu uz vietas nolīdzināt un lūdza tiem norādīt, no kādiem apgabaliem lai izdzen krievus un cik tālu uz austrumiem lai paplašina Latvijas robežas. Paši viņi piedāvāja „iztīrīt" Minskas un Smoļenskas guberņas. Tad viņi varētu dzimtenē atgriezties ar paceltu galvu, kā savu daļu līduma nolīduši strādnieki. Tikai ar lielām pūlēm izdevies strēlniekus no tāda pasākuma atrunāt (Latvija bija noslēgusi mieru ar Pad. Krieviju). Bet strēlnieki jutušies ļoti neapmierināti, ka tiem jāatsakās no sava nodoma — pasniegt dāvanu latviešu tautai. —

Tajā pašā laikā no Tālajiem Austrumiem (Vladivostokas), apbraucot pus zemes lodes, dzimtenē ierodas Imantas un Troickas strēlnieku pulki. Tie bija saformēti Sibirijā no latviešu strēlniekiem un bēgļiem, kas jau sākumā bija nostājušies pret lielinieku varu. „Imantieši" 1918. gadā (jau pirms Latvijas neatkarības pasludināšanas) bija Sibirijā pacēluši Latvijas nacionālo karogu. Viņu gaitas un tālais brauciens uz mājām atbalsojas A. Švābes dzejoļu krājumā „Gong-gong":

„Tālums bij prātā,
Kad izklīdām pasaulē
Likteņa vējos;

Svešumā atskurba sirds:
Tēvzemes kalvē tev degt!..."

Imantas un Troickas pulkus svinīgi apsveic valdības pārstāvji. Rīdzinieki tos saņem ar ziediem un gavilēm. Tā 1920. gadā noslēdzas latviešu tautas lielais varoņu laikmets (1915.—1920. g.). Tas iesākas pirmajiem latviešu strēlnieku bataljoniem parādoties Rīgas frontē un nobeidzas ar nacionālās armijas uzvarām brīvības cīņās un strēlnieku likteņīgajām kaujām Krievijas pilsoņu karā.

Šajā laikā latviešu karotāju slava sasniedz vēl neredzētus augstumus. Jaunāko laiku vēsturē grūti atrast piemēru, kur samērā neliels karaspēks būtu tik lielā mērā ietekmējis vēstures gaitu. Tas rāda, cik nenoteikti izšķirīgos brīžos ir tādi jēdzieni kā ,,liels" un ,,mazs". Tas rāda, cik bīstami arī lielām varām ir apspiest mazākas tautas.

Salīdzinot Latvijas brīvības cīņu dalībnieku un latviešu sarkano strēlnieku cīņas, J. Medenis raksta (,,Veterānu saruna"):

,,Mēs divi galotnes uz simtgadīgā koka,
Šī stiprā ozola, ko niknas vētras loka,
Pret vienu otru sit, lai spējāk sulas trīs, —
Tās redzam ieaugam vēl augstāk debesīs!"

,,Mans veco brāl, kur kaps tev rakts?

Kur, otro brāl, dun tava lakts?

Kur, jaunais brāl, kūp tava dakts?"
(J. Medenis)

104
**PIEMINIET
SVEŠUMĀ RAKTOS!**

1914. GADĀ Latvijā bija 2,5 milj. iedzīvotāju. Pasaules kara laikā no Latvijas aizklīst gandrīz miljons ļaužu. Pēc miera noslēgšanas ar Padomju

Krieviju mājās pārrodas ap 240 000 bēgļu, un 1925. gadā Latvijā ir 1,8 milj. iedzīvotāju (1930-to gadu beigās iedzīvotāju skaits pieaug līdz 2 milj.). — Kur paliek iztrūkstošie 700 000?

Zināms skaits starp tiem ir krievu ierēdņi un strādnieki, kas bija sasūtīti mūsu zemē un kuŗiem tur vairs nebija ko meklēt. Tomēr arī tad latviešu zaudējumi pārsniedz pusmiljonu, jeb ceturto daļu no tautas.

Ļoti daudz bēgļu bija gājuši bojā slimībās un badā, vairāki desmit tūkstoši latviešu kaŗavīru bija krituši dažādos cīņu laukos. Bet krietns skaits ir arī tādu, kas dažādu iemeslu dēļ savā tēvzemē neatgriežas.

Latviešu bēgļu atgriešanos visādi kavē lielinieki un cenšas tos pierunāt palikt Padomju Savienībā (tā vēlāk pārdēvē Padomju Krieviju). Daudzi tur arī paguvuši iekārtoties uz dzīvi un nevar saņemties sākt visu atkal no gala. Jāievēro, ka pirmajos gados Padomju Savienībā vēl valda zināma brīvība, un vergu nometnes tur vēl nav ierīkotas.

Tur, protams, paliek latviešu komūnisti. Arī daļa sarkano strēlnieku paklausa vilinājumiem un solījumiem. Dažus gadus pēc pilsoņu kaŗa viņi vēl tiek godāti un cildināti. Sarkanarmijas klubus grezno gleznas ar strēlnieku cīņu attēliem, Maskavas Kremlī (senajā caru mītnē) atrodas viņu mūzejs, viņu vārdā nosauc bruņu mašīnas, lidmašīnas u. t. t.

No strēlnieku rindām nāk sarkanie ģenerāļi — Alksnis (padomju gaisa flotes virspavēlnieks), Apse, R. Bērziņš, Boķis, Eidemanis, Fabriciuss, Miezis, Ozols un daudzi citi augstāki padomju virsnieki.

Latviešu lielinieki ieņem nesamērīgi lielu skaitu visaugstāko amatu Padomju Savienībā. Tie atrodami gan valdībā kā tautas komisāri, gan partijas augstākajā vadībā (J. Bērziņš, Daniševskis, Eiche, Kaktiņš, Knoriņš, Lācis, Peters, Reķis, Rudzutaks, Smilga, Stučka u. c.). Līdz 1930-tiem gadiem latviešiem Padomju Savienībā ir savas skolas, veikali, klubi, teātŗi un grāmatu apgādi — ,,Prometejs" un ,,Spartaks".

Kad Ļeņina pēcnācējs Staļins ir paguvis nostiprināt savu varu, viņš pamazām novāc no ceļa visus ievērojamākos oktobŗa revolūcijas vadoņus un cīnītājus. Turpmāk visus nopelnus Staļins piedēvē vienīgi sev.

Šais Staļina ,,tīrīšanās" krīt arī visu varenāko latviešu lielinieku un sarkano ģenerāļu galvas. Slēdz latviešu skolas, klubus un grāmatu apgādus. Staļins liek pārrakstīt revolūcijas un pilsoņu kaŗa vēsturi un izdzēš no tās gandrīz pilnīgi strēlnieku vārdu. Rūpīgi iznīcina vai noklusē visu, kas varētu liecināt par latviešu varas laikiem Krievijā. Tomēr vēl līdz mūsu dienām Padomju Savienībā ļaužu mutē uzglabājies izteiciens: ,,Ļeņins izdarīja revolūciju, balstoties uz krievu muļķību, žīdu galvām un latviešu durkļiem." —*)

Sarkanarmijas pirmais virspavēlnieks, zemgaliešu pulkvedis J. Vācietis, nekad nekļūst komūnists. Viņu atceļ 1919. gada jūlijā un apcietina. Pēc neilga laika to atbrīvo un ieceļ par profesoru Kaŗa Akadēmijā Maskavā. Ir zināms, ka viņš vēlējies atgriezties dzimtenē. Lai latviešu priekšā aizstāvētu un izskaidrotu savu rīcību, Vācietis tūliņ pēc pilsoņu kaŗa beigām saraksta plašu apcerējumu — ,,Latviešu strēlnieku vēsturiskā nozīme" (I—II, 1922.—24.). Šajā darbā viņš izsaka cerību, ka vēstures tiesa kādreiz attaisnos viņa gaitas un rīcību. Taču pētīšanas darbs par šo laikmetu ir vēl tikai pašā sākumā.

Tēvzemes vārti pulkvedim Vācietim nekad neatveŗas.

* Skat. J. Scholmer, Die Toten kehren zurück. Berlin 1954, 128. lpp.

Viņa dēkainais mūžs nobeidzas Staļina lielo „tīrīšanu" laikā 1936.—39. g. Viņa kapa vieta laikam paliks nezināma. —

Latviešu tautas dzīvā spēka zaudējumi pirmā pasaules karā un bēgļu laikos — apm. 25% — ir lielāki nekā jebkuŗai citai tautai. Līdzīgi tas ir ar latviešu zemi un mantu. Latvija ir ilgus gadus bijusi kaujas lauks. Vairāk nekā 180 000 ēku ir pilnīgi vai pa daļai nopostītas. Daudzās vietās rēgojas saārdīti nocietinājumi, dzeloņstiepuļu aizsprosti un ierakumu līnijas. Rūpnīcu mašīnas un vērtīgākās mantas ir aizvestas uz Krieviju. To, kas atlicis, izlaupa vācu kaŗaspēks, atkāpjoties no mūsu zemes.

Bet sasniegts ir neiedomājami daudz — izcīnīta brīva Latvijas valsts. Latvieši ir kļuvuši atkal kungi savā zemē.

Vēl gan dzirdamas skauģu un ienaidnieku balsis, ka latvieši nespēs savu valsti uzcelt un nodrošināt labklājību tās iedzīvotājiem.

Bet tiem drīz vien jāapklust. Latvieši pierāda, ka nevis manta, bet darbs ir svarīgākais. Ar lielu enerģiju un ticību tauta ķeŗas pie nākotnes uzdevumiem. —

To trimdinieku vidū, kas 1920. gadā atgriežas tēvzemē, ir arī brīvās Latvijas pareģis un pirmais sludinātājs Jānis Rainis. Viņa sagaidīšana kļūst par īstiem tautas svētkiem. Lielā dzejnieka un cīnītāja godināšanā apvienojas visi latvieši bez partiju izšķirības.

1920. gada 10. aprīlī Rīgas staciju grezno zaļumu vītnes un valsts karogi. Šai dienā pēc 14 trimdas gadiem savā zemē atkal ierodas Rainis un Aspazija. Tos sagaida Tautas padomes, valdības, armijas, Rīgas pilsētas, Nacionālā teātŗa, operas, ūniversitātes, konservātorijas un daudzu organizāciju pārstāvji. Ielās drūzmējas ļaudis un karavīri, lai vaigā skatītu to, kas tiem rādījis ceļu uz brīvību.

Divus lepnākos Rīgas bulvārus pilsētas dome vienprātīgi ir likusi nosaukt Raiņa un Aspazijas vārdā. Vaļējā auto abi dzejnieki lēni brauc pa galvaspilsētas ielām, un tos pavada nepārtraukti tautas suminājumi.

Šādu sagaidīšanu sirmajā Rīgā vēl nebija piedzīvojis neviens. Un grūti pateikt, kas bija vairāk aizgrābti — Rainis un Aspazija, vai viņu sagaidītāji. —

„Tagad nāk brīvības valsts..."
(J. Rainis)

105
LIKUMS, KAS NOSTIPRINA VALSTI

1920. GADA aprīlī Latvijā notiek pirmās brīvās, vispārējās vēlēšanas. Tautai jāizvēl 152 pārstāvji, kuri izstrādās jaunās valsts pamatlikumu — satversmi. Tādēļ arī vēlēto tautas pārstāvju sanāksmi nosauc par Satversmes sapulci.

Tai jāizšķir arī svarīgais jautājums par zemes īpašuma tiesībām. Tauta sagaida, ka tiks izlabota senā netaisnība un tā atgūs ar varu un viltu atņemto zemi. (skat. 33., 34., 44., 59. un 64. nod.).

Vēl joprojām puse no visas lauksaimniecībā derīgās zemes atrodas nedaudzu muižnieku īpašumā. Tas bija viens no galveniem iemesliem, kādēļ daudzi latvieši pirmajos pēcrevolūcijas gados noticēja lielinieku solījumiem par taisnību un vienlīdzību zemes virsū. Jaunajai valstij ir ļoti svarīgi novērst netaisno zemes īpašumu sadali. Jau pirmais latviešu virspavēlnieks plkv. Kalpaks vairākkārt norādīja, ka nepieciešams sadalīt muižu zemi. 1919. gadā Pagaidu valdība arī sāka reģistrēt bezzemniekus, kuri vēlējās iegūt paši savas saimniecības.

Vislielākos panākumus Satversmes sapulces vēlēšanās gūst sociāldemokratu partija — 38,7% no visām balsīm. Tad seko Zemnieku savienība (17,8%) un Latgales katoļticīgo zemnieku partija (15,4%).

Satversmes sapulce sāk darbu 1920. gada 1. maijā un par priekšsēdi ievēl Jāni Čaksti. Visas latviešu partijas ir vienprātīgas, ka steidzami jānokārto jautājums par zemes iekārtu. Domas dalās tikai par veidu, kā agrārā (=zemes) reforma izdarāma.

Šī jautājuma apspriešanai izvēl 40 vīru komisiju. Kad tās izstrādāto likumu liek priekšā Satversmes sapulcei, komisijas ziņotājs saka zīmīgus vārdus:,,Šodien Augstais nams stājas pie tā likuma apspriešanas, kas izšķirs jautājumu, būt vai nebūt Latvijas valstij." —

1920. gada 16. septembrī Satversmes sapulce ar visu latviešu partiju balsīm pieņem likumu par agrāro reformu. Tas apstiprina kaujas laukā izcīnīto zemnieku sētas uzvaru par muižu (skat. 99. nod.). Likums pasludina muižu zemi par valsts īpašumu un ieskaita to valsts zemes fondā. Tiem muižniekiem, kas nav cīnījušies pret Latvijas valsti, atstāj īpašumā 50—100 hektarus. Par atsavināto zemi nekādu atlīdzību tie nesaņem.

Muižu zemi valsts sadala jaunsaimniecībās, ne lielākās par 22 hektariem. Tās pret nelielu atlīdzību piešķiŗ bezzemniekiem, pirmā kārtā Latvijas brīvības cīnītājiem. Invalidi zemi saņem pilnīgi bez atlīdzības. Ja 1920. gadā Latvijā ir ap 140 000 lauku sētu, tad 1935. gadā to skaits ir 275 000. Šis likums nostiprina Latvijas valsts pamatus un novērš komūnisma draudus.

Sevišķi lielas un nozīmīgas pārmaiņas notiek Latgalē. Valdība visiem spēkiem veicina viensētu nodibināšanos agrāko ciemu vietā. Tā izbeidzas neizdevīgā zemes koplietošana (skat. 66. nod.), un var sākties labāka un modernāka saimniekošana. Līdz ar to Latgale lielā mērā atkal tuvinās tai kārtībai un dzīvei, kas valda pārējos latviešu novados. —

Neapmierinātie vācu muižnieki par muižu atsavināšanu iesniedz sūdzību Tautu savienībā, kas dibināta 1919. gadā, lai veicinātu mieru un izšķirtu strīdus valstu starpā. Muižnieku sūdzību Tautu savienība noraida 1925. gadā.

Šai sakarā vēlākais Latvijas vēstures profesors Arveds Švābe arī saraksta savu ievērojamo pētījumu — „Latvijas agrārā vēsture" (1928. g.), kas tulkots vācu, angļu un franču valodā.

Muižnieki un citi nelabvēļi pareģo lauksaimniecības sabrukumu Latvijā, jo jaunsaimniecības nevarēšot pastāvēt, un ražošana samazināšoties. Laiks tomēr pierāda gluži pretējo. Turpmākos gados Latviju apmeklē daudzi ārzemnieki, lai iepazītos un studētu latviešu lielo zemes reformu.

Tajā pašā laikā Satversmes sapulce gatavo un apspriež valsts iekārtas pamatlikumu — Latvijas satversmi.

„*Mēs gribam būt kungi mūsu dzimtajā zemē, Mēs gribam še paši sev likumus lemt.*"
(V. Plūdonis)

106. TĒVZEMES TĒVU DARBS

1922. GADA 15. februārī Satversmes sapulce pabeidz izstrādāt un pieņemt Latvijas valsts iekārtas pamatlikumu. To parasti mēdz saukt par „1922. gada satversmi", un tā vēl šodien ir Latvijas vienīgi likumīgā konstitūcija.

Latviešu tautas vēstures gaitas un pieredze nosaka šīs satversmes veidu. Latvieši bija smagi izjutuši vienvaldīgā krievu ķeizara un vācu baronu kundzību. Dabīgi, ka jaunā valsts kļūst republika (ar vēlētu valsts galvu) un nevis karaļvalsts.

Latviešu tautā šķiru starpība visumā nekad nav bijusi liela. Visu šķiru pārstāvji bija kopīgi piedalījušies brīvības izcīnīšanā. Saprotams, ka Latvijai jākļūst par demokratiju — valsti, kuŗā vara pieder tautai.

Šīs divas pamatdomas (principi) izteiktas jau 1918. gada 18. novembŗa deklarācijā: ,,Latvija ir neatkarīga demokratiski republikāniska valsts."

Tas arī galīgi noteikts Latvijas satversmē:

1. § : Latvija ir neatkarīga demokratiska republika.
2. § : Latvijas valsts suverēnā (neierobežotā) vara pieder Latvijas tautai.
3. § : Latvijas valsts territoriju starptautiskos līgumos noteiktās robežās sastāda Vidzeme, Latgale, Kurzeme un Zemgale.
4. § : Latvijas valsts karogs ir sarkans ar baltu svītru.

Tā kā visa tauta nevar piedalīties likumu un valsts lietu izlemšanā, tad tā šīs tiesības uztic saviem vēlētiem pārstāvjiem. Šo tautas pārstāvju sapulci sauc par Latvijas Saeimu (parlamentu). —

5 § : Saeima sastāv no simts tautas priekšstāvjiem.
6. § : Saeimu izvēlē vispārīgās vienlīdzīgās, tiešās, aizklātās un proporcionālās*) vēlēšanās.
8. § : Vēlēšanu tiesības ir abu dzimumu pilntiesīgiem Latvijas pilsoņiem, kas vēlēšanu pirmā dienā ir vecāki par 21 gadu.

---
*) Partijas, kas piedalās vēlēšanās, iegūst Saeimā tādu vietu skaitu, kas atbilst par tām nodoto balsu skaitam.

10. § : Saeimu izvēl uz 3 gadiem.
Izpildu vara (likumu izpildīšana un valsts pārvalde) atrodas ministru kabineta, tas ir, valdības rokās. —
55. § : Ministru kabinets sastāv no ministru prezidenta un viņa aicinātiem ministriem.
59. § : Ministru prezidentam un ministriem viņu amatu izpildīšanai ir nepieciešama Saeimas uzticība, un viņi par savu darbību ir atbildīgi Saeimas priekšā...

Tas nozīmē, ka galvenā vara ir Saeimas rokās. Iekārtu, kuŗā valdība ir atkarīga no tautas vēlēto pārstāvju uzticības, sauc par parlamentārismu. Pēc pirmā pasaules kaŗa demokratiska un parlamentāriska iekārta nodibinās gandrīz visā Eiropā.

Latvijas satversme bez tam paredz zināmos gadījumos tautas nobalsošanu. Tautas nobalsošanā pieņemtie lēmumi ir galīgi.

Valsts augstākā amata persona ir valsts prezidents. Daļa Satversmes sapulces locekļu bija par tautas vēlētu valsts prezidentu ar samērā plašām tiesībām. Vairākums tam tomēr nepiekrita, jo Latvijai nevajagot „nekronētu ķeizaru". Tādēļ 1922. gada satversmē valsts prezidenta vara ir stipri ierobežota.

Viņu izvēl Saeima uz 3 gadiem. Viņa vietnieks ir Saeimas priekšsēdis. Valsts prezidents reprezentē valsti starptautiski, ieceļ sūtņus un ir augstākais armijas virspavēlnieks. Bet valdības un Saeimas darbā viņa ietekme ir ļoti maza.

Tādā kārtā var teikt, ka Latvijas satversmes tēvi savā darbā ir vadījušies no trīs pamatdomām — republikānisma, demokratisma un parlamentārisma.

Kā galvenie paraugi tiem ir noderējuši Francijas, Vācijas (1919. gada) un Šveices republiku satversmes.

Viņi vēlējās Latvijai dot iespējami labāko, brīvāko un tai laikā modernāko valsts iekārtu. Latviešu sociāldemokratu līders Br. Kalniņš vēlāk (1950. g.) raksta: „Iespējams, ka savā centībā viņi bija gājuši druku par tālu." —

Paveikusi savus uzdevumus, Satversmes sapulce 1922. gadā izbeidz savu darbu. Vēl tai pašā gadā notiek pirmās Saeimas vēlēšanas.

Kā pārējās valstis skatās uz jauno Latvijas republiku?

107
LATVIJA KĻŪST LIKUMĪGI ATZĪTA VALSTS

„Dēls, lai neatskan vairs lāsti!
Lāsti beidzas līdz ar karu.
Tikai nebeigsies ne mūžam
Slava tiem, kas brīvei krita."
(J. Rainis)

GRŪTAS UN sarežģītas bija Latvijas un pārējo Baltijas valstu brīvības cīņas. Tikpat grūti tām nācās izcīnīt savas neatkarības likumīgu atzīšanu no citu valstu puses. Šai jautājumā izšķirīgais vārds piederēja pirmā pasaules kaŗa uzvarētājiem, galvenā kārtā Francijai, Anglijai un A. S. V. (mazākā mērā — Italijai un Japānai).

Vēl joprojām nākas dzirdēt un lasīt apgalvojumus, ka rietumu lielvalstis bijušas tās, kas „radījušas Baltijas valstis". To vēlāk it īpaši mēdza apgalvot Padomju Savienība, dēvējot Baltijas valstis, Somiju un Poliju par A. S. V., Anglijas un Francijas „piedēkļiem", „kolonijām" u. t. t. Vēsturiskie fakti rāda pavisam ko citu.

Latvija un pārējās minētās valstis neieguva savu brīvību tādēļ, ka viņām to kāds būtu gribējis dāvināt. Tādas lietas pasaules vēsturē nemēdz notikt. Gluži otrādi — katrai jaunai valstij sākumā ir jāpārvar liela pretestība, neuzticība, neizpratne, bieži vien skaudība un nelabvēlība. Tas arī ir gluži dabīgi un saprotami. Jāievēro, ka rietumos par Baltijas tautām bija ārkārtīgi miglaini un lielā mērā nepareizi priekšstati.

Kad šo rindu autors 1955. gadā kādā zviedru vēsturnieku sanāksmē starp citu nolasīja to, kas pirms pirmā pasaules kaŗa kādā iecienītā zviedru rokas grāmatā rakstīts par latviešiem, klausītāji izplūda skaļos smieklos. Bet Latvijas tapšanas laikā ārzemnieki vēl visā nopietnībā ticēja dažādām aplamībām par mūsu zemi un tautu.

Daudz kas atkarājās no pilsoņu kaŗa iznākuma Krievijā. Francija bija piešķīrusi vecajai Krievijai lielus aizdevumus. Viņa baidījās šo naudu pazaudēt un tādēļ līdz pēdējam atbalstīja dažādus „nedalāmās Krievijas" atjaunotājus. Francija labprāt vēlējās lielu un stipru Krieviju. Tā varētu arī nākotnē būt franču sabiedrotais pret Vāciju.

Amerikas prezidents V. Vilsons pareģoja drīzu „nekārtību" (t. i. komūnisma) izbeigšanos Krievijā. Tad atkal nodibināšoties „brīva, apvienota Krievija", un to nedrīkstot dalīt (skat. 102. nod.).

Angļu valstsvīri apsvēra visādas iespējas, tomēr joprojām izturējās atturīgi pret jaunajām valstīm.

Tādēļ visas latviešu diplomātu pūles panākt Latvijas atzīšanu de jure kā 1919., tā 1920. gadā cieš neveiksmi. Tas savukārt pamudina Latviju slēgt mieru ar Padomju Savienību. Šī valsts arī pirmā atzīst Latviju de jure.

Pamazām rietumu lielvalstīm tomēr jāmaina sava nostāja pret Baltijas valstīm. Viens pēc otra cara ģenerāļi tiek sakauti Krievijas pilsoņu kaŗā. 1920. gada novembrī pēdējā „Krievijas atjaunotāja" — ģen. Vrangela armijas atliekas sakāpj franču kuģos un atstāj Krimas pussalu (skat. 103. nod.).

Pa to laiku Baltijas valstis ir iztriekušas no savas territorijas visus ienaidniekus un ar panākumiem uzsāk dzīves atjaunošanu. Angļu diplomāts un vēsturnieks Kers (E. H. Carr) vēlāk saka: „Baltijas valstu nacionālās valdības izrādījās vairāk dzīvotspējīgas, nekā tas sākumā izlikās..."

1920. gada novembrī Latvijas pārstāvji ārlietu ministra Meierovica vadībā par jaunu dodas uz ārzemēm, lai turpinātu cīņu par savas valsts atzīšanu un uzņemšanu Tautu savienībā. Vislielāko labvēlību Baltijas valstīm parāda Italija, kuŗai nav nekādu interešu Krievijā. Jau 1920. gada decembrī tā balso par Latvijas (tāpat Igaunijas un Lietuvas) uzņemšanu Tautu savienībā, tomēr vairākums to noraida. Bet tā ir pēdējā neveiksme.

1921. gada sākumā Francijā nodibinās jauna valdība ar A.Brianu priekšgalā. Šis valstsvīrs ir draudzīgi noskaņots pret Baltijas valstīm. 26. janvārī notiek rietumu sabiedroto Augstākās padomes sēde. Ar dedzīgu runu uzstājas itaļiešu ārlietu ministrs, grāfs Sforca: „Mums nevajadzētu būt krieviskākiem par krievu valdību, kas jau atzinusi Baltijas valstis de jure..." Ledus beidzot ir salauzts. Augstākā padome ar visām balsīm (Francijas, Anglijas, Italijas, Beļģijas un Japānas) nolemj atzīt Latviju un Igauniju de jure. Tai pašā dienā Latvija saņem līdzīgu paziņojumu no Somijas un Polijas.

Šīs ziņas izplatās vēja ātrumā. Latvijā valda īsts svētku un uzvaras noskaņojums. Tūkstošiem sajūsminātu ļaužu pārpludina Rīgas ielas un dodas sumināt valsts vadītājus. Gluži sveši cilvēki spiež roku viens otram, apkampjas un vēlē laimes. Atkal un atkal Rīgas mūŗos atbalsojas valsts himna — „Dievs, svētī Latviju!" —

Tagad nepārtrauktā rindā pienāk paziņojumi par Latvijas atzīšanu no pārējām pasaules valstīm. Kā viena no pēdējām 1922. gada 28. jūlijā Latviju atzīst A. S. V. Totiesu šī lielvalsts turpmāk kļūst par nešaubīgu un nelokāmu Baltijas valstu brīvības aizstāvi.

1922. gada 22. septembrī Latviju uzņem Tautu savienībā. Tā kļūst pilntiesīgs un no visiem atzīts loceklis brīvo valstu saimē.

Tik lielas pūles un darbs bija dibināt latviešu valsti.

„Lūk, vēl cīņa galā nava: Turēt vajag to, ko guvām."
(J. Rainis)

108
DOMA PAR LIELO BALTIJAS SAVIENĪBU

TĀLREDZĪGĀKIE Baltijas valstu polītiķi saprot, ka iegūtā brīvība ir jānostiprina. Tādēļ jācenšas visas valstis, kas atrodas starp Padomju Savienību un Vāciju, apvienot ciešā aizsardzības savienībā.

1920. gada pavasarī Latvijas ārlietu ministrs Meierovics ierosina sasaukt apspriedi Baltijas valstu savienības dibināšanai. Tiek plānota tā sauktā lielā Baltijas savienība, kuŗā piedalītos Latvija, Igaunija, Lietuva, Somija un Polija.

1920. g. 31. augustā Bulduros (Rīgas Jūrmalā) šo piecu valstu pārstāvji tiešām vienojas un paraksta līgumu par aizsardzības savienību. Sākums ir ļoti veiksmīgs, bet turpmākie notikumi, šo labo nodomu izjauc.

1920. gada oktobrī poļu bruņotie spēki ieņem Lietuvas seno galvaspilsētu Viļņu, kuŗas apkārtnē bija dzimis poļu brīvības cīņu vadonis, māršals Pilsudskis. Visas Lietuvas pūles atgūt Viļņu ir veltīgas. Nelīdz arī sūdzības Tautu savienībā. Viļņas jautājums saindē leišu un poļu attiecības un izjauc visus sadarbības mēģinājumu. — "Mēs bez Viļņas nenorimsim!" — ir leišu galvenais sauklis turpmākajos gados. Nelaimīgā kārtā Lietuva iedomājas, ka varēs gūt kādus panākumus sadarbojoties gan ar Pad. Savienību, gan Vāciju.

Atliek mēģināt 5 valstu vietā nodibināt 4 valstu savienību (Latvija, Igaunija, Polija un Somija). Arī šis nodoms sabrūk, jo Somijas valstsvīru vairums grib labāk sadarboties ar Skandinavijas valstīm (plāns par "lielo Skandinaviju").

1922. gada 16. aprīlī pasauli pārsteidz ziņa, ka Padomju Savienība un Vācija noslēgusi sadarbības līgumu (Rapallo līgums). Redzot, ka visi nodomi par lielo Baltijas savienību izjūk, bet vecie ienaidnieki sākuši sadarboties, Latvija un Igaunija nolemj rīkoties.

1923. gada 1. novembrī ārlietu ministri Meierovics un Akels paraksta Latvijas un Igaunijas aizsardzības līgumu. Abas valstis apņemas sniegt viena otrai bruņotu palīdzību, ja uzbruktu kāda trešā valsts. — Šī savienība savā ziņā liek atcerēties seno Māras valsti (skat. 31. nod.), tikai vadība tagad ir latviešu un igauņu rokās.

Daudz vēlāk — 1934. g. 12. septembrī Ženēvā noslēdz līgumu par visu trīs Baltijas valstu savienību, t. s. Baltijas antanti. Tās nozīme, diemžēl, nav visai liela, jo tā nav militāra savienība. Panākums tomēr ir tas, ka turpmāk Latvijas, Igaunijas un Lietuvas ārlietu ministri savā starpā pastāvīgi apspriežas un saskaņo savu darbību. Vienīgā militārā savienība Baltijā joprojām ir tā, kas balstās uz Latvijas un Igaunijas aizsardzības līgumu.

Jāpiezīmē, ka arī Baltijas valstu starpā sākumā bija domstarpības robežu jautājumā (Valka, Palanga u. c.). Bet tām nebija liela nozīme, un tās izdevās nokārtot starptautiskas šķīrējtiesas ceļā.

Nelaimīgā kārtā neatrisināts palika Viļņas jautājums Polijas un Lietuvas starpā — galvenais iemesls lielās Baltijas savienības neveiksmei.

*„Kaut man būtu tā naudiņa,
Kas guļ jūŗas dibenā..."*
(Tautas dz.)

109
LATVIJAS LATS

L<small>ATVIJAS</small> brīvības izcīnīšana un starptautiskā atzīšana bija smags trieciens visiem ienaidniekiem un nelabvēļiem. Notikušo vairs apšaubīt nevarēja. Totiesu atskanēja balsis: „Labi, neatkarību jūs esat izcīnījuši, bet vai jūs varēsit atjaunot nopostīto zemi? Vai jūs spēsit nodrošināt labklājību tās iedzīvotājiem?" —

Latvija tiešām bija briesmīgi izpostīta, sagrauta un izlaupīta (skat. 104. nod.). Tā nesaņēma nekādu kaŗa zaudējumu atlīdzību no Vācijas, kā, piemēram, Beļģija un Francija. Padomju Krievija, mieru slēdzot, samaksāja 4 miljonus zelta rubļu. Taču tas bija nieks, salīdzinot ar tām vērtībām, kas kaŗa laikā bija aizvestas uz Krieviju.

Atbrīvošanas kaŗš bija maksājis valstij lielas summas. Bez tam Latvijai bija jāapņemas atlīdzināt par visu, ko tā kaŗa laikā bija saņēmusi no sabiedrotajiem, ieskaitot arī krietnu daļu nekur nederīgu mantu.

Naudas lietās valdīja liela nekārtība. Latvijā cirkulēja dažādas nevērtīgas naudas zīmes: vecie cara rubļi, Krievijas Pagaidu valdības papīra nauda („kerenkas"), vāciešu izlaistās „ostmarkas", vācu markas, Latvijas papīra rubļi un dažu pilsētu izdotās naudas zīmes. Tas ļoti traucēja saimniecisko dzīvi, radīja nedrošību un neuzticību.

Pēc pirmā pasaules kaŗa sajukums un sabrukums naudas lietās iestājās vairākās Eiropas valstīs. It sevišķi smags tas bija Vācijā un Austrijā, kur nauda zaudēja gandrīz jebkādu vērtību.

Tādēļ jo liels pārsteigums ārzemēm bija tas, ka jaunā Latvijas valsts īsā laikā saveda kārtībā finanču lietas un radīja ar zeltu nodrošinātu, stabilu naudu.

Šo grūto uzdevumu veica Latvijas finanču ministrs Ringolds Kalnings. Lai radītu kārtību izpostītās zemes saimniecībā, finanču ministram piešķīra plašas pilnvaras. R. Kalningam bija liela prakse un piedzīvojumi saimnieciskos jautājumos. Viņa galvenās domas bija ļoti vienkāršas: „Nedrīkst vairāk izdot, nekā ieņem", „Ja gribam ievest mantas no ārzemēm, tad mums savukārt ir jāizved". Kalninga ārkārtīgā stingrība un taupība vēlāk kļuva par parunu. Bet, šādā veidā rīkojoties, viņam izdevās sasniegt lieliskus rezultātus.

Ar 1922. g. 3. augusta likumu dažādo nevērtīgo kaŗa laika naudas zīmju vietā Latvija iegūst jaunu un drošu naudu — Latvijas latu (1 lats = 100 santīmi). Tā vērtību pielīdzina zelta frankam, jeb 0,29 gramiem tīra zelta. Agrākos Latvijas rubļus apmaina pret latiem: 50 rubļi = 1 lats. Līdz ar to valsts saimnieciskajā dzīvē iestājas kārtība un skaidrība.

Zeltu, kas vajadzīgs, lai nodrošinātu Latvijas latu, galvenā kārtā iegūst, izvedot uz ārzemēm Latvijas linus un kokmateriālus. Tieši šīs mantas Rietumeiropai pēc kaŗa ļoti vajadzīgas, un par tām maksā augstas cenas. Mežus tādēļ arī dēvē par Latvijas „zaļo zeltu".

1, 2 un 5 latu monētas kaļ no sudraba (835/1000

daļas sudraba un 165/1000 daļas vaŗa), bet sīknaudu no niķeļa un bronzas. Labi nodrošinātais Latvijas lats bauda uzticību visās zemēs.

Bet galvenais pamats Latvijas panākumiem un uzplaukumam ir latviešu tautas griba un spējas strādāt. Latvijas brīvvalsts vēsture ir stāsts par darba uzvaru. —

„Uz drupām saimnieks stāv ar spožu cirvi rokā,
Liek pirmo vainagu un redz pie ēkas ēku,
Kā baltas ceļas tās ap sētu slaidā lokā."
(J. Medenis)

110
ZEMES ATJAUNOTĀJI

L<small>ATVIEŠU</small> tautas vēsture rāda, ka Latvija vairākkārt tikusi nopostīta ilgos un asinainos kaŗos. Tomēr latviešu zemnieks to vienmēr ir atjaunojis. Tā tas notika pēc Livonijas kaŗa (skat. 43. nod.) un pēc lielā ziemeļu kaŗa (skat. 59. nod.). Tāpat no drupām ir jāsāk pēc pirmā pasaules kaŗa.

Laikam gan darba prieks tautā vēl nekad nav bijis tik liels, jo šoreiz latvieši zina, ka viņu pūļu augļi paliks pašu un nevis svešu kungu rokās. Pirms kaŗa zemes īpašnieki un viņu ģimeņu locekļi sastāda tikai 39% no lauku iedzīvotāju skaita. Pēc agrārās reformas 1930. gadā zemes īpašnieku skaits ir *77%*.

Par to, kas paveikts Latvijas laukos brīvvalsts laikā, nepārprotamu valodu runā skaitļi. —

Līdz 1937. g. laukos no jauna uzceļ ap 450 000 ēku. To panāk ar pašu lauksaimnieku un viņu piederīgo pūlēm un darbu. Bieži vien arī kaimiņš ir palīdzējis kaimiņam. Valsts no savas puses atbalsta lauku celtniecību, piešķiŗot lētus kokmateriālus. Prof. Bokalders raksta: „Tas ir darbs, kuŗa lielo nozīmi **pat grūti** aptvert, un to var pilnīgi novērtēt tikai tas, kas redzējis postažu un drupu kaudzes Daugavas vai Lielupes krastos, kaut 1920. g. un vēlāk, un pēc apm. 20 gadiem staltās ēkas un ziedošos laukus tais pašos krastos."

Pieaugot lauku saimniecību skaitam, paplašinās arī aramzemes platība. Pirms 1914. gada tā bija ap 1,7 milj. ha, bet 1935. g. — 2,1 milj. ha. Strauji vairojas lauksaimniecības mašīnu skaits: 1930.—1937. g. pļaujammašīnu skaits pieaug par 43 941, zirga grābekļu — 21 774, sējammašīnu — 22 712 u. t. t.

Nelabvēļu pareģotā sabrukuma vietā ievērojami pieaug ražas un mājlopu skaits:

Lauku ražas

1000 tonnās	1909./13. g.	1920./24. g.	1939. g.
rudzi	325	203	379
kvieši	38	29	192
mieži	173	130	221
auzas	279	226	447
kartupeļi	639	596	1751
cukurbietes	—	162	231

Mājlopu skaits (tūkstošos)

	1913. g.	1920./24. g.	1939. g.
zirgi	320	305	400
liellopi	912	955	1224
aitas	996	1091	1361
cūkas	557	462	814
mājputni	?	1439	4391

Pirms pasaules kara Latvijā ieveda maizes labību no Krievijas. Pirmajos pēckara gados bija jāpērk lielāki daudzumi kviešu un rudzu ārzemēs, jo ražošana pašu zemē bija sagrauta. Bet saimnieciskās dzīves atjaunošana, uzlabošana un modernizēšana virzās uz priekšu, un aina pilnīgi mainās. 1934./35. g. Latvija jau izved uz ārzemēm 87 000 t. rudzu un ap 30 000 t. kviešu.

Labāk apstrādājot zemi un izmantojot zinātnes sasniegumus, nepārtraukti ceļas arī ražība (ražas lielums no 1 ha). Brīvās Latvijas laikā laukaugu ražība pieaug par 30—40%, salīdzinot ar priekškara laikmetu. Tas ir krietns sasniegums, kaut gan arī tad vēl daudz kas ir uzlabojams nākotnē.

Tikai neatkarības laikā sāk plašāk audzēt cukurbietes, un latvieši paši kļūst cukura ražotāji. Trīs Latvijas cukurfabrikas apgādā nevien visu zemi ar cukuru, bet var vēl daļu izvest uz kaimiņu zemēm (piem., Igauniju).

Sekojot citām augsti attīstītām lauksaimniecības zemēm, Latvija sevišķi pūlas veicināt augstvērtīgu piena un gaļas produktu ražošanu.

Jaunā valsts drīz vien atrodas sešu pasaules lielāko sviesta eksportētāju starpā, atstājot aiz sevis Somiju. No Eiropas valstīm 1938. gadā tikai Dānija un Holande pārspēj Latviju sviesta eksportā.

Tie ir tikai daži piemēri un nedaudzi skaitļi, kas stāsta par to, kas notiek, kad latvieši reiz iegūst iespēju brīvi dzīvot un strādāt savā valstī.

Tas tiek sasniegts divdesmit gados zemē, ko karš bija pārvērtis drupās un postažā. —

„*... Sagrautas fabriku ēkas,*
Kur vēl priekš kara
Pelnījās strādnieki jauni,
Kas tagad guļ nošauti
Kaut kur pie Juglas, pie Cēsīm,
Pie Kazaņas tālās, pie Uralu kalniem
Un Krimā..."
(A. Čaks)

111
JAUNĀ RŪPNIECĪBA

Pavisam ļauns ir Latvijas rūpniecības stāvoklis valsts pirmajos gados. Lielākā daļa no fabriku iekārtām (mašīnas, materiāli) bija kara laikā aizvestas uz Krieviju (12.000 dzelzceļa vagonos) un zuda uz visiem laikiem.

Drūmi un atbaidoši rēgojās pamesto fabriku ēkas. Daudz rūpniecības strādnieku bija krituši dažādos kauju laukos un aizklīduši Krievijā. No lielās priekškaŗa rūpniecības tikpat kā nekas nebija palicis pāri, kā to gleznaini izsaka A. Čaka augšminētās rindas.

Nebija arī nekādas nozīmes mēģināt to atjaunot pēc agrākiem paraugiem. Cara laika Latvijas rūpniecība nebija dabīgi izaugusi, tā nebalstījās uz Latvijas dabas bagātībām un nestrādāja Latvijas vajadzībām. To sacēla par franču, angļu un holandiešu naudu, un šī rūpniecība ražoja galvenā kārtā Krievijai (80% no produkcijas).

Latvijas brīvvalstij tāpēc jāsāk viss no gala. Bet totiesu neatkarības laikā izaug jauna rūpniecība uz daudz veselīgākiem pamatiem nekā agrākā. Tā arī daudz labāk kalpo savas zemes vajadzībām.

Jāievēro, ka Latvijai trūkst vairāku ļoti svarīgu rūpniecības izejvielu — akmeņogļu, naftas, dzelzs rūdas (izņemot purva rūdu) un krāsaino metalu. Tomēr tai ir pietiekami daudz citu dabas bagātību, lai varētu izveidot dzīves spējīgu un piemērotu rūpniecību.

Latvijas upēs ir ievērojamas ūdens spēka rezerves un purvos lieli dedzināmās kūdras krājumi. Labs kaļķakmens, māls un ģipss nodrošina zemei celtniecības materiālus. Latvijas augstvērtīgie meži ir pamats spēcīgai mežrūpniecībai. Plaukstošās lauksaimniecības ražojumi ļauj izveidot plašu un daudzpusīgu pārtikas vielu rūpniecību, dod izejvielas vilnas vērptuvēm un austuvēm.

Latviešu strādnieki, meistari un inženieŗi jau cara Krievijas laikā bija pazīstami ar savām lielajām darba spējām, prasmi un izveicību. Tādēļ iespējams ražot augstvērtīgus produktus no dažādām importētām izejvielām — dzelzs, kokvilnas, ķīmikālijām, gumijas.

Tā blakus lauksaimniecībai (nodarbina ap 66% no iedzīvotāju skaita) Latvijā nepārtraukti attīstās arī rūpniecība (nodarbina ap 15%) — notiek pakāpeniski zemes industriālizācija.

1913./14. g. Latvijā bija ap 800 rūpniecības uzņēmumu ar 94.000 strādniekiem. Pēc kaŗa, 1920. gadā, rūpniecības strādnieku skaits bija samazinājies līdz 20.000, un nākotnes izredzes daudziem likās ļoti tumšas.

Bet 1939. gadā jaunizveidotajā Latvijas rūpniecībā (tajā pārsvarā vidējie un mazie uzņēmumi) strādā jau vairāk nekā 97.000 strādnieku. Ražojumu vērtība ir 728 milj. latu, kas ievērojami pārsniedz agrākās lielrūpniecības ražojumu vērtību (1913./14. g. — 510 milj. latu).

Par jaunās rūpniecības veselīgajiem pamatiem liecina tas, ka ¾ no izejvielām tai dod pašu zeme un ⅔ no ražojumiem patērē iekšzemē.

Svarīgākās rūpniecības nozares (pēc nodarbināto strādnieku skaita) ir šādas:
1) mežrūpniecība
2) **metalrūpniecība**
3) tekstīlrūpniecība
4) pārtikas un baudvielu rūpniecība
5) celtniecības rūpniecība (cements, ķieģeļi u. c.)
6) gatavu drēbju un apavu rūpniecība
7) ķīmiskā rūpniecība.

Pārtikas vielu rūpniecībā pilnīgi jauns pasākums ir cukura ražošana. Šim nolūkam uzceļ **trīs cukura fabrikas** — Jelgavā, Krustpilī un Liepājā.

Atzīmējams panākums Latvijas laikā ir lielās Ķeguma spēkstacijas izbūve Daugavā pie Ķeguma krācēm. Tās jauda (kapacitāte) ir 70.000 KW — lielākā Baltijas valstīs. Ķeguma celšana notiek sadarbībā ar zviedru inženieriem.

Ievērojami uzņēmumi ir Liepājas kaŗa ostas darbnīcas, Liepājas drāšu fabrika, Rīgas „Vairogs" (ražo vagonus, auto, lidmašīnas) un Valsts elektrotechniskā fabrika (VEF) Rīgā. VEF ražo elektriskus aparātus, radio uztvērējus, optiskus instrumentus. Starp citu tā laiž tirgū pasaules mazāko fotoaparātu — „Minox'u", apmēram kabatas naža lielumā. —

Strādnieku aizsardzībā un nodrošināšanā Latvijas likumi var noderēt par paraugu daudzām vecākām un bagātākām valstīm.

Jau brīvvalsts sākumā strādniekiem nosaka astoņu stundu darba dienu. 1922. g. izdod noteikumus par obligātu apdrošināšanu pret slimībām visiem rūpniecības strādniekiem, viņu ģimeņu locekļiem un lielai daļai laukstrādnieku. Slimības gadījumā strādnieki un viņu piederīgie saņem ārsta palīdzību un zāles par brīvu, kā arī ⅔ no algas. Tajā laikā pasaules valstu lielākajā daļā strādnieki šādu palīdzību nesaņem. Latvijas slimokases pārvalda pašu dalībnieku vēlētie pārstāvji.

Strādnieki ir apdrošināti arī pret nelaimes gadījumiem darbā, un izdevumus par to sedz darba devēji.

Jau 1922. gadā Latvijas strādniekiem nodrošina divu nedēļu atalgotu atvaļinājumu gadā — tātad 16 gadus agrāk nekā kaŗā neizpostītajā Zviedrijā.

Pilsētas, it īpaši Rīga, cenšas gādāt par moderniem un labiem dzīvokļiem strādnieku un ierēdņu vajadzībām. Rīgā paceļas vesela rinda skaistu blokmāju, izveido daudz jaunu apstādījumu un rotaļu laukumu.

Tādā veidā latvieši cenšas pārvērst savu zemi par īstu tautas labklājības valsti.

Bet latvieši arī ļoti labi saprot, ka tiem vēl daudz kas darāms, labojams un papildināms. Sen pazīstamā tautas cenšanās vairāk mācīties un vairāk zināt jo sevišķi parādās brīvības laikmetā. —

"Līdzīgi saulei tu atnes mums dienu,
Gudrību vērīgiem gariem tu sniedz.
Celdamās augstāku pati arvienu,
Tautai tu augstāku pacelties liec."
(Latvijas Universitātes himna,
E. Virzas teksts)

112
LĪDZĪGI SAULEI

No visiem sasniegumiem Latvijas brīvvalsts laikā visnozīmīgākais ir tas, kas paveikts izglītībā, kultūrā un mākslā. Šajā laikā pilnīgi izkopj latviešu valodu, paceļ visas tautas izglītību, un latvieši ierindojas moderno kultūras tautu saimē.

Izaug tā latviešu paaudze, kas savu izglītību — no zemākās līdz augstākai — iegūst latviskās mācību iestādēs. Šie latvieši tāpēc ir brīvi no jebkādas vācu vai krievu ietekmes. Viņi laimīgā kārtā arī vairs nejūt to naidu pret latviešu senajiem apspiedējiem, ko vēl joprojām nevar aizmirst vecākā paaudze. Jaunie ir latviskāki, bet reizē iecietīgāki.

Tautas izglītībai Latvijā izdod vairāk nekā lielākā daļā pārējo valstu — apm. 15% no visiem valsts ienākumiem (citās Eiropas valstīs caurmērā ap 12%). Neatkarības laikā uzceļ 373 jaunas skolu ēkas un pārbūvē vai atjauno 587.

Visiem bērniem no 7—14 gadu vecumam ir obligāti jāapmeklē skolas. Mācības tur notiek par brīvu (skolās izsniedz arī otrās brokastis bez atlīdzības).

Visas mācības iestādes dalās trīs pakāpēs. Pirmā ir 7-gadīga (līdz 1934. g. 6-gadīga) pamatskola vai tautskola ar 1—2 pirmskolas klasēm. Pamatskolas jāapmeklē visiem bērniem bez izņēmuma. Otrā pakāpē ietilpst 5-gadīga (līdz 1934. g. 4-gadīga) vidusskola — ģimnazijas, technikumi, tirdzniecības skolas u. c.

Par augstāko (akadēmisko) izglītību gādā Latvijas Ūniversitāte, Lauksaimniecības Akadēmija, Mākslas Akadēmija un Latvijas Konservātorija.

Bez tam pastāv lielāks skaits dažādu papildskolu, kursu un tautas augstskolu. Lielu uzmanību veltī aroda, amatniecības, dārzkopības un lauksaimniecības skolām, kas pamatskolu beigušos tieši sagatavo praktiskam darbam.

1939./40. gadā Latvijā ir pavisam 2.229 dažādu mācības iestāžu, kur strādā 13.357 skolotāji un mācās 288.222 audzēkņi.

Lasītpratēju skaits neatkarības laikā pieaug no 78,5% līdz 92,4% no iedzīvotāju skaita (Vidzemē: 96,5%). Viszemākais izglītības līmenis ir krieviem Latvijas pierobežā, sevišķi viņu vecākai paaudzei.

Neparasti liela ir cenšanās iegūt pēc iespējas augstāku izglītību. Ja, piemēram, Zviedrijā no katriem 1000 iedzīvotājiem vecumā no 10—19 g. vidusskolās mācās 39, tad Latvijā gandrīz divreiz vairāk — 65.

Studentu skaita ziņā Latvija ieņem pirmo vietu Eiropā — 30 studentu uz katriem 10.000 iedzīvotājiem.

Latvijas Ūniversitāte (tās devīze: ,,Zinātnei un tēvzemei") savā iekšējā dzīvē bauda lielu patstāvību. Tur valda neierobežota domu, vārda un rakstu brīvība. Vairāki tās mācības spēki ir pazīstami tālu aiz savas zemes robežām.

Ļoti brīva un rosīga ir studentu dzīve, ko vada Studentu Padome. Latviešu studenti sadarbojas ar vispasaules studentu organizācijām, piedalās starptautiskās studentu sanāksmēs un olimpiādēs. (Dažas dienas pirms otrā pasaules kaŗa sākuma 8. vispasaules studentu olimpiādē Monako latviešu studenti izcīna pasaules meistara nosaukumu volejbolā, uzvarot Braziliju, Franciju un Igauniju).

Par valdības atbalstu augstskolu audzēkņiem liecina tas, ka 1939. gadā 34% no visiem studentiem saņem valsts stipendijas, 80—100 latu mēnesī.

Daudzām studentu organizācijām pieder pašām savi nami un vērtīgas bibliotēkas. Dažas no tām dibinātas jau tautas atmodas laikmetā, kad latvieši vēl studēja ārpus savas zemes robežām (skat. 71. nod.).

Jau agrāk pieminēta latviešu tautas lielā interese par grāmatām. Latvijas brīvvalsts laikā iznāk ap 22.000 grāmatu 60 miljonu eksemplāros. Izdoto grāmatu ziņā Latvija ieņem otro vietu Eiropā, tūlīt aiz Dānijas.

Ar lielu uzmanību latvieši seko visam, kas ārzemēs notiek zinātnē, mākslā un literātūrā. Daudzi dodas studiju ceļojumos uz Rietumeiropu, daudz ārzemju zinātnieku un mākslinieku apmeklē Latviju. Vairāki no tiem rakstos ir cildinājuši jaunās valsts sasniegumus un tās daudzināto galvaspilsētu Rīgu.

Agrākajos nebrīvības laikos Latvijā bija ieplūduši samērā daudz cittautiešu, un daļa latviešu bija tikusi pārtautota (Latvijā dzīvo ap 24% cittautiešu). Latvijas valsts tiem piešķiŗ lielu brīvību izglītības lietās, t. s. kultūrālo autonomiju. Tie var mācīties savā mātes valodā, un latviešu valodu tiem māca kā atsevišķu priekšmetu. Par šo iecietīgo nostāju pret minoritātēm (mazākuma tautībām) Latvija vairākkārt saņēmusi atzinību ārzemēs.

Latviešu tautas panākumi saimnieciskajā un izglītības laukā veicina uzplaukumu literātūrā un mākslā.

113
TIE, KAS DOD SKAISTUMU DZĪVEI

Mans mūžs ir īsāks par čukstu,
Mirt gribu es spēlējot,
Lai katra lieta man pukstu
Savu kapā līdzi dod."
(A. Čaks)

Pamati latviešu rakstniecībai, glezniecībai, teātrim un mūzikai bija likti jau ilgi pirms Latvijas valsts nodibināšanas. Uz tiem neatkarības laikā tālāk attīstās latviešu māksla. Tai ir ārkārtīga nozīme visas tautas dzīvē, tā dod šai dzīvei skaistumu, prieku un spožumu.

Savus ievērojamos rakstniekus un māksliniekus, tāpat kā savus brīvības cīnītājus, pazīst ikviens latvietis. Daudzi latviešu rakstnieki un mākslinieki ar saviem darbiem arī bija iedvesmojuši un veicinājuši brīvās valsts izcīnīšanu (skat. 72., 76., 100. nod.).

Kad 1929. gadā mirst latviešu dzejnieku nekronētais karalis Jānis Rainis, līdzi sēro visa tauta bez partiju un grupu izšķirības. Viņa bērēs piedalās nepārskatāms ļaužu pulks, kur, blakus valdības pārstāvjiem, ārvalstu sūtņiem un sirmiem profesoriem, soļo strādnieki, zemnieki un skolu jaunatne. Pie kapa viņa dzīves biedre Aapazija atkārto Jaunās Derības vārdus: „Ko jūs meklējat dzīvo pie mirušiem. Viņš ir augšāmcēlies!" — Savā atmiņā grāmatā par Raini tā laika biedrs F. Cielēns saka: „Tā noslēdzās latvju lielā dzejnieka-praviešā mirstīgais mūžs, lai sāktos viņa nemirstības mūžība."

Blakus jau sen pazīstamiem rakstniekiem, neatkarības laikā plašu ievērību gūst vairāki jaunākās paaudzes pārstāvji. Divi no tiem — J. Medenis un A. Čaks

— lielāko slavu iemanto ar darbiem, kuŗos apdzejotas latviešu strēlnieku leģendārās cīņas. Līdz ar minētajiem pirmajās rindās izvirzās dzejnieki Eriks Ādamsons, Anšlavs Eglītis, Veronika Strēlerte, Andrejs Eglītis u. c.

Latviešu dzīve nav iedomājama bez skatuves mākslas — visās lielākās Latvijas pilsētās ir pastāvīgi teātŗi, bez tam darbojas vēl atsevišķs Ceļojošais teātris.

Ar labākajiem teātŗiem Eiropā var sacensties Latvijas Nacionālais teātris Rīgā, kuŗu vairākus gadus vada J. Rainis. Tur sapulcināta lielākā daļa no latviešu skatuves meistariem, kas vēl pirms pirmā pasaules kaŗa izauguši lielo režisoru Rodes-Ebelinga (viens no tā laika ievērojamākiem Vācijas režisoriem) un Jēkaba Dubura vadībā — Berta Rūmniece, Jūlija Skaidrīte, Lilija Erika, Alīse Brechmane, Aleksis Mierlauks, Teodors Podnieks, Jānis Ģērmanis, Jānis Šaberts u. c. Neatkarības laikā to rindas papildina daudzi jauni izcili mākslinieki.

Ar Nacionālo teātri Rīgā sacenšas Dailes teātris Ed. Smiļģa vadībā.

Par ļoti plašu mākslas iestādi neatkarības laikā izveidojas Nacionālā opera. Tur viesojas vairāki slaveni ārzemju diriģenti un izaug dziedātāji, kas pazīstami arī ārpus Latvijas robežām — Herta Lūse, Milda Brechmane-Štengele, J. Niedra, A. Priednieks-Kavarra, Ā. Kaktiņš, M. Vētra u. c. Pelnītu slavu tālu ārzemēs iemanto pirmklasīgais operas un T. Reitera koris un latviešu slavenais balets — neapšaubāmi viens no labākajiem pasaulē.

Vecmeistara V. Purvīša vadībā Latvijas Mākslas Akadēmija izaudzina daudzus spējīgus gleznotājus, kuŗu darbus var atrast visos lielākos Eiropas mūzejos.

Latvijas tēls no Brīvības piemiņekļa

Valsts prezidents Alberts Kviesis runā Brīvības piemiņekļa pamatakmeņa likšanas svinībās 1931. gadā

Daudz paliekamu darbu neatkarības laikā radījuši latviešu tēlnieki. Varenākie un katram latvietim pazīstamie sasniegumi ir Brīvības piemineklis un Brāļu kapu izveidojums Rīgā. Šo abu ievērojamo darbu autors ir tēlnieks Kārlis Zāle.

Brīvības piemineklis ir 41 metru augsts, un tajā iecirstas ainas no latviešu cīņām bagātās vēstures. Piemineklī zeltītiem burtiem iekalti vārdi: „Tēvzemei un brīvībai". Par visas tautas ziedotu naudu to uzceļ četros gados un atklāj 1935. gada 18. novembrī.*)

Latviešu mūzikas dzīvē ārkārtīga nozīme ir prof. J. Vītolam, kas vada Latvijas Konservātoriju.

Valsts no savas puses dažādi veicina mākslas attīstību un atbalsta māksliniekus. Šādam nolūkam pastāv sevišķs Kultūras fonds ar samērā plašiem līdzekļiem.

Blakus profesionāliem māksliniekiem darbojas liels skaits mākslas mīļotāju un dažādu mākslas pulciņu. Tāpat kā agrākos laikos, redzamu vietu ieņem koŗa dziedāšana. Latvijas vispārīgie dziesmu svētki ir notikums, kas pulcina dziedātājus un klausītājus no visiem valsts novadiem. Uz tiem ierodas arī daudz viesu no ārzemēm. 1938. gadā 9. vispārīgajos dziesmu svētkos piedalās ap 400 koŗu ar 17.000 dziedātājiem. Klausītāju skaits sniedzas vairākos simttūkstošos. —

Tā visās dzīves nozarēs laužas uz āru svešu varu ilgi aizturētās tautas spējas, dzīves prieks un enerģija.

---

*) Angļu ceļotājs un rakstnieks B.Ņūmens raksta par Brāļu kapiem (1939. g.): „Mums Anglijā nav jākaunas par savu kaŗavīru kapiem, kas iztur salīdzinājumu ar citiem kapiem pasaulē. Tomēr man jāatzīst, ka nekad neesmu redzējis kaut ko cēlāku un svinīgāku, kā šo mazo Latvijas stūrīti (t. i. Brāļu kapus). ... Viss ir saskaņots: puķes un skulptūras. Sevišķs svinīgums valda šai skaistajā vietā. Klusums te ir tik dziļš, ka liekas neticami, ka apkārt ir liela pilsēta."

Latvijas zemūdene „Ronis". Apakšā pirmā no kreisās zemūdene „Ronis", otra zemūdene „Spīdola"

„Pasniedz man zobenu, jaunava,
Tēvzemes karogā nestu..."
(Andrejs Eglītis)

114
VALSTS BRUŅOTIE SPĒKI

L<small>ATVIJAS</small> nacionālā armija dzima un rūdījās brīvības kaŗa kauju laukos. Tās kodols bija pirmā pasaules kaŗa veterani — cīņās daudz piedzīvojuši kareivji, instruktori un virsnieki. Sākot ar 1919. gada vasaru, tās rindās stājās lielāks skaits latviešu strēlnieku, kas pameta sarkano armiju un pārnāca nacionālo spēku pusē. 1919. gada jūnijā Latvijas armijā atradās jau ap 5000 bijušo strēlnieku.

Nacionālajā armijā vēlāk ieplūda arī tie latviešu strēlnieki, kas pēc cīņām pret lieliniekiem Sibirijā atgriezās mājās no Tālajiem Austrumiem (Imantas un Troickas pulks).

Blakus šiem rūdītajiem kaŗavīriem cīnījās latviešu studenti un skolu jaunatne, kas jau no valsts pastāvēšanas pirmajām dienām stājās Latvijas valdības rīcībā. Tiem vēlāk pievienojās desmitiem tūkstošu vīru un jaunekļu no Latvijas laukiem un pilsētām.

Latvijas armijas cīņas beidzās ar uzvaru un deva latviešiem brīvu valsti. Tādēļ saprotama lielā mīlestība un cieņa, ko tauta sajuta pret armiju un tās kaŗavīriem.

Arī tad, kad brīvības cīņas jau sen bija beigušās, ļaudis saviļņojās katru reizi, kad ielās parādījās kāda kaŗaspēka vienība. Bieži vien tad cilvēki apstājās savās steidzīgajās gaitās un ar aplausiem sumināja kaŗavīrus.

Mieram iestājoties, Latvijas armiju ļoti lielā mērā samazina. Tanī atstāj tikai ap 20.000 vīru. Pastāvīgi ierindā atrodas zināms skaits virsnieku un instruktoru, kas vada un apmāca jauniesauktos karavīrus. Kara dienests jāpilda visiem Latvijas vīriešu kārtas pilsoņiem, sākot ar 20 gadu vecumu, un tas ilgst 12—18 mēnešus. Kara gadījumā armijā var iesaukt visus ieročus nest spējīgos vīriešus no 17 līdz 50 gadu vecumam.

Miera laikā Latvijas armijā ir 4 divīzijas, kam doti latviešu novadu nosaukumi (skat. 30. nod.) — Kurzemes, Vidzemes, Latgales un Zemgales divīzijas. Katrā ir trīs kājnieku un viens vieglās artilerijas pulks.

Piektā ir Techniskā divīzija, kurā ietilpst Autotanku, Aviācijas, Sapieru (inženieru) pulki un Elektrotechniskais divizions.

Atsevišķi pastāv Smagās artilerijas, Krasta artilerijas, Zenitartilerijas, Bruņoto vilcienu un Jātnieku pulki.

Latvijas robežu apsardzībai miera laikā nodibina Robežsargu brigādi.

Latvijas kara flote ir domāta piekrastes aizsardzībai. Tās sastāvā ir kara kuģis Virsaitis, zemūdenes Ronis un Spīdola, mīnu trāleri Viesturs un Imants, kā arī vairāki palīga kuģi un jūras aviācija.

Latviešu karavīri tiek stingri vadīti, labi apmācīti un apgādāti.

Latvijas armija sākumā lielā mērā ir apbruņota ieročiem, kas atņemti vācu un krievu armijām, daļa ir pirkta no rietumu sabiedrotiem. Tādēļ ieroči ir ļoti dažādi, daudz kas ir nolietots un novecojis. Pamazām visu armiju apbruņo ar modernām angļu Ross-Enfīlda šautenēm un Vikersa ložmetējiem un patšautenēm.

Tikai šauteņu patronas ražo Latvijā, bet smagākais apbruņojums jāpērk no ārzemēm — Anglijas (Vikersa tanketes), Francijas, Čechoslovakijas (Skodas prettanku lielgabali), Zviedrijas (Buforsa zenitlielgabali) un Vācijas.

Lielākā daļa no Latvijas kaŗa flotes — zemūdenes un mīnu trāleri — ir būvēta Francijā, bet lidmašīnas pirktas Anglijā, Italijā, Čechoslovakijā un Vācijā. 1930-tajos gados gan arī Latvijā sāk izgatavot lidmašīnas armijas vajadzībām.

Lai gādātu par drošību un kārtību valstī (tas bija sevišķi vajadzīgs valsts pirmajos gados), 1919. gadā nodibina Aizsargu organizāciju. Tās nodaļas ir katrā lauku pagastā un ir apvienotas pulkos pēc apriņķiem (19 pulki). Aizsargi ir padoti iekšlietu ministram un valsts prezidentam. Kaŗa laikā tos var nodot kaŗa ministra rīcībā.

Aizsargus apbruņo ar kājnieku (angļu) ieročiem. Tiem ir arī savas jātnieku, aviācijas un jūŗas vienības.

Aizsargu organizācija, ko izveido pēc Somijas parauga, ar laiku izvēršas ļoti plaša, un tai ir liela nozīme nevien drošības, bet arī sabiedriskā un sporta laukā. Šai organizācijā ietilpst arī sieviešu palīga dienests — aizsardzes un jaunsargi (16—21 gadu vecumā).

Aizsargu sastāvā ir 48% zemnieku, 27% strādnieku un 25% ierēdņu, daudzi no tiem bijušie kaŗavīri, instruktori un virsnieki. 1940. gadā Aizsargu organizācijai ir 68.000 dalībnieku: 45.000 aizsargu, 12.000 aizsardžu un 11.000 jaunsargu.

Arī vidusskolu audzēkņiem nosaka militāru apmācību, un to vada armijas virsnieki. Tādā kārtā tos jau laikus sagatavo kaŗa dienestam, lai tur apmācītu par instruktoriem un rezerves virsniekiem.

Latvijas aizsardzībai tomēr bija vairāki ievērojami trūkumi. — Netika izveidota patstāvīga kaŗa materiālu rūpniecība. Nevietā bija pārāk lielā taupība, iegādā-

Augšā - aizsargu nozīme. Aizsargs - jātnieks ap 1938. gadu
Apakšā - Latvijas pirmie aizsargi 1919. gadā apsarga kādu dzelzceļa staciju

Latvijas aizsargu karogi parādē

joties modernu smago apbruņojumu. Pretēji Somijai, Latvija (un pārējās Baltijas valstis) neizbūvēja nekādus robežu nocietinājumus.

No valsts drošības viedokļa bīstama bija arī dzimstības samazināšanās Latvijā. Pa daļai tas izskaidrojams ar lielajiem cilvēku zaudējumiem pirmajā pasaules karā. Taču dzimstību lielā mērā nelabvēlīgi ietekmēja arī censšanās pēc lielākām ērtībām un augstāka dzīves standarta. Līdzīga parādība tajā laikā bija vērojama vairākās augsti attīstītās Eiropas valstīs — Skandinavijā, Francijā u. c.

115
DEMOKRATISKAIS LAIKMETS

*„Lai angļu parlamentā atskan strīdi sīvi,
Bet varenībā pieaug valsts tur brīvi.
Tik partijas dod tautai brīvu dzīvi."*
(Zviedru dzejnieks Jēkabs Vallenbergs, 1746.—78.)

Latvijas valsts pirmie gadi (1918.—20.) ir iegājuši vēsturē ar nosaukumu — brīvības cīņu laiks.

No 1920. līdz 1934. gadam valsts vara Latvijā ir tautas vēlētu pārstāvju rokās. Līdz 1922. g. šo tautas pārstāvju sanāksmi sauc par Satversmes sapulci, pēc tam par Saeimu (skat. 105. un 106. nod.). Šo laiku (1920.—34.) tādēļ mēdz dēvēt par demokratisko vai parlamentāro laikmetu. Tautas mutē bieži lietots apzīmējums ir — „Saeimas laiki".

Šajos gados valda vislielākā domu, rakstu un biedrošanās brīvība, kā arī tiek paveikts lielais valsts atjaunošanas darbs.

Par Latvijas pirmo valsts prezidentu Saeima 1922. gadā ievēl advokātu Jāni Čaksti. Jaunībā viņš bija darbojies kopā ar Kr. Valdemāru Maskavā (skat. 69. nod.) un visu turpmāko laiku atradies redzamāko latviešu darbinieku un valstsvīru rindās. Ar savu gudro un taisnīgo rīcību Čakste iegūst visas tautas un politisko partiju uzticību un nodibina cieņu pret valsts prezidenta amatu. Pēc trīs gadiem Saeima to par jaunu ievēl augstajā postenī, ko viņš pilda līdz savai nāvei 1927. gadā. Jelgavā Čakstem uzceļ pieminekli.

No 1927. līdz 1930. gadam valsts prezidents ir advokāts Gustavs Zemgals, kas 1918. g. 18. novembrī vadīja Latvijas valsts proklamēšanas sēdi (skat. 94. nod.). Viņa laikā Latvijā viesojas Zviedrijas karalis Gustavs V, un prezidents Zemgals savukārt apmeklē Zviedriju 1929. g. Kā Čakste, tā Zemgals pieder Demokratiskā centra partijai.

Trešais Latvijas prezidents ir Zemnieku savienības loceklis, advokāts (vēlāk tiesnesis) Alberts Kviesis (1930.—36. g.). Viņa laikā notiek lielākas pārmaiņas valsts dzīvē.

Pirmo trīs valsts prezidentu laikā Latvijā nomainās 19 valdības (ministru kabineti). Katras valdības mūžs caurmērā drusku pārsniedz 10 mēnešus, kas nav daudz. Tomēr valdību maiņas Latvijā nav tik biežas kā Vācijā, Francijā un Igaunijā. Tur valdības caurmērā mainās katru astoto mēnesi, vai pat ātrāk.

Valdību maiņas Latvijā visumā nenozīmē pārāk lielu svārstību valsts dzīvē. Ministru prezidenta amatā parasti mainās neliels skaits redzamāko valstsvīru. Tā K. Ulmanis 8 reizes ir ministru prezidents, Z. Meierovics, M. Skujenieks, H. Celmiņš — katrs 2 reizes.

Iemesls valdību maiņām ir lielais partiju un grupu skaits, kas apgrūtina valdības sastādīšanu un darbu. Latvijas pārāk brīvais vēlēšanu likums ļauj arī ļoti mazām grupām ar saviem kandidātu sarakstiem piedalīties Saeimas vēlēšanās un iegūt sev kādu pārstāvi.

Valsts prezidenti Jānis Čakste un Gustavs Zemgals

Valsts prezidenti Alberts Kviesis un Kārlis Ulmanis

Šo iespēju izmanto nevien dažādas sīkas politiskas partijas, bet arī dažādu tautību (vācieši, krievi, žīdi, poļi) un baznīcu piederīgie.

Tā ka nevienai partijai Saeimā nav vairākuma, tad, valdību sastādot, jāvienojas ar daudz un dažādām grupām („jāsastāda koalicija"). Katra partija un grupiņa nāk ar savām prasībām un iebildumiem, kādēļ koalicijas sastādīšana tautas mutē iegūst zobgalīgo apzīmējumu — „partiju andele".

Nelaimīgā kārtā abas lielākās partijas — sociāldemokrati („kreisais spārns") un Zemnieku savienība („labais spārns") nespēj saprasties savā starpā un kopīgi apvienoties valdībā, lai atbrīvotos no sīko grupiņu ietekmes. Sociāldemokrati pa lielākai daļai atrodas opozicijā.

Vidū starp kreiso un labo spārnu atrodas „centrs". Tanī ietilpst mēreno pilsoņu (liberāļu) pārstāvji, un tas sastādās no vairākām nelielām partijām — Demokratiskā centra, Progresīvās apvienības u. c.

Pēc agrārās reformas nodibinās atsevišķa Jaunsaimnieku un sīkgruntnieku partija, kas atņem daļu vēlētāju sociāldemokratiem un Zemnieku savienībai. Vairākās partijās sašķēlušies ir arī latgalieši.

No 1928. līdz 1933. g. ar „strādnieku un darba zemnieku nosaukumu" Saeimā iekļūst arī daži komūnistu deputāti, lai gan komūnistu partija Latvijā ir aizliegta. Tie nikni uzbrūk galvenā kārtā sociāldemokratiem, garās runās slavina Maskavu un visādi traucē Saeimas darbu. 1933. gadā tos beidzot ar pašas Saeimas lēmumu izdod tiesai par pretvalstisku darbību. —

Šķelšanās daudzās partijās un šo partiju strīdi, protams, nenāk par labu Augstā nama (tā dēvē Saeimu) slavai un cieņai. Tomēr jāatzīst, ka ar visu to tautas vēlētie pārstāvji paveic lielu un nozīmīgu dzīves atjaunošanas un valsts izveidošanas darbu.

Bet 1930-to gadu sākumā jūtami pieaug nemiers par Saeimas darbību un tās vēlēšanu kārtību. Tam ir vairāki iemesli.

*„Vai atceries vēl, draugs, kā sacēlās pret mums
No visiem ielu stūŗiem nāvīgs sašutums?"*
(E. Virza)

116
PASAULES GRŪTIE LAIKI

Ap 1929. gadu Amerikas Savienotajās Valstīs iestājas grūtas dienas. Strauji sāk krist akciju un citu vērtspapīru kursi. Vairākas lielas bankas nonāk maksāšanas grūtībās. Rodas sajukums un neuzticība saimnieciskajā dzīvē. Saražotām precēm sāk trūkt pircēju, krīt preču cenas, fabrikām pietrūkst darba. Daudzi rūpniecības un tirdzniecības uzņēmumi nespēj vairs pastāvēt un bankrotē. Miljoniem strādnieku kļūst bezdarbnieki.

Nākošos gados tas pats notiek Eiropā. Visur vairojas bezdarbs un nedrošība par rītdienu. Ir sākusies pasaules lielā saimnieciskā krize, ko vēl tagad daudzi labi atceras.

Ļaudis kļūst nemierīgi un satraukti. Daudzās valstīs paceļas neapmierinātas balsis pret valdību un valsts iekārtu. Komūnisti mēģina izmantot saimnieciskās grūtības, lai kūdītu pret likumīgajām valdībām, cerot sagrābt varu savās rokās. Citi domā, ka nepieciešama stiprāka valsts vara. Tādēļ jāierobežo jeb pilnīgi jāaizliedz polītiskās partijas un valsts vadītājiem jādod lielākas tiesības.

Rodas uzņēmīgi un enerģiski vīri, kas vāc piekritējus, lai cīnītos par augstākās varas iegūšanu valstī. Tie aicina visus apvienoties viņu vadībā, nopeļ visas pārējās partijas un dēvē sevi par tautas vadoņiem.

Jau 1920-tajos gados dažās valstīs bija gāztas demokratiskās valdības. Tur vara lielākā vai mazākā mērā bija nonākusi kāda vadoņa un viņa piekritēju rokās. To sauc par diktātūru jeb autoritāru valsts iekārtu. 1922. gadā Italijā varu bija sagrābis fašistu vadonis Musolini, 1926. gadā notika valsts apvērsumi Polijā (māršals Pilsudskis) un Lietuvā (Valdemaras un Smetonas). —

Saimnieciskās grūtības 1930-to gadu sākumā veicina fašisma (vadonības piekritēju) ietekmes pieaugšanu visā pasaulē. Arī tādās demokratiskās valstīs kā Anglijā un Zviedrijā nodibinās fašistiem līdzīgas partijas ar saviem vadoņiem (piem., sers Moslejs Anglijā).

1933. gadā Vācijā varu iegūst nacionālsociālistu („nacistu") vadonis Ādolfs Hitlers. Fašisma un nacisma viļņi tagad kāpj arvienu augstāk. 1934. gada februārī valsts apvērsumu piedzīvo Austrija, bet martā — Igaunija (prezidents Petss).

Jāievēro, ka ir liela starpība starp diktātūrām dažādās zemēs. Dažās valstīs vadoņi rīkojas ar lielu bardzību un nežēlību, piem., Vācijā. Tur likvidē visas agrākās partijas, atceļ rakstu un biedrošanās brīvību un nesaudzīgi vajā tos, kas nepakļaujas jaunajam vadonim. Citās valstīs, piem., Igaunijā, varas ieguvēji apmierinās ar nelieliem ierobežojumiem partiju un pilsoņu dzīvē.

Latvija ar savu demokratisko valsts iekārtu ir kļuvusi par salu dažādu autoritāru valstu vidū.

1931. gadā pasaules saimnieciskā krize kļūst stipri jūtama arī Latvijā. Daļa strādnieku (ap 14.000) paliek bez darba, un arī zemnieki nonāk grūtībās. Grūti ir pārdot ražojumus ārzemēs, kādēļ jāsamazina ievedumi, un valstij ar dažādiem rīkojumiem jāiejaucas saimnieciskajā dzīvē.

Latvijai tomēr krizes laikus izdodas samērā vieglāk pārvarēt nekā daudzām citām valstīm. Bezdarbniekus norīko tā sauktos sabiedriskos darbos (ceļu būvēs u. c.) vai arī tiem maksā pabalstus. Zemniekiem izsniedz valsts piemaksas, lai atmaksātos ražošana, daudzām ārzemju precēm paaugstina ievedmuitas, lai aizsargātu pašu zemes rūpniecību. Ap 1934. gadu galvenās grūtības ir jau aiz muguras, un dzīve atkal sāk iet uz augšu.

Tomēr grūtie gadi ir atstājuši pēdas arī Latvijā. Nemanīts nav palicis arī fašisma uzvaras gājiens Eiropā. Šais gados pieaug pārmetumi un uzbrukumi Saeimai un daudzajām partijām. Tās vaino saimnieciskajās grūtībās, pārmet tām nespēju un negodību. Parādās apgalvojumi, ka 1922. gada satversme „neiet", ka jāizbeidz „partiju andele" un jādod lielāka vara valsts prezidentam.

Visasāk pret Saeimu un polītiskajām partijām (kā labajām, tā kreisajām) vēršas 1930. gadā dibinātā Pērkonkrusta organizācija. Tanī iestājas vairāki tūkstoši jauniešu, it īpaši studenti. Tie sevišķi nemierā ar cittautiešu grupu ietekmi Latvijas valdībā. Ar saukli „Latviju latviešiem! Latviešiem darbu un maizi!" viņi sludina fašismam līdzīgas iekārtas ievešanu.

1934. gada rudenī jānotiek 5. Saeimas vēlēšanām. Arī Pērkonkrusts gatavojas vēlēšanu cīņai un asi uzbrūk pārējām partijām un to vadītājiem, visvairāk Kārlim Ulmanim.

5. Saeimas vēlēšanas tomēr nekad nenotiek. —

117
APVĒRSUMA PRIEKŠVAKARĀ

„*Ne demokratijai, ne arī laikam šim —*
Šo dziesmu dziedāt tīk man tevim — karalim."
(E. Virza)

Valsts apvērsums Latvijā nav pa spēkam ne komūnistiem, ne Pērkonkrustam. Šīs grupas ir daudz par mazām un tām nav ietekmes svarīgākās valsts dzīves nozarēs.

Bet nemiers ar Saeimu un daudzajām partijām saimnieciskās krizes gados izplatās samērā plašās iedzīvotāju aprindās. Stāvoklis kļūst nopietns, kad pret līdzšinējo kārtību nostājas daži ievērojami valstsvīri.

1933. gada rudenī Zemnieku savienība iesniedz Saeimai priekšlikumu grozīt 1922. gada satversmi. Priekšlikums paredz lielāku varu valsts prezidentam, kurš jāievēl tautai, un Saeimas tiesību ierobežošanu. Šiem grozījumiem tomēr Saeimā nav vairākuma. Sociāldemokratu partija norāda, ka pietiek grozīt vēlēšanu likumu tā, lai sīkās partijas un grupas izslēgtu no Saeimas. Tad parlaments kļūst spējīgs labāk strādāt, un izbeigtos „partiju andeles". Nekādu vienošanos panākt neizdodas.

Iespējams, ka jau 1933. gadā Zemnieku savienības līders Kārlis Ulmanis ir klusībā izšķīries pārņemt varu savās rokās. Tajā gadā viņš ilgāku laiku pavada Vācijā un iepazīstas ar tās jauno, uz vadonības pamatiem dibināto, iekārtu.

Kārlim Ulmanim bija lieli nopelni Latvijas valsts dibināšanā (skat. 94. nod.) un brīvības izcīnīšanā. Visu brīvības cīņu laiku viņš bija ministru prezidents. Tomēr Saeimas laikmetā arī viņš tiek iejaukts partiju strīdos un „andelēs", un tā slavas spožums bija stipri nobālējis. Ceturtās Saeimas vēlēšanās 1931. g. daudzi

Zemnieku savienības vēlētāji bija pat svītrojuši viņa vārdu no vēlēšanu listēm. Arī pati partija bija zaudējusi daļu no agrākajiem piekritējiem (1920. g. Zemnieku savienība iegūst 17,8%, bet 1931. g. tikai 12.2% no visām balsīm). Piektās Saeimas vēlēšanās varēja sagaidīt vēl lielākus zaudējumus sakarā ar Pērkonkrusta piedalīšanos vēlēšanu cīņā. To novērst un savu autoritāti atgūt K. Ulmanis cer ar apvērsuma palīdzību.

Šo Ulmaņa slepeno nodomu, kaut arī negribot, veicina sociāldemokratu partijas nostāja. Tā ir vecākā un lielākā latviešu polītiskā partija. Tai ir slavena vēsture un ievērojami nopelni latviešu tautas cīņās pret svešiem apspiedējiem (skat. 75., 77., 78. nod.).

L.S.D.S.P. ir ļoti kreisi noskaņota un arī Latvijas laikā turas pie mācības par šķiru cīņu (t. i. pie Marksa nodibinātiem uzskatiem — „marksisma"). To varēja labi saprast nebrīvības laikos, kad latvieši cīnījās pret cara patvaldību un Baltijas baronu privilēģijām. Bet laiki bija mainījušies.

Kad Latvijas brīvvalstī izdarīja zemes reformu, tad lielākā daļa agrāko bezzemnieku kļuva par zemes īpašniekiem. Vispār nebija vairs tik dziļu plaisu šķiru starpā kā agrāk. Sociāldemokratu aicinājumi uz „šķiru cīņu" atrada arvienu vājāku atbalsi.

Jaunā latviešu paaudze, kas uzauga brīvības laikā, bija ļoti nacionāli noskaņota. Tai sociāldemokratu saukļi par vispasaules proletāriešu apvienošanos un šķiru cīņu šķita nevajadzīgi un nelatviski. Kādreiz tik slavenie sarkanie karogi, zem kuŗiem 1905. gadā pulcējās lielākā tautas daļa, tagad vairs nespēja sajūsmināt. Tie nepatīkami atgādināja līdzīgās komūnistu krāsas un tādēļ dabūja nicīgus apzīmējumus.

Ja sociāldemokrati gribēja paturēt savu ietekmi tautā, tiem vajadzēja atrast jaunu, laikam piemērotu partijas programmu. Tā rīkojās rietumvalstu strādnieku partijas (Anglijā, Skandinavijā u. c.) un guva labus panākumus.

Nelaimīgā kārtā latviešu soc.-dem. partijas vadība atradās ļoti kreisi noskaņotu vadoņu rokās (Fr. Menders, A. Buševics). Šie vīri ietiepīgi turējās pie agrāko laiku uzskatiem un veda partiju no zaudējuma uz zaudējumu. Ja 1920. g. soc.-dem. ieguva gandrīz 39% no visām vēlētāju balsīm, tad 1931. g. vairs tikai ap 19%.

Vēl ļaunāka bija soc.-dem. atteikšanās sadarboties valdībā („dibināt lielo koaliciju") ar pilsoņu partijām, ja tiem nedod galveno noteikšanu. Sadarbību aizstāvēja gan soc. dem. labais spārns (F. Cielēns, Dr. P. Kalniņš), bet nespēja grozīt partijas vadības nostāju. Savas nepiekāpības dēļ soc. dem. tad arī gandrīz vienmēr bija valdības pretinieku rindās. Tas apgrūtināja stabilas valdības sastādīšanu, veicināja sīko grupu ietekmi un mazināja sociāldemokratu nozīmi valsts dzīvē. Galu galā tas ļoti vājināja demokratisko valsts iekārtu un tās aizstāvēšanu.

Tuvredzīgie soc. dem. vadītāji līdz pat pēdējam netic, ka varētu notikt valsts apvērsums. 1934. g. 2. martā viņi palīdz Zemnieku savienībai gāzt Bļodnieka (Jaunsaimnieku un sīkgruntnieku partijas līdera) valdību. Pēc tam ar dažādu sīku partiju un cittautiešu atbalstu par ministru prezidentu nāk Ulmanis.

Pērkonkrusts sakarā ar to izlaiž zobgalīgu uzsaukumu, nosaucot Ulmani par „drūmā pārejas laikmeta traģikomisko figūru". — Sociāldemokratu līders Fr. Menders partijas kongresā (5.—6. maijā, 1934.) izsakās: „Nekur nav rakstīts, ka Latvijā jābūt fašistu diktātūrai. Fašisma uzplūdi jau iet mazumā."

Kā Pērkonkrusta, tā sociāldemokratu vadoņi dziļi maldījās. —

„Sveika pilsēta, tu karogotais mežs,
Trauksmē, līksmē, zaļā maijā savā..."
(J. Medenis)

15. MAIJA APVĒRSUMS

1934. GADA 15. maija naktī Rīgas ielās parādās karaspēka daļas un aizsargu vienības. Tās ātri un bez šāviena ieņem visas svarīgākās valsts ēkas, Tautas namu un citas sociāldemokratu mītnes. Tajā pašā laikā apcietina lielu skaitu sociāldemokratu un arī dažu citu partiju (sevišķi pērkonkrustiešu) vadoņu.

Lielākai ļaužu daļai šīs nakts notikumi paiet pilnīgi nemanīti. Otrā rītā pārsteigtie Rīgas iedzīvotāji ielās lasa valdības paziņojumu, ka pārtraukta Saeimas un politisko partiju darbība, un Latvijā atjaunota tautas vienība. Valstī tiek izsludināts izņēmuma (pastiprinātas apsardzības) stāvoklis, turpmāk tiks izstrādāta jauna Latvijas satversme. Paziņojumu parakstījuši ministru prezidents Kārlis Ulmanis un kaŗa ministrs ģen. Jānis Balodis.

Līdzīgi notikumi norisinās arī citās lielākās Latvijas pilsētās. 16. maijā galvaspilsētā no laukiem turpina ierasties apbruņotas aizsargu nodaļas. Latvijā vienā naktī ir mainījusies valsts iekārta. „Saeimas laiki" ir beigušies.

Apvērsums izdevies tik viegli un ātri tādēļ, ka to izdarījusi pati valdība. Galvenie „15. maija vīri" ir K. Ulmanis, J. Balodis, aizsargu vadītājs Alfrēds Bērziņš un Rīgas garnizona priekšnieks ģen. K. Berķis. No bruņotajiem spēkiem lielāko lomu spēlē 5. Cēsu kāj-

Valsts un ministru prezidents Kārlis Ulmanis ar kaŗa ministru ģen. Jāni Balodi un armijas komandieri ģen. Krišjāni Berķi vienības laukumā pieņem kaŗaspēku parādi.

nieku pulks, Vidzemes vieglās artilerijas pulks, Rīgas un Jelgavas aizsargu pulki.

Sagatavošanās ir notikusi ļoti slepeni, un par to zinājuši tikai nedaudzi Ulmanim tuvi ļaudis. Valsts prezidents A. Kviesis, pārējie valdības locekļi un armijas komandieris ģen. M. Peniķis par apvērsuma plānu iepriekš neko nezina. Ģen. Peniķa amatā drīz vien nāk ģen. Berķis.

Vara tagad ir Ulmaņa rokās, un viņš sastāda jaunu valdību. Tanī pieaicina arī dažus citu (slēgto) partiju pārstāvjus. Tā sabiedrībā plaši pazīstamais M. Skujenieks (Progresīvā apvienība) kļūst ministru prezidenta biedrs.

Ap 400 (pavisam apcietina ap 2000) apcietinātos polītiskos pretiniekus ilgāku laiku tur koncentrācijas nometnē Liepājā. Nometni likvidē 1935. gada maijā. Vairākiem Saeimas deputātiem piespriež cietuma sodus, kas rada sašutumu demokratiskajās rietumu valstīs. Arī Pērkonkrusta vadoni Gustavu Celmiņu notiesā un pēc tam izraida no Latvijas.

Kā latviešu tauta skatās uz pārmaiņām valsts dzīvē? — Nav iespējams noteikti atbildēt uz šo jautājumu. Katrā ziņā Ulmanis varas pārņemšanai bija izvēlējies izdevīgu brīdi. Saeimas un polītisko partiju cieņa bija stipri mazinājusies. Daudzus kaitināja biežās valdību maiņas un tas, kā cittautiešu deputāti to izmantoja savā labā. Apvērsumu izdarīja brīvības cīņu vadoņi — valsts pirmais ministru prezidents un tā laika nacionālās armijas virspavēlnieks. Tas piešķīra varas pārņēmējiem zināmu spožumu un atsauca atmiņā slaveno valsts tapšanas laiku. Apvērsums bija noritējis gludi un bez asins izliešanas. Tādēļ vispārīgais noskaņojums bija samērā gaišs un mierīgs. Ulmanis bija parādījis uzņēmību un drosmi, viņa pretinieki — padevušies bez cīņas. Bez tam — uzvarētājam parasti mēdz uzgavilēt. Ja tāds patstāvīgs dzejnieks kā J. Medenis jūsmīgi apsveica notikušo (dzejolis „16. maijs"), tad jādomā, ka tas nāca viņam no sirds. Stiprāku valsts varu toreiz vēlējās daudzi latvieši.

Bet Ulmanis nedeva tautai iespēju izteikt domas šajā jautājumā. Tautas nobalsošana nekad nenotika.

Vai 15. maija apvērsums bija vajadzīgs? Par to vēl joprojām latviešu starpā domas dalās.

119
PREZIDENTA ULMAŅA LAIKMETS

„Vadoņa ceļš ir tautas ceļš."
(Vadonības laiku sauklis)

No 1934. GADA maija līdz 1940. gada jūnijam valsts vara Latvijā atrodas Kārļa Ulmaņa rokās. Viņa drošākais balsts ir latviešu zemnieki un stiprā aizsargu organizācija. Visus šos gadus viņš ir ministru prezidents un no 1936. gada arī valsts prezidents. Šim vēstures posmam tauta ir devusi nosaukumu — Ulmaņa laiki.

Saimnieciskā ziņā tas palicis atmiņā kā labklājības un uzplaukuma laiks. Visā pasaulē atkal ir iestājusies liela rosība saimnieciskā dzīvē. Grūtie gadi ir pārvarēti. Latvija 1930-to gadu otrā pusē piedzīvo savas labākās dienas. Jaunā paaudze tad vairs tikai no grāmatām zina, ka kādreiz šī zeme bijusi satriekta drupās un postā. Tā Latvija, kuŗā viņa aug, lepojas ar pārtikušām zemnieku sētām, labi koptiem laukiem un skaistiem ganāmpulkiem.

Pilsētas aug, un dzīve tur kļūst arvienu straujāka. Latviešu lepnums un Latvijas sirds — Rīga, var sacensties ar jebkuŗu Rietumeiropas pilsētu. Tur nozūd vecas un neizskatīgas celtnes, lai atdotu vietu jaunām un modernām. Pa plašajām, asfaltētajām ielām rit dzīva satiksme. Visur redz labi ģērbtus un priecīgus ļaudis. Rīgas veikalos var pirkt vismodernākos tērpus un modes priekšmetus, Rīgas kinoteātŗi izrāda visjaunākās filmas (ātrāk, piem., nekā Stokholmā). Rīga ir jautra pilsēta, kur dzīve neapklust ne dienu, ne nakti. Tās lielie parki, apstādījumi un alejas piešķiŗ tai sevišķu svaigumu un skaistumu. Vasarā pilsēta, šķiet, iegrimusi puķēs un zaļumos. Ārzemnieki, kas to apmeklējuši 1930-tos gados, vēl ilgi pēc tam jūsmīgos vārdos slavē „šo pērli pie Baltijas jūŗas." Turklāt Rīga šai laikā pieder pasaules tīrākajām pilsētām. Kas to nav redzējis, tam pat grūti iedomāties, kāda spodrība tur valdījusi. —

Vistuvāk Ulmanim pie sirds tomēr ir Latvijas lauki. Lauksaimniecība ir Latvijas saimniecības pamats, un par to prezidents arī rūpējas pirmām kārtām (Ulmanis pats pēc izglītības ir agronoms). Viņa laikā tiek daudz paveikts, lai celtu lauksaimniecības ražību, modernizētu darba paņēmienus un padarītu lauku dzīvi skaistāku un daudzpusīgāku. Šim nolūkam kalpo arī 1929. g. dibinātā Mazpulku jaunatnes organizācija, kas izveidota pēc A. S. V. „F.H.Club" parauga.

Zemnieki arī pilnā mērā atzīst Ulmaņa centienus un ar sajūsmu apsveic prezidentu katru reizi, kad tas apceļo lauku novadus, visus uzmudinādams un pamācīdams. Pats viņš labprāt mīl dēvēt sevi par „zemes saimnieku", un kā tāds arī jūtas un rīkojas.

Tajā pašā laikā turpina augt Latvijas rūpniecība. Ar jaundibinātās Latvijas Kreditbankas palīdzību valsts pārņem savā rīcībā vairākus cittautiešu uzņēmumus un bankas. Latviešu pārsvars arī šinīs nozarēs kļūst arvienu lielāks.

Latviskāka kļūst arī izglītības un kultūras dzīve. Saeimas laikos cittautiešu deputāti par mainīgo valdību atbalstīšanu bija izspieduši dažādas nepamatotas priekšrocības un atbalstus mazākuma tautībām. Tā, piemēram, pastāvēja sveštautiešu ģimnazijas ar valsts pabalstu, kuŗās bija tikai daži desmiti skolnieku. Tas tagad tiek novērsts.

Latviskas parašas un svētki nāk lielākā godā. Prezidents pats labprāt mīl ierasties šādos svētkos un redzēt tautu līksmojamies.

Lai veicinātu sekmīgākas studijas, studentiem piešķiŗ ļoti plašus valsts pabalstus (stipendijas 80—100 latu mēnesī). Izcilo mākslinieku un zinātnieku apbalvošanai un vispār par nopelniem tautas un valsts labā 1937. g. nodibina „Tēvzemes balvu". To piešķiŗ ik gadus 15. maijā.

1935. gadā Ulmanis nāk ar ierosinājumu, kas iegūst nosaukumu — „draudzīgais aicinājums". Ar to ikviens tiek pamudināts atcerēties savu pirmo skolu, ziedojot tai grāmatas, gleznas vai mācības līdzekļus. Trīs gadu laikā Latvijas tautskolas saņem vairāk nekā 1.2 milj. grāmatu, ap 0,5 milj. latu naudā un citas ievērojamas vērtības.

Lai sekmētu latviešu vēstures pētīšanu, 1936. g. dibina Vēstures institūtu. Tā direktors ir prof. A. Tentelis, vicedirektori — prof. Fr. Balodis un prof. A. Švābe. Institūtam ir ievērojami nopelni vēstures zinātnes laukā. Un tie nav vienīgie Ulmaņa valdības ierosinājumi un sasniegumi. —

Bet viņa valdīšanas laikam netrūkst arī ēnas pušu. 16. maijā apsolīto satversmi nekad neizstrādā. Tādēļ

Jaunais virsnieks nodod solījumu valsts prezidentam Kārlim Ulmanim Vidū kaŗa skolas priekšnieks pulkv. Arvīds Krīpēns

Latvijas armijas tanks manevros, 1938. gadā.

Ulmaņa vara nebalstās uz likumīga pamata. 1922. gada satversmi neatceļ, bet tās noteikumus neievēro. „Vadoņa griba ir likums", mēdz teikt prezidenta piekritēji šinī laikā. Šī iemesla dēļ no valdības 1938. gadā aiziet M. Skujenieks. Arī ģen. Balodim tādēļ rodas nesaskaņas ar Ulmani.

Prezidents necieš patstāvīgus ļaudis savā tuvumā un vēlas, lai visi paļaujas „valsts saimnieka" gribai. Tāpēc ne vienmēr spējīgākie ļaudis nokļūst svarīgākajos posteņos. Ar laiku Ulmanis arvienu vairāk iejūtas vienīgā noteicēja lomā. Prezidenta vietā viņu sāk dēvēt par tautas vadoni.

Par slavināšanu sevišķi rūpējas Sabiedrisko lietu ministrija, kuŗas priekšgalā nāk viens no 15. maija apvērsuma dalībniekiem, Alfrēds Bērziņš. Tā jūtami ierobežo runas, rakstu un biedrošanās brīvību. Slēdz ap 1000 dažādu biedrību, daudzus laikrakstus un žurnālus. Slimokases un strādnieku arodbiedrības nāk valsts uzraudzībā. Pakalpīgus žurnālistus un rakstniekus uzmudina sacerēt slavinājumus vadonim, bet citus nobīda malā.

Šī rīcība daudziem nepatīkami atgādina paņēmienus, ko lieto citās diktātūras zemēs — Pad. Savienībā, Vācijā, Itālijā. Tas attālina Latviju no draudzīgajām rietumu lielvalstīm, kur pastāv demokratiska iekārta.

Rakstos un runās noniecina agrāko demokraṭisko laikmetu un tā darbiniekus. To apzīmē par „partiju strīdu laikmetu", pasvītro tā ļaunās puses, bet noklusē to, kas tur bijis labs un kas tajā laikā paveikts.

Ulmaņa valdīšana gan nekad nekļūst sevišķi barga un varmācīga, kā tas ir Staļina Padomju Savienībā un Hitlera Vācijā. Neviens Ulmaņa pretinieks netika sodīts ar nāvi vai ilggadīgu cietuma sodu. Lielāks skaits agrāko Saeimas deputātu (kas bijuši tautas pārstāvji vismaz 15 gadus) saņēma valsts pensijas. Bet tomēr Latvijas valsts iekārta šajā laikā jāsauc par diktātūru (vienas personas valdīšanu), kaut arī samērā maigu.

Nekādu tautas pārstāvniecību Ulmanis nepieļauj. Tai vietā pēc Italijas parauga sāk dibināt dažādu arodu (tirgotāju, rūpnieku, amatnieku u. t. t.) padomdevēju iestādes — kameras. To nozīme ir niecīga.

Visbīstamākais tomēr ir, ka tautu Ulmaņa laikmetā atradina patstāvīgi domāt un interesēties par valsts lietām. Neviena politiska partija vairs nedarbojas, arī Zemnieku savienību likvidē. Par visu rūpējas tagad vienīgi vadonis. Nav neviena, kas kontrolētu un sekotu viņa rīcībai. Dažreiz paceļas bažīgas balsis: „Kas notiks, ja Ulmanis pēkšņi nomirst?" — Neviens uz to nevar atbildēt.

Aizrāvies ar saimnieciskās dzīves celšanu, prezidents atstāj novārtā valsts aizsardzību. Pastāv gan valsts aizsardzības fonds, bet jauni, moderni ieroči netiek gādāti. Latvija paļaujas uz Tautu savienību un dažādiem neuzbrukšanas līgumiem, kas noslēgti ar lielajām kaimiņvalstīm. —

1939. gada 1. septembrī ar Vācijas uzbrukumu Polijai iesākas otrais pasaules kaŗš (1939.—1945.). Arī Latvijas vadonis tiek nostādīts grūtu jautājumu priekšā. Kā viņš iztur šos pārbaudījumus?

„Es senais krustnesis, es pazīstams ar viltu —
Sniegs tevi Čingishans pa dzīvu miroņtiltu."
(Andrejs Eglītis)

120
HITLERS TIRGOJAS AR TAUTU BRĪVĪBU

1930-TO GADU otrā pusē Vācijas vadoņa Hitlera rīcība sāk apdraudēt pasaules mieru. Jau 1933.

g. Vācija izstājas no Tautu savienības un sāk bruņoties. Izmantojot citu valstu miermīlību, Hitlers 1935. gadā atklāti lauž Versaļas miera līgumu un pasludina Vācijā vispārēju kaŗa klausību. Nākošā gadā vācu kaŗaspēks iesoļo Reinzemē, kur vāciešiem pēc pirmā pasaules kaŗa nebija atļauts turēt bruņotus spēkus.

Drīz pēc tam Hitlers noslēdz draudzības līgumu ar Italijas vadoni Musolini un Japānu.

1938. gada pavasarī vācu nacistu vadonis jūtas jau tik drošs, ka pavēl savam kaŗaspēkam ieņemt Austriju. Neievērojot citu valstu protestus, Austriju pievieno Vācijai, ko Hitlers sāk dēvēt par „Lielvāciju".

Vēl tā paša gada rudenī Hitlers piespiež čechus atdot tam Čechoslovakijas pierobežu apgabalus — Sudetiju, kur dzīvo lielāks skaits vāciešu. Visu to viņam izdodas panākt ar draudiem un melīgiem solījumiem. Katru reizi, kad Hitlers izdara kādu pārkāpumu, tas svinīgi paziņo, ka „tā ir pēdējā reize" un ka vairāk viņš neko neprasīs.

Bet jau 1939. gada martā Hitlers pakļauj sev visu Čechoslovakiju un atņem Lietuvai Klaipēdas apgabalu.

Ir zināms, ka tagad Lielvācija vērsīsies pret Poliju un pēc tam atprasīs Anglijai agrākās Vācijas kolonijas. Tad angļu valdība paziņo, ka tā garantē (apņemas aizstāvēt) Polijas neatkarību un 1939. gada aprīlī pieņem lēmumu par vispārēju kaŗa klausību Anglijā.

Vācu nacistu draudīgā izturēšanās stipri uztrauc arī Padomju Savienību. Tādēļ tā kādu laiku sāk tuvināties Francijai un Anglijai. Jau 1934.—35. g. Francija un Pad. Savienība mēģina noslēgt plašu aizsardzības savienību ar Austrumeiropas valstīm, par kādu 1927. gadā velti bija cīnījies Latvijas ārlietu ministrs F. Cielēns (tā saukto „Austrumeiropas Lokarno" paktu).

Bet Baltijas valstis šoreiz paskaidro, ka tās neviens neapdraudot, un tās gribot palikt neitrālas.

Latvijas ārpolītikas vadību K. Ulmanis ir nodevis Baltijas vācieša V. Muntera rokās. Tas ir veikls diplomāts un kā Latvijas ārlietu ministrs ieņem redzamu vietu Tautu savienībā. 1938. gadā to ievēl par Tautu savienības padomes priekšsēdi. Bet Munters neizmanto iespējas nodrošināt Latvijas starptautisko stāvokli. Cerības, ka Latvija varēs palikt ārpus lielvalstu sadursmēm, vēlāk izrādās aplamas.

Arī 1939. gada vasarā Latvija un pārējās Baltijas valstis noraida Anglijas, Francijas un Padomju Savienības piedāvājumu garantēt viņu neatkarību. Tai vietā baltieši slēdz neuzbrukšanas līgumu ar Vāciju. Ar Padomju Savienību šādi līgumi jau pastāv.

Tajā laikā Vācija uzsāk slepenas sarunas ar Pad. Savienību. 1939. gada 23. augustā pasauli pārsteidz negaidīta vēsts — vācu nacisti un krievu boļševiki ir noslēguši neuzbrukšanas (draudzības) līgumu. Niknie ienaidnieki pēkšņi ir kļuvuši tuvi draugi. Tas nozīmē, ka Vācijai nodrošināta aizmugure austrumos, un tā var turpināt savus varas darbus pārējā Eiropā.

Ir atklāts noslēpums, ka Hitlers par to ir labi samaksājis Staļinam. Dažus mēnešus vēlāk angļu ārlietu ministrs Halifakss izsakās: „Slēdzot šo līgumu, Hitlera kungs pārdeva to, kas nebija viņa īpašums — Baltijas tautu brīvību." — Halifaksam ir taisnība, jo Hitlera un Staļina līgumam ir pievienota kāda slepena noruna. Tā nosaka, ka boļševiki var brīvi rīkoties Somijā un Baltijas valstīs.

Pirms 240 gadiem vācu muižnieka Patkula nodevība pakļāva Maskavas verdzībā tautas Baltijas jūŗas piekrastē (skat. 55. nod.). Lielvācijas vadoņa Hitlera nodevībai pret Eiropas tautām ir daudz lielākas un smagākas sekas.

Nopircis Staļina draudzību, Hitlers 1939. gada 1. septembrī sāk uzbrukumu Polijai. 3. septembrī Anglija un Francija paziņo, ka tās ir kaŗa stāvoklī ar Vāciju.

Baltijas valstis pasludina, ka šajā sadursmē paliek neitrālas. Patiesībā tās ir pārdotas Maskavai. —

121
PIRMAIS SOLIS UZ PADOŠANOS

"Nes pļāvējs sarkanais
Zem tukšā vārpu klēpja bendes cirvi."
(Andrejs Eglītis)

PAR TO, KAS draud Baltijas valstīm, Latvijas valdība tiek brīdināta. Amerikas vēstnieks Maskavā ziņo Latvijas sūtnim Kociņam par Hitlera un Staļina slepeno vienošanos sakarā ar 1939. gada 23. augusta līgumu. Ārlietu ministrs Munters tomēr domā, ka „šimbrīžam tiešas briesmas nedraud ne no vienas puses".

Septembŗa mēnesī izmisuma pilnā cīņā pret Hitlera armijām iet bojā neatkarīgā Polijas valsts. Šīs cīņas beigu posmā Polijai no muguras uzbrūk arī Padomju Savienība un sagrābj savās rokās daļu no Polijas austrumu apgabaliem. Ir notikusi ceturtā Polijas sadalīšana (skat. 62. nod.).

Šī kaŗa laikā Latvijā iesauc armijā dažus gada gājumus rezervistu, Rīgas priekšpilsētās novieto pozicijās zenitlielgabalus. Dažas poļu vienības atkāpjoties meklē patvērumu Latvijas territorijā (arī lielāks skaits poļu lidmašīnu) un tur noliek ieročus. Kad apklust cīņas Polijā, Latvijas armiju atkal samazina. Bet tikai tagad īstās briesmas sākas.

1939. gada 28. septembrī Igaunijas valdība paziņo, ka tā noslēgusi savstarpējas palīdzības līgumu ar Padomju Savienību. Krievi ieguvuši tiesības turēt 25.000 vīru lielu kaŗaspēku vairākās vietās Igaunijā. Tas ir pārsteigums, jo igauņi par sarunām ar Maskavu nav latviešus iepriekš informējuši.

Pēc dažām dienām Latvijas ārlietu ministru aicina uz Padomju Savienību. 2. oktobrī Munters ierodas Maskavā. Staļins un padomju ārlietu ministrs Molotovs pieprasa, lai krieviem atļauj ierīkot bazes (atbalsta punktus) Latvijā un tur novietot kaŗaspēku. Padomju Savienībai jārūpējoties par savu drošību kaŗa laikā. Molotovs paskaidro: „Mums vajaga neaizsalstošas jūŗas bazes. Jau Pēteris Lielais gādāja par izeju uz jūŗu." Staļins piezīmē: „Vāciešu dēļ mēs varam jūs okupēt. Bet mēs negribam pārestību..." Boļševiku vadoņi apgalvo, ka neiejauksies Latvijas iekšējās lietās un neapdraudēs tās neatkarību.

Iesākas īsti austrumnieciska kaulēšanās. Krievi prasa atļauju turēt Latvijā 50.000 vīrus, bet nolaiž līdz 30.000. Staļins piebilst: „Jums nav ko bīties. Turiet paši 100.000. Jūsu strēlnieki bija labi, un jūsu armija labāka par Igaunijas armiju." —

1939. gada 5. oktobrī Latvija paraksta tā saukto savstarpējās palīdzības līgumu ar Padomju Savienību. Sarkanarmija iegūst bazes Liepājā, Ventspilī un Pitragā (Kurzemes pussalas ziemeļu galā). No ārienes līgums ir nevainojams — boļševiki sola neiejaukties Latvijas valsts dzīvē un pēc kaŗa beigām atvilkt savu kaŗaspēku.

10. oktobrī līdzīgu līgumu paraksta Lietuva, un Staļins tai uzdāvina Polijai atņemto Viļņu. Visās trīs Baltijas valstīs ienāk padomju kaŗaspēks un novietojas

norādītajos atbalsta punktos. Pagaidām tas izturas klusu.

Latvijas valdība slavē līgumu kā ieguvumu valsts drošības stiprināšanā. Ārvalstis tomēr domā citādi — tas ir pirmais solis uz Latvijas brīvības iznīcināšanu. Arī Latvijas sūtņi ārzemēs (piem., sūtnis Dr. M. Valters Briselē un sūtnis V. Salnais Stokholmā) sūta brīdinājuma signālus Ulmanim un aicina darīt iespējamo neatkarības sargāšanai. Valdība atbild, ka nav pamata uztraukumam.

1939. gada oktobrī vācu valdība steidzas noslēgt ar Latviju, Igauniju un Lietuvu līgumus par vācu tautības pilsoņu pārvešanu uz Vāciju (t. s. repatriācijas līgumi). Brīvās Latvijas laikā attiecības latviešu un baltvācu starpā bija uzlabojušās. Senās pretešķības un nesaskaņas pamazām izbālēja. Daudzi vācieši tikai ar smagu sirdi šķiŗas no zemes, kur tie auguši. Bet tie neslēpj arī, kāpēc to dara — Latvija drīzumā kritīs boļševiku rokās. Ap 50.000 vāciešu atstāj Latviju, kādi 10.000 latviešu izmanto izdevību aizbraukt tiem līdz.

Šai laikā Padomju Savienībā izgatavo jau Baltijas valstu kartes armijas vajadzībām ar uzrakstiem „Padomju Latvija", „Padomju Lietuva"... Galīgā Baltijas valstu pakļaušana tomēr novilcinās. Iemesls ir kādas tautas negaidīti spēcīgā pretestība Maskavas viltīgajiem plāniem. —

1939. gada 5. oktobrī Staļins uzaicina arī Somiju ielaist sarkanarmiju tās territorijā un dot krieviem tur atbalsta punktus. Somija ir saglabājusi savu demokratisko valsts iekārtu, un tur visus jautājumus apspriež parlaments. Somu valdība un tautas pārstāvji noraida krievu prasības.

30. novembrī sarkanarmija bez kaŗa pieteikšanas

pariet uzbrukumā. Somi tagad sastāda valdību, kuŗā ieiet pārstāvji no visām galvenajām partijām un vienprātīgi stājas pretī ienaidniekam.

Mazās somu tautas varonīgā cīņa saviļņo visu pasauli. Gaidītās vieglās uzvaras vietā boļševiku armijas cieš milzīgus asinainus zaudējumus. Tautu savienība pasludina Padomju Savienību par uzbrucēju un izslēdz to no sava vidus. Staļins aiz robežas ir jau sastādījis sev paklausīgu „valdību" no somu nodevējiem (Kūsinena „valdība"), lai tās vārdā sagrābtu visu Somiju savās rokās. Somu bezbailīgā pretestība šos nodomus izjauc. Kaŗam ieilgstot, tajā gatavojas iejaukties rietumu lielvalstis, un 1940. gada 12. martā Padomju Savienība slēdz mieru. Somijai gan jāatdod vairāki apgabali, bet tās neatkarība ir glābta. Somi ir parādījuši pasaulei, ka tie gatavi cīnīties un mirt par savu brīvību. Otrā pasaules kaŗa vēsturē slavenākās lapaspuses neapšaubāmi ir tās, kas stāsta par somu tautas varoņdarbiem.

Kaujām beidzoties (tās dabūjušas nosaukumu — „ziemas kaŗš"), somu virspavēlnieks māršals Manerheims izdod pēdējo pavēli. Tanī, starp citu, teikti šādi lepni, bet patiesi vārdi:

„Kaŗavīri Somijas slavenajā armijā!
... Mums ir lepnā apziņa, ka mums no vēstures ir uzlikts uzdevums, ko mēs joprojām pildām — sargāt rietumu pasaules civīlizāciju, kas kopš gadu simteņiem ir bijusi mūsu mantojums. Bet mēs arī zinām, ka mēs līdz pēdējam grasim esam samaksājuši savu parādu (par šo civīlizāciju) rietumu pasaulei."

Ar aizturētu elpu latviešu tauta un tās kaŗavīri ir sekojuši somu apbrīnojamai cīņai un Somijas valdības nelokāmajai un gudrajai nostājai. Bet latvieši nedrīkst parādīt, ko viņi domā un jūt. Padomju Savienība skaitās „Latvijai draudzīgā lielvalsts", ar kuŗu noslēgts „savstarpējās palīdzības līgums." —

122
STAĻINS PIEVĀC LAUPĪJUMU

„*Laiks šovasar vairs neies vecās sliedēs,*
Būs puķes skumjas, bišu medus rūgts,
Uz tāliem ciemiem kumeļš netiks jūgts..."
(E. Virza)

1940. GADA pavasarī Hitlers ir nolēmis dot izšķirīgu triecienu Francijai un Anglijai. Bez kaŗa pieteikšanas vācu bruņotie spēki 9. aprīlī iebrūk Dānijā un Norvēģijā un okupē šīs zemes. Vācu zemūdenes un lidmašīnas iegūst jaunus atbalsta punktus cīņai pret Angliju.

10. maijā sākas Hitlera sludinātais „zibeņkaŗš" rietumos. Pēc īsas cīņas vācu rokās krīt Holande un Beļģija. Franču aizsardzības līnijas tiek apietas un pārrautas, franču armija un tās angļu palīgspēki satriekti dažu nedēļu laikā. Pēdējā brīdī angļiem izdodas vēl sakāpt kuģos un paglābties pāri jūŗai. Šo atkāpšanos angļi nosauc par „Denkerkas brīnumu".

Sabrukums franču kaŗaspēkā ir tik liels, ka par pretestību nav ko runāt. Vietām vācieši vienkārši uzsauc apjukušajiem franču kaŗavīriem: „Mums nav laika ņemt jūs gūstā. Sviediet prom ieročus un ejiet uz dienvidiem! Nekavējiet satiksmi uz ceļiem!" (Ģen. De Golla atmiņas).

13. jūnijā vācu armija iesoļo Parīzē, un 18. jūnijā franču virspavēlnieks māršals Petēns lūdz pamieru. Starplaikā arī Italija iestājas kaŗā Vācijas pusē. Pāris mēnešos vesela rinda neatkarīgu valstu ir zaudējušas

brīvību. Eiropā ir iestājies „dūres tiesību" laikmets.

Baltijas valstis ir kļuvušas par salu starp Padomju Savienību un vācu karaspēka pārpludināto Rietumeiropu. Latvijas valdība 18. maijā piešķir Latvijas sūtnim Londonā K. Zariņam un sūtnim Vašingtonā A. Bīlmanim (kā K. Zariņa vietniekam) ārkārtējas pilnvaras. Ja Latvijas valdība kara apstākļu dēļ vairs nevarētu darboties, pilnvarniekam ārzemēs ir jāaizstāv Latvijas intereses, viņš var iecelt sūtņus un rīkoties ar valsts līdzekļiem. Tas ir pēdējais nozīmīgais valdības lēmums.

Padomju Savienībai Hitlera ātrie un lielie panākumi ir nepatīkams pārsteigums. Maskava tagad steidzas pievākt arī savu laupījuma daļu.

Visas Baltijas valstis gandrīz vienā laikā saņem boļševiku ultimātus (neatliekamas prasības). Melīgi apgalvojot, ka Baltijas valstu rīcība apdraudot Padomju Savienības drošību, Maskava pieprasa:

1) sastādīt jaunas, Padomju Savienībai draudzīgas valdības,
2) ielaist padomju armiju neaprobežotā daudzumā Baltijas valstīs.

Latvija šādu ultimātu saņem 1940. gada 16. jūnijā. Dienu iepriekš sarkanarmieši ir slepus uzbrukuši kādai latviešu robežsargu mītnei un to nodedzinājuši. Nogalināto un ievainoto starpā ir vairākas sievietes un kāds 14 gadu vecs zēns.

Valdības stāvoklis ir grūts. Vācijas sūtnis Rīgā fon Koce paskaidro, ka viņa valsts nekādu atbalstu nesniegs. Rietumeiropas valstis pašas ir zaudējušas brīvību. Vienīgi Anglija nav padevusies, bet tā atrodas smagā cīņā pret Hitlera Vāciju.

Latviešu karavīru kaujas spējas un drosme ir sen

pazīstama (tas par jaunu pierādās dažus gadus vēlāk), bet valdība nav laikā pietiekami gādājusi par modernu apbruņojumu, un robežas nav nocietinātas.

Vēlētu tautas pārstāvju Latvijai kopš 1934. gada nav, un prezidentam Ulmanim pašam jāizšķiŗas, ko darīt.

17. jūnija priekšpusdienā Latvijas raidītājos nolasa valdības paziņojumu, ka tā piekritusi boļševiku prasībām.

Vēl tai pašā dienā padomju armija no divām pusēm — Krievijas un Lietuvas — ienāk Latvijā. Pēcpusdienā krievu tanki jau iebrauc Rīgā. Latviešu policija un aizsargi rūpējas par kārtību ielās un uz ceļiem... Vēlu vakarā radio noraida Ulmaņa runu tautai, kuŗā tas apgalvo, ka valstij nekādas briesmas nedraud. Runu prezidents nobeidz ar vārdiem: „Es palieku savā vietā, palieciet jūs katrs savā."

Latviešu tauta ir apmulsusi un satriekta. Latviešu kaŗavīri sakostiem zobiem noskatās, kā noplukušie sarkanarmieši iemaršē viņu zemē. Vairāki virsnieki neiztur šo pazemojumu un nošaujas. Viņu vidū ir arī Robežsargu brigādes komandieris ģen. Bolšteins.

Latviešiem nekad vēl nebija bijusi tik labi organizēta un apmācīta armija, nemaz nerunājot par plašo aizsargu organizāciju. Bet latviešu kaŗavīri nekad nedabūja iespēju cīnīties zem savas valsts karoga.

Nav šaubu, ka prezidents rīkojās pēc labākās sirdsapziņas un saprašanas. Piekāpjoties viņš cerēja pasargāt tautu no liekiem upuŗiem bezcerīgā kaŗā. Varbūt Ulmanis vairāk vai mazāk ticēja Maskavas solījumiem, ka Latvijas neatkarība netiks skarta. Tai laikā arī vēl krievi nelikās tik bīstami kā vācieši. Līdzīgā kārtā padevās Igaunijas un Lietuvas valdības. Baltijas valstu sūtņi pat nevarēja ārzemēs protestēt pret Maskavas rīcību, jo viss notika ar valdību piekrišanu. — Taču kaŗa laukā nezaudē ne tuvu tik daudz, kā padoties ļaunprātīga ienaidnieka patvaļai un varmācībai. Diemžēl, toreiz boļševiku nodomi un paņēmieni pret Eiropas tautām vēl nebija pietiekami pazīstami.

Pirmās ar tiem visā pilnībā iepazinās Baltijas tautas.

„Ha! Ha! Būs Kremļa bauslība reiz Dieva aitām gans — Un viena tēvija," elš galvas cirzdams Čingishans.
(Andrejs Eglītis)

123 PADOMJU VERGU VALSTĪ

Tai pašā dienā, kad padomju armija ienāk Latvijā, no Maskavas Rīgā ierodas komūnistu varasvīrs Višinskis. No šī brīža viņš tur ir galvenais noteicējs. Sākumā krievi rīkojas visai uzmanīgi. Tādēļ prezidentu Ulmani veselu mēnesi vēl atstāj amatā Rīgas pilī, krievu tanku apsardzībā. Tādēļ arī vairāki lētticīgi cilvēki stājas Višinska rīcībā un ļauj sevi izmantot komūnistu mērķiem. Tādā kārtā 20. jūnijā rodas jauna Latvijas valdība. Tās priekšgalā Višinskis noliek kādu dīvainu, nevarīgu profesoru (Kirchenšteinu), bet par ministriem, starp citu, vairākus vāja rakstura žurnālistus (P. Blauu, J. Lāci), kādu pensionētu ģenerāli (Dambīti) un divus slepenus komūnistus — Vili Lāci un V. Latkovski.

No cietumiem izlaiž nedaudzos, agrāk sodītos, komūnistus (pat krievi pārsteigti, cik Latvijā maz tādu) un to sumināšanai sarīko „prieka demonstrācijas". Tanīs piedalās daļa Rīgas žīdu un krievu un latvieši, kuŗus piespiež tieši no darba vietām doties ielās un soļot gar padomju sūtniecību un valdības namu. Daudzi nesaprot, kādēļ viņus dzen šajos gājienos, kur jānes plakāti ar komūnistu vadoņu attēliem un dažādiem melīgiem uzrakstiem. Bet Maskava ziņo pasaulei, ka latviešu tauta lielā priekā apsveikusi sarkano armiju un jauno valdību. „Chicago Tribune" korespondentu izraida no Latvijas, jo viņš paziņo ārzemēm patiesību par šo baigo mērkaķošanos Rīgas ielās.

Lai nebūtu iespējama nekāda pretestība, jaunā valdība pavēl visiem nodot ieročus. Kad tas ir izpildīts, un cilvēki pilnīgi atbruņoti (jūlijā likvidē aizsargu organizāciju), pamazām iesākas latviešu slepkavošana. Latvijā ierodas komūnistu slepenās drošības policijas (NKVD) vīri — „čekisti", lai uzsāktu savus asins darbus. Uz šo brīdi tie jau gaidījuši kopš 1939. gada, un viņu darbības plāni jau laikus izstrādāti Maskavā.

Savādas, tumšas bailes izplatās visā zemē. Par iebiedēšanu gādā Maskavas komūnisti un viņu rokas puiši. Jauni apzīmējumi parādās uzsaukumos, laikrakstos un runās — „tautas ienaidnieki", „kaitētāji" u. taml. Tādiem draud nāve. Un tautas ienaidnieks ir ikviens, kas neklausa tam, ko pavēl krievu iebrucēji. Tādēļ neviens vairs nejūtas drošs.

14. un 15. jūlijā Kirchenšteina valdība izsludina Saeimas vēlēšanas. Bet balsot drīkst tikai par vienu vienīgu sarakstu — „darba tautas bloku". To sastādījis Višinskis padomju sūtniecībā no komūnistiem un citiem krieviem padevīgiem ļautiņiem. Daži latviešu valstsvīri mēģina uzstādīt vēl otru sarakstu, bet šo mēģinājumu izjauc ar bruņotu varu.

Padomju vergu valsts kārtība latviešiem vēl ir sveša. Neviens tādēļ lāga nesaprot, kādēļ jābalso, ja ir tikai viens saraksts un nekādas izvēles nav. Bet komūnisti liek visiem sajust, ka izvairīties nedrīkst: „Tie, kas nebalso, ir tautas ienaidnieki." Kas tos sagaida, ir jau agrāk pateikts. Tādus arī nebūs grūti noskaidrot, jo par piedalīšanos vēlēšanās katram iespiež atzīmi pasē. Tai pašā laikā komūnisti paziņo, ka apgalvojumi par Latvijas pievienošanu Padomju Savienībai ir ļaunprātīgas baumas.

Tā 14. un 15. jūlijā latviešu tautu ar draudiem dzen uz vēlēšanām, kur nekā nav ko vēlēt. Kad šīs spokainās „vēlēšanas" ir beigušās, Maskava vairs neslēpj savus nolūkus. Tagad notikumi risinās ātri. 20. jūlijā atceļ valsts prezidentu Ulmani un 22. jūlijā viņu aizved (deportē) nezināmam liktenim uz Dienvidkrieviju. Veselu mēnesi viņš kā krievu gūsteknis bija spiests izsludināt visus to uzspiestos rīkojumus un noārdīt pats savu darbu.

1940. gada 21. jūlijā Saeimā ievēlētie komūnistu kalpi padevīgi pieņem no Maskavas atsūtītos priekšlikumus — lūgt, lai Latviju uzņem Padomju Savienībā. Valstī nodibina padomju varu, zemi un ražošanas līdzekļus izsludina par valsts īpašumu.

Gluži tas pats un tanī pašā laikā notiek Lietuvā un Igaunijā. Sarīkodama šīs teātŗa izrādes, Maskava grib pasaulei rādīt, ka Baltijas valstīs, vismaz ārēji, viss noticis likumīgi un brīvprātīgi. Bet steigā Višinskis aizmirst, ka Latvijas satversmi nevar atcelt ar Saeimas lēmumu, bet tas jāapstiprina tautas nobalsošanā (to nosaka 1922. g. satversmes 77. §). Tā komūnistu pūles tēlot likumīgu rīcību tomēr izrādās veltīgas.

Pēc šiem notikumiem Latvijas sūtņi ārzemēs iesniedz protestus rietumvalstu valdībām par Maskavas varmācīgo un nelikumīgo rīcību Latvijā. 23. jūlijā Amerikas Savienoto Valstu ārlietu viceministrs Velless paziņo atklātībai: „Kāds stiprāks kaimiņš apzinīgi cenšas iznīcināt 3 mazo Baltijas republiku neatkarību un viņu territoriju neaizkaŗamību — šo republiku, kuŗu apbrīnojamai attīstībai Savienotās Valstis visu laiku sekojušas ar dziļu un simpatisku interesi... Savienoto Valstu pilsoņi neatzīst šādus laupīšanas paņēmienus." —

Latvijas brīvības iznīcināšanas pēdējais cēliens norit Maskavā. 5. augustā Padomju Savienības Augstākā padome vienbalsīgi „uzņem" Latviju Padomju Savienības sastāvā. Šajā sēdē Kirchenšteins nolasa runu, ko Višinskis tam uzrakstījis priekšā un kas no krievu valodas pārtulkota latviski. Tikpat nožēlojamā veidā arī Lietuva un Igaunija pārvēršas par padomju republikām.

Tagad iesākas steidzīga Latvijas bagātību izlaupīšana, cilvēku apcietināšana, spīdzināšana un slepkavošana.

Uz Latviju ripo tukši padomju preču vilcieni ar uzrakstiem — „Maize bada cietējiem Latvijā", atpakaļ tie dodas piekrauti ar Latvijas labību un citām mantām.

Arvien biežāk naktīs apcietina cilvēkus, un tie nozūd čekas moku kambaŗos. Neviens vairs nezina, ko nesīs rītdiena. Jautrā Latvijas galvaspilsēta kļūst arvien drūmāka un klusāka. Smieties ir bīstami, jo tas var nozīmēt, ka apsmej padomju varu. Padomju vergu valstī nav par ko smieties — to pamazām iemācās arī latvieši.

Sarkanarmieši, viņu piederīgie un dažādi Krievijas vazaņķi piemēslo un apgāna Latvijas tīrās pilsētas, dzīve kļūst pelēka, smaga un baiga.

Tādēļ šim komūnistu valdīšanas laikam (no 1940. g. jūnija līdz 1941. g. jūnijam) tauta devusi nosaukumu „baigais gads".

„Pa posta ceļu sūru
Ir gājis rads un draugs,
Uz svešu ļaužu jūŗu,
Kur smilgas maizei aug."
(N. Kalniņš)

124
1941. GADA JŪNIJA NOTIKUMI

Par komūnistu valdīšanas laikiem daudziem vēl bija ļaunas atmiņas no 1919. gada. Tomēr tas bija nieks, salīdzinot ar to, kas notiek 1940./41. gadā.

1919 gadā rīkotāji un noteicēji tomēr bija latviešu komūnisti, kas sākumā balstījās arī uz latviešu kaŗaspēka daļām (skat. 96. nod.). Vairākus gadus latviešu komūnisti spēlēja ievērojamu lomu visā Padomju Savienībā. — Kopš tā laika daudz kas bija mainījies. Iznīcinot gandrīz visus vecos lieliniekus vadoņus, varu bija sagrābis Josifs Staļins (skat. 104. nod.). Viņš izveido pasaulē vēl neredzētu varmācības un cilvēku izspiegošanas valsti. Būdams gruzīns, Staļins tomēr cenšas būt krieviskāks par pašiem krieviem. Tādēļ Padomju Savienībā visiem nemitīgi jācildina „lielā krievu tauta", kamēr pārējās tautas tiek nežēlīgi apspiestas un vajātas. Tas tomēr nekavē krievu komūnistus sludināt, ka viņi visā pasaulē aizstāv apspiesto tautu brīvību. Pats sevi Staļins liek godāt par „mīļo tēvu, skolotāju, vadoni un sauli". Viņa baigākais sasniegums ir vergu darba ievešana padomju valstī.

Miljoniem cilvēku, kas komūnistiem neliekas uzticami, tur vergu nometnēs čekistu un asinssuņu apsardzībā. Kamēr tie spēj kustēties, viņus izmanto vissmagākiem darbiem, līdz to spēki sabrūk un nāve tos atpestī no tālākām mokām. Ar šo vergu palīdzību Staļins rok kanālus, taisa ceļus un dzelzceļus, rok akmeņogles un rūdas, cērt mežus u. t. t. Galvenais mērķis ir bruņoties, lai komūnisms reiz iekaŗotu virskundzību visā pasaulē. Pārtikas un patēriņa preču ražošanu atstāj novārtā, un „laimīgie padomju ļaudis" staigā noplukuši, izbadējušies un bailēs, ka tikai nenokļūst vergu nometnēs. Paši vadoņi totiesu ir labi apgādāti ar visu vajadzīgo.

Sevišķi nožēlojams ir zemnieku stāvoklis. Viņiem ir atņemta zeme, un tie sadzīti kopsaimniecībās (kolchozos) un valsts saimniecībās (sovchozos). Par savu darbu tie saņem tik niecīgu atlīdzību, ka strādāt tiem nav ne mazākās intereses. Kolchoznieki atgādina agrāko laiku muižu kalpus vai dzimtcilvēkus 16.—18. g. s.

Vadonim tomēr nepietiek ar verdzisku padevību vien. Staļins vēlas, lai viņu bez tam nepārtraukti slavētu un tam pateiktos par „laimīgo dzīvi".

Pie šīs kārtības Maskava tagad sāk pieradināt arī latviešu tautu. Ārēji Latvija skaitās atsevišķa padomju republika ar savu padomju valdību. Īstenībā visu nosaka krievu komūnisti no Maskavas. Latvijas komūnistu partiju vada kāds Krievijā skolots un Staļinam pilnīgi padevīgs komūnists — J. Kalnbērziņš.

Gada laikā, protams, ir grūti novest Latviju tādā postā un nabadzībā kā pārējo Padomju Savienību, kaut arī krievi to laupa, cik spēdami. Brīvībā augusī latviešu tauta vispār nav piemērota padomju valsts iekārtai. Par latviešu salaušanu, pazemošanu un apspiešanu gādā komūnistu spiegi un visvarenā slepenā policija. Kaut arī tagad ierīko daudzus jaunus cietumus, tie pastāvīgi ir pārpildīti. Bez tiesas izmeklēšanas daudzus tūkstošus soda par „pretpadomju darbību" un izsūta uz vergu nometnēm. Daudzus mežonīgi spīdzina, lai tie atzītos dažādos izdomātos noziegumos. Ap 1000 cilvēku nošauj un aprok cietumu pagalmos vai nomaļās vietās.

Augšā - 1941. gada 29. jūnijā kaŗa darbības rezultātā aizdedzinātā sv. Pēteŗa baznīca Rīgā

Vidū - izsūtīto vilciens 1941. gadā ceļā uz Krieviju

Apakšā - krievu kaŗavīru kultūrāls sniegums latviešu tautai

Latvijas armiju samazina uz pusi, nosauc par territoriālo korpusu un iekļauj padomju armijā. Pamazām to likvidē pavisam, lielāko daļu virsnieku apcietina un aizved uz Krieviju. Par viņu likteni maz kas zināms.

Bet tas ir tikai iesākums. Maskava jau sen klusībā gatavojas plašam Baltijas tautu iznīcināšanas darbam. Ir paredzēts no katras zemes aizvest vergu darbos vairākus simttūkstošus cilvēku. Pirmās lielās vispārīgās cilvēku medības un izsūtīšanas (deportācijas) notiek 1941. gadā, naktī no 13. uz 14. jūniju. Šajā naktī čekisti un viņu izpalīgi Latvijā apcietina ap 16.000 cilvēku, to starpā sirmgalvjus, sievietes un mazus bērnus. Tos sadzen aizrestotos lopu vagonos un aizved vergu darbos, galvenā kārtā uz apgabaliem pie Ziemeļu ledus jūras, uz Sibiriju. Ģimeņu locekļus pie tam atšķir vienu no otra un izklīdina pa dažādām vergu nometnēm. Pavisam baigajā gadā komūnisti nomoka, nogalina un aizved verdzībā 34.000 Latvijas iedzīvotāju.

Šī cilvēku bendēšana tiem tomēr jāpārtrauc agrāk nekā domāts, jo 1941. gada 22. jūnijā Vācija (pēc Grieķijas un Dienvidslavijas ieņemšanas) sāk karu pret Padomju Savienību. Šai karā Vācijas sabiedrotie ir Somija, Ungārija un Rumānija.

Daudzi latvieši, to vidū bijušie aizsargi un karavīri, tajā laikā ir sabēguši mežos, lai paglābtos no komūnistu vajāšanām. Lielai daļa ir arī ieroči, ko tie agrāk paguvuši noslēpt. Tagad viņi apvienojas partizānu grupās un frontes aizmugurē sāk cīņu pret krievu iebrucējiem.

Vācu armija ātri laužas uz priekšu. No Latvijas, cilvēkus apšaudami, atkāpjas sarkanās armijas pulki. Latviešu partizāniem izdodas vēl pēdējā brīdī pasargāt daudzus no krievu slepkavībām un atbrīvot daļu apcietināto. Vairākas pilsētas vēl pirms vācu **ienākšanas** krīt latviešu brīvprātīgo cīnītāju rokās. Tas palīdz vāciešiem ātri un bez lieliem zaudējumiem ieņemt Latviju.

1941. gada 1. jūlijā pirmās vācu triecienvienības iesoļo Rīgā. Baigajā gadā pārmocītie latvieši sagaida vācu karaspēku kā atbrīvotājus. Aizmirstas ir **senās** pārestības, aizmirsta ir Hitlera nodevība 1939. gadā. Latvieši patiesi šai brīdī atviegloti uzelpo, redzot, kā zilpelēkās vācu kolonas dodas pakaļ bēgošajam ienaidniekam uz austrumiem.

Rīgas radiofonā šai dienā atkal atskan Latvijas valsts himna, ielās parādās Latvijas nacionālie karogi. Visās vietās latvieši steidzas atjaunot savas pārvaldes iestādes un karaspēka vienības. Uz latviešu komandantūrām plūst brīvprātīgie, lai pieteiktos cīņai pret komūnismu. Sveši cilvēki apsveic viens otru par izglābšanos no Staļina vergu valsts briesmām. Rīgā atkal redz smaidošus ļaudis. Smaida arī vācu karavīri, pārsteigti par draudzīgo sagaidīšanu. — „Jums vairs nav jābaidās", saka vācu kaujas vienību vīri, atbildot uz iedzīvotāju sveicieniem. —

Kā Hitlera valdība izmanto latviešu tautas noskaņojumu 1941. gada vasarā?

„*Vecās briesmas jāredz atkal!*
Miroņi nāk mācīt dzīvos!"
(J. Rainis)

125
LATVIEŠI «AUSTRUMZEMĒ«

Lai gan vācieši ir centīga un strādīga tauta, viņiem ir maz draugu pasaulē. Tam par iemeslu ir Vācijas vadītāju neapvaldītās un rupjās iekaŗošanas un laupīšanas tieksmes, kas parādījušās abos pasaules kaŗos. Tikko vāciešiem izdodas iegūt kādus panākumus kaŗa laukā, viņu vadoņi zaudē katru mēra sajūtu — aizmirst, ka arī citām tautām ir tiesības dzīvot un pastāvēt.

Jau pirmā pasaules kaŗā vācu rīcība modināja pret tiem lielu sašutumu. Otrā pasaules kaŗā Vācijas nacistu vadoņa Hitlera neprātība, necilvēcība un smagie noziegumi sagādā neizsakāmas ciešanas daudzām Eiropas tautām un beigās — arī pašiem vāciešiem.

*

Latviešu un pārējo Baltijas tautu vēsturē nav otra gadījuma, kad noskaņojums tautā ir tik labvēlīgs vāciešiem, kā 1941. gada vasarā. Tajā brīdī Vācijai ir pilnīgi iespējams iesaistīt visu Baltijas valstu bruņotos spēkus cīņā pret krievu komūnismu un iegūt sev uzticīgus sabiedrotos Baltijas jūŗas krastos.

Nekas tamlīdzīgs tomēr nenotiek. Hitleram un viņa padomdevējam Austrumeiropas lietās — Alfredam Rozenbergam*) ir noziedzīgi plāni pret nevācu tautām. Tie paredz Baltijas valstu (arī Polijas u. c.) iznīcināšanu un to kolonizēšanu ar vāciešiem. Baltijas tautas nacistu vadoņi grib pa daļai izsūtīt uz Krieviju, pa daļai pārvācot. Rozenbergs, acīmredzot, jūtas kā Vācu ordeņa lielmestrs 20. gadu simtenī. Par šiem nodomiem gan pagaidām vēl atklāti sargās rakstīt, bet vācu rīcība ir nepārprotama. Daži dedzīgākie nenociešas un to arī izpauž sarunās.

Pakaļ vācu frontes kaŗavīriem uz Latviju tagad steidzas dažādi Rozenberga ,,Austrumu ministrijas" vīri, visādi rīkotāji un vadītāji (,,zonderfīreri", ,,leiteri"),

---

*) A. Rozenbergs, viens no Baltijas valstu lielākiem nīdējiem, pieskaitāms latviešu tautas nodevējiem, t. s. kārklu vāciešiem. Tēva līnijā viņš cēlies no Vidzemes latviešiem, studējis Rīgā.

vācu drošības policisti (SD-vīri) un slepenā valsts policija (Gestapo), kam līdzīgi uzdevumi kā krievu čekistiem.

Latviešiem paziņo, ka viņu palīdzība nav vajadzīga, un viņu vienības atbruņo. Visus krievu rīkojumus par zemes un īpašumu atņemšanu atstāj spēkā. Šie īpašumi tiek pasludināti par vācu kara laupījumu, Latvija — par apgabalu, kas atņemts Padomju Savienībai. Latvijas valsts vārdu nedrīkst pat pieminēt. Rīgas ielas nepacietīgākie pārvācotāji steidz pārdēvēt vācu vārdos. Tai pašā laikā vācieši nebeidz liekulīgi skandināt, ka viņi ir latviešu atbrīvotāji un ka latviešiem tādēļ jābūt pateicīgiem.

Latviju, Lietuvu, Igauniju un Baltkrieviju vācieši apvieno dīvainā pārvaldes vienībā, ko nosauc par Austrumzemi (Ostland). Tā latvieši negaidot pārvēršas par ,,austrumniekiem" jeb ,,iedzimtajiem", kā jaunā vara tos tagad apzīmē. Pārtiku drīkst pirkt vienīgi pret pārtikas kartītēm, un ,,iedzimtie" dabū tikai daļu no tā, kas piešķirts ,,kungu tautai" (vācu nacistu izgudrojums savas tautas apzīmēšanai, kas radīja izsmieklu visā pasaulē). Tāpat rīkojas ar drēbēm, apaviem, algām u. c. Pēc vācu domām ,,iedzimtajiem" (Eingeborene, Einheimische) nav vajadzīgas ne augstākas skolas, ne citas zinātnes un kultūras iestādes. Par sevišķi bīstamu uzskata vēstures pētīšanas darbu. Tādēļ nekavējoties slēdz Latvijas Vēstures institūtu.

Tā samērā īsā laikā vācu vadoņi panāk, ka draudzīgo jūtu vietā latviešos rodas sašutums un naids. Vācu ierēdņu uzpūtība un bieži vien nemākulīgā un ačgārnā rīcība dod iemeslu arī neskaitāmām zobgalībām.

Tomēr vācieši paši vien nespēj Latviju pārvaldīt. Tādēļ blakus vācu iestādēm atļauj darboties latviešu pašpārvaldei. Tās nodaļas nosauc par ģenerāldirekcijām, un par galveno ģenerāldirektoru nozīmē ģen. O. Dankeru, kas pārzin iekšlietas. Latviešu pašpārvaldei, protams, jāizpilda visi vācu rīkojumi, arī nelikumīgie. Tā nevar aizkavēt apcietināšanas, koncentrācijas nometņu ierīkošanu, cilvēku apšaušanu un izsūtīšanu darbos uz Vāciju.

Tomēr, cik spēdami (viens vairāk, otrs mazāk), ģenerāldirektori cenšas aizstāvēt latviešu intereses un sagādāt tautai ciešamāku dzīvi zem vācu okupācijas varas. Izdodas atjaunot vidusskolas un Latvijas Ūniversitāti (no vēstures nodaļas gan padzen prof. A.Švābi un doc. M.Stepermani), teātrus un operu. Vēlāk ar nosaukumu „Vēstures krātuve" atsāk darbību Vēstures institūts. Bet pilnīgi veltas ir pūles panākt kaut daļēju Latvijas patstāvības atjaunošanu.

Tad vairāki latviešu valstsvīri, agrāko polītisko partiju vadītāji un darbinieki, slepeni nodibina Latvijas Centrālo Padomi (1943. g.), lai organizētu pretestību vācu varai. Tā stājas sakaros ar igauņiem un leišiem un cenšas nogādāt uz ārzemēm ziņas par patiesajiem apstākļiem Latvijā. LCP vada pirmā Latvijas valsts prezidenta dēls — prof. K. Čakste. 1944. gadā viņš krīt „Gestapo" rokās un mirst Štuthofas koncentrācijas nometnē Vācijā.

Vācu okupācija ilgst no 1941. līdz 1945. gadam, kādēļ upuru skaits ir lielāks kā komūnistu baigajā gadā. Tajā laikā vācu „Gestapo" un „SD" nogalina ap 10.000 latviešu. Ieslodzīto skaitu vērtē ap 50.000. Visnežēlīgāk nacisti apietas ar žīdiem, kurus Hitlers apņēmies iznīcināt visā Eiropā. Vairāk miljonu nogalināto Eiropas žīdu skaitā ir arī ap 60.000 Latvijas žīdu.

Līdzīgi un pat vēl ļaunāk Hitlera valdība izrīkojas

citos ieņemtajos apgabalos. Tas ar laiku atriebjas vāciešiem pašiem. Kaŗa sākumā daudzas padomju kaŗaspēka daļas (sevišķi ukraiņi, baltkrievi, Kaukaza tautas) labprātīgi atdodas vācu gūstā, jo arī viņi ir pret krievu komūnistu varu. Bet vāciešu varmācīgā izturēšanās cerību vietā rada vilšanos un vēlāk stiprina padomju armiju pretestību.

Jāatzīmē, ka nacistu slepkavošanas darbos nav vainojamas vācu armijas vienības. Kā vācu kareivji, tā virsnieki visus šos gadus Latvijā izturas pieklājīgi un cilvēcīgi. Daudzi kļūst arī patiesi latviešu draugi.

Kaŗš turpinās, bet ne tā, kā Vācijas vadonis to paredzējis. —

126
LATVIEŠI AUSTRUMU FRONTĒ

„Mēs mīlu aizmirst mācījamies
Un mantu pamest kā lieku.
Ko zaudēt mums nav, tādēļ celsimies
Un iesim pret ienaidnieku."
(Kaŗa ziņotājs Paulis Kalva)

1941. GADĀ Vācija ir pakļāvusi lielāko Eiropas daļu, bet izšķirīga uzvara nav gūta. Noticis ir tas, no kā vācu ģenerāļi visvairāk baidījušies — vāciešiem vienā laikā jākaŗo vairākās frontēs. Rietumos nav izdevies satriekt Angliju, bet Ziemeļafrikā tiem jāiet glābt sabiedrotie italieši, kuŗus angļi draud sakaut. Visās ieņemtajās valstīs viņiem jātur ievērojami bruņoti spēki savas varas uzturēšanai. Kaŗš pret Padomju Savienību paņem pēdējās vācu rezerves.

1941. gada oktobrī sākas neredzēti bargs sals un sagādā vāciešiem negaidītus zaudējumus austrumos. Vācu tanku armijas burtiski „iesalst" dažus desmit kilometrus no Maskavas.

1941. gada 7. decembrī Vācijas sabiedrotie — japāņi, uzbrūk amerikāņu flotes bazei Havaju salās, un Amerika iestājas karā. Vācijas liktenis līdz ar to ir apzīmogots, kaut arī sīvas cīņas turpinās vēl vairākus gadus. Kopējās briesmas dabīgā kārtā apvieno rietumu lielvalstis (ASV, Angliju) ar Padomju Savienību cīņā par Hitlera varas gāšanu. Milzīgi kara materiālu un pārtikas krājumi tagad no Amerikas Savienotajām Valstīm sāk plūst uz Angliju un Padomju Savienību. Nemitīgi un nenovēršami pieaug Hitlera Vācijas pretinieku spēki.

*

Drīz pēc tam, kad vācieši noraida latviešu prasības par Latvijas valsts un armijas atjaunošanu, tie tomēr mēģina izmantot latviešu karavīrus savā labā. Vācu uzraudzībā sāk sastādīt tā sauktos kārtības dienesta (policijas) bataljonus it kā drošības uzturēšanai Latvijā. Taču drīz ,,policijas" bataljonus izlieto tiešai kaujas darbībai pret padomju armiju.

Naids un sašutums par krievu komūnistu briesmu darbiem ir tik liels, ka daļa latviešu sākumā brīvprātīgi iestājas šinīs vienībās. To vidū sevišķi daudz tādu, kuru piederīgie aizdzīti vergu darbos uz Padomju Savienību. Daudzi latviešu karavīri un virsnieki arī nevar samierināties ar to, ka 1940. gadā tiem bija jānoskatās, kā sarkanā armija iesoļo Latvijā. Viņi joprojām sajūt to kā negodu, kas tiem jānomazgā cīņā pret ienaidnieku austrumos.

Lai gan latviešu karavīrus tikai nepilnīgi apbruņo, tos jau 1941. gada oktobrī sāk nosūtīt uz fronti. 1942. gadā latviešu vienības ir izkaisītas visā austrumu frontē, no Somijas līča līdz Melnajai jūrai. Tā kā latviešu bataljoni ir piedalīti lielākām vācu vienībām, tad viņu nopelni un panākumi parasti tiek piedēvēti vāciešiem. Veltas izrādās cerības, ka latviešu varonība kaujas laukā liks vāciešiem mainīt savu izturēšanos Latvijā. Vācu vadība piekāpjas tikai dažos sīkākos jautājumos. Uz galvenām prasībām tie atbild ar miglainiem izteicieniem: „Katra tauta iegūs tādu vietu ‚jaunajā Eiropā', kādu tā būs nopelnījusi." — „Jaunā Eiropa" drīz kļūst par dažādu zobgalību priekšmetu. Hitlera ļaunprātīgie nolūki ir pārāk skaidri redzami.

Arvien mazāks kļūst latviešu brīvprātīgo skaits, bet labi karotāji vāciešiem ārkārtīgi vajadzīgi. Ar visādiem nelikumīgiem līdzekļiem (piem., it kā norīkojot darbos ar Darba pārvaldes palīdzību) viņi sāk iesaistīt latviešus kara dienestā vācu daļās, nosaucot tos par „armijas izpalīgiem". Par latviešu bezkaunīgo un pretlikumīgo izmantošanu pašpārvalde vairākkārt bez panākumiem iesniedz protestus vācu iestādēm. Tos, kas atsakās paklausīt vācu pavēlēm, iesloga cietumos vai koncentrācijas nometnēs (pēc boļševiku parauga).

1943. gada sākumā vācieši paziņo, ka tiks dibināta lielāka latviešu kaujas vienība — Latviešu leģions („Latviešu SS*) brīvprātīgo leģions"). Attiecīgo pavēli Hitlers paraksta 1943. gada 10. februārī. Vācieši to iztēlo kā sevišķu labvēlību un pagodinājumu. Tie pieprasa, lai latviešu pašpārvalde tagad izdara vispārēju mobilizāciju. Ģenerāldirektori paskaidro, ka vispirms jāatzīst Latvijas neatkarība, jo citādi latviešiem nav mērķu, par ko cīnīties. Vienošanos nepanāk, bet mobilizāciju nelikumīgā kārtā izsludina paši vācieši. Stāvoklis austrumu frontē ir draudīgs, jo vācu armijas ir sākušas atkāpties. Latviešu pašpārvalde piekāpjas. Daži pat cer, ka no leģiona ar laiku izaugs Latvijas ar-

---
*) SS = S*chut*z*staffel   (trieciena vienības).

mija. Latviešu leģionāri ir tērpti vācu uniformās, bet ar vairodziņu Latvijas krāsās un uzrakstu „Latvija" uz kreisās piedurknes.

Tomēr leģionā izdodas apvienot tikai nelielu daļu no izkliedētajiem brīvprātīgo bataljoniem un spaidu kārtā iesauktajiem — apm. 30.000 no 150.000. Vācieši baidās ļaut sapulcēties lielākiem latviešu spēkiem. Arī leģiona vadību vācieši patur savās rokās. Abu leģiona divīziju (15. un 19. div.) komandieri ir vācu ģenerāļi, pārējie virsnieki — latvieši. Augstākie latviešu virsnieki skaitās divīziju kājnieku priekšnieki, pulkveži Silgailis, Veiss, Lobe.

Latviešiem piešķir gan leģiona ģenerālinspektora amatu, bet tam nav nekādas ietekmes uz kaujas darbību. Ģenerālinspektoram atstāj tikai palīdzības un aprūpes darbu ar ļoti nenoteiktām tiesībām. Šai postenī nāk vecais latviešu strēlnieku virsnieks, ģenerālis R. Bangerskis. Ar savu ļoti pieklājīgo, bet noteikto rīcību viņš iegūst krietni izcilāku stāvokli, nekā vācieši to paredzējuši.

Latviešu leģiona cīņās pie Ļeņingradas un Volchovas atkal pilnā mērā parādās latviešu karavīru ārkārtīgās kaujas spējas. Vācu virspavēlniecība ir spiesta frontes ziņojumos vairākkārt atzīmēt leģionāru nopelnus un piešķirt tiem vācu armijas visaugstākos apbalvojumus (bruņnieku pakāpes dzelzs krustu).

Latvieši dzimtenē cenšas dažādi atbalstīt savus karavīrus austrumos. Tiem nosūta tūkstošiem dāvanu saiņus un grāmatas, nodibina sevišķu organizāciju — Latviešu karavīru palīdzību (LKP). Tāpat kā strēlnieku laikos, rodas daudz jaunu dziesmu, gan pašu leģionāru (piem., „Zilais lakatiņš"), gan dzejnieku sacerētas. Par latviešu karavīru frontes laikrakstu kļūst „Daugavas Vanagi" (1942.—45.). Daudzi latviešu un vācu kaŗa ziņotāju raksti stāsta mājiniekiem par latviešu cīņām Krievijas purvos un mežos.

Bet leģionam nekad nav lemts kļūt par Latvijas armiju. Kaut arī vācu frontes 1943. un 1944. gadā ļogās un brūk visās malās, vācieši ietiepīgi turas pie saviem uzkundzēšanās nodomiem. „Ja Vācijai ir jāiet bojā, tad lai iet bojā visa Eiropa" — tādas ir Vācijas vadoņa Hitlera domas. Atļaut latviešiem radīt savu armiju nozīmē atzīt Latvijas neatkarību. To vācu nacisti negrib pieļaut.

Grūtākās un slavenākās kaujas Latviešu leģionam stāv vēl priekšā. —

127
NEUZVARĒTĀ KURZEME

„Tie laiki bij, tak atceries, kur slavu likt pēc kaujām? Pie Džūkstes bedri aizbēra trīs jaunavas ar saujām!"
(Andrejs Eglītis)

1944. GADA janvārī sarkanā armija pārrauj vācu fronti pie Ļeņingradas. Vairākām vācu kaŗaspēka daļām draud pilnīga iznīcināšana. Tāpat kā latviešu strēlnieki pirmā pasaule kaŗā izglāba 12. krievu armiju no vācu gūsta kaujās pie Rīgas (skat. 90. nod.), tā latviešu leģionāriem tagad jāglābj vācu vienības no boļševiku ielenkuma. Smagās cīņās leģiona kaujas grupa pulkveža Veisa vadībā atbrīvo divas ielenktas vācu divīzijas. Latviešu komandieri par to apbalvo ar bruņnieku pakāpes dzelzs krustu.

Vācu armiju atkāpšanās turpinās, un līdz ar tām leģions spiests atiet uz Latvijas robežu pusi. 1944. gada jūlijā cīņas jau notiek uz Latvijas zemes. Vidzemei un Latgalei iesākas jauni bēgļu laiki. Daļa iedzīvotāju do-

Bēgļi 1944. gadā

das uz Kurzemi un Zemgali, citi pa jūŗu uz Vāciju vai slepeni uz Zviedriju, tālāk no komūnisma briesmām.

Stipri cietušo 15. latviešu divīziju augustā no Rīgas pārved uz Vāciju pārformēšanai. 19. latviešu divīzija visu vasaru atrodas nepārtrauktās asiņainās kaujās pret pārākiem padomju spēkiem.

Vācu armijas tiek dragātas kā austrumos, tā rietumos. 1944. gada jūnijā rietumu sabiedrotie izceļ kaŗaspēku Francijā. Vācieši vairs nespēj atvairīt pretinieku uzbrukumus gaisā, un Vācijas pilsētas pārvēršas drupu kaudzēs.

Septembrī vācieši steidzīgi izvācas no Igaunijas. Krievu rokās krīt arī Latgale un Vidzeme. 10. oktobrī 19. divīzija atkāpjas pār Daugavu uz Kurzemi. 13. oktobrī sarkanā armija iesoļo Rīgā. Ap to pašu laiku padomju divīzijas ietriecas Austrumprūsijā un sasniedz tur Baltijas jūŗu. Vācu spēkiem Rietumlatvijā ir nogriezts atkāpšanās ceļš pa sauszemi.

Kurzemes ielenkumā atrodas 32 vācu divīzijas (vairākas gan ļoti niecīgā sastāvā) un slavenā latviešu 19. divīzija. Kurzemē saplūst arī ap 300.000 bēgļu no pārējiem Latvijas novadiem. Tiem Kurzeme kļūst par viņu pēdējo patvērumu no boļševikiem, par — „cerību zemi".

Ārkārtīgi nikno kauju dēļ, ko izcīna Kurzemes aizstāvji, rodas apzīmējums — „Kurzemes cietoksnis". Tur latviešu 19. divīzijas leģionāri pārcilvēcīgās cīņās pārspēj paši sevi. Kurzemes cīņām ir pašām sava vēsture, ko nav iespējams attēlot nedaudzās lappusēs. Var tikai īsumā norādīt uz šo notikumu gaitu.

No 1944. gada oktobŗa līdz 1945. gada maijam Staļins dzen sarkano armiju sešos lieluzbrukumos ar noteiktu pavēli — ieņemt Kurzemi. Krievi uzbrūk ar 3—10 kārtīgi pārākiem spēkiem, milzīgā artilerijas, tanku un lidmašīnu atbalstā. Kaujās par Kurzemes cietoksni Maskava zaudē ap 400.000 vīru, 2500 tanku un 1000 lidmašīnu, bet nespēj salauzt aizstāvju pretestību. Lai izpildītu sava mežonīgā valdnieka pavēles, padomju ģenerāļi triec sarkano armiju ugunīs, lai tas maksā ko maksādams. Tādēļ šīs kaujas ir pazīstamas ar savu ārkārtīgo nežēlību. Tā, piemēram, lai pārvarētu mīnu laukus aizstāvju poziciju priekšā, krievi vienkārši dzen pa priekšu neuzticamākās kaŗaspēka daļas (t. s. soda bataljonus). Tie, protams, tiek saraustīti gabalos, bet pārējiem ir atbrīvots ceļš.

Sarkanā armijā boļševiki piespiež cīnīties arī latviešus no ieņemtajiem Latvijas apgabaliem (skat. Ulafa Jansona balādi „Džūkstes izlūki").

19. latviešu divīzija aizstāv fronti Džūkstes, Lestenes un Jaunpils rajonā. Vairākkārt krievu uzbrukumu galvenie triecieni vēršas tieši pret 19-tās pozicijām. Viena no šādām kaujām notiek 1944. gada Ziemassvētkos. Pret 19. divīziju krievi raida cīņā 10 kājnieku divīzijas, daudzas tanku nodaļas un ap 500 lidmašīnu. Šo cīņu laikā pozicijas iet no rokas rokā, pārtrūkst sakari starp kaŗaspēka daļām, un brīžam liekas, ka nav glābiņa pārspēka priekšā. Lielākā daļa 19. divīzijas karavīru ir ievainoti. Bet atlikušie atkal un atkal apvienojas nelielās grupās, iet prettriecienos un, nāvi nicinādami, turpina iznīcināšanas kauju. Krievu zaudējumi beidzot ir tik lieli, ka tie spiesti pārtraukt uzbrukumu.

Kad leģiona ģenerālinspektors Bangerskis pēc kaujas apmeklē 19-to, tās komandieris ģen. Štrekenbachs atzīstas: „Es īstenībā vairs neticēju, ka fronti iespējams noturēt. Latviešu divīzija ir pārspējusi pati sevi." — Kurzemes cīņu laikā kāds vācu karavīrs paskaidro vienam no latviešu kaŗa ziņotājiem: „Mēs, vācieši, neapšaubāmi esam vieni no vislabākajiem kaŗavīriem (Soldaten) pasaulē, bet jūs, latvieši, esat kas vairāk — jūs esat cīnītāji (Kämpfer). Grūtākajās cīņās — nakts uzbrukumos un mežu kaujās — mēs nespējam ar jums mēroties." Vācu ģenerālis Krīgers, VI korpusa komandieris, kādā runā 1945. gada janvārī izsakās: „Es droši varu sacīt, ka 19. divīzija ir labākā kājnieku divīzija Kurzemē."

Pār 19. divīziju nolīst īsts apbalvojumu lietus. Daudziem leģionāriem ir visas goda zīmes, kādas vien vācu armijā vispār iespējams iegūt par varonību kaujas laukā. Nevien vairāki virsnieki, bet arī kāds latviešu kaprālis (Alfrēds Riekstiņš no majora Laumaņa leģendārā triecienu bataljona) saņem bruņnieka pakāpes dzelzs krustu. Latviešu divīzijas izcilo varonību vairākkārt visai pasaulei pauž vācu virspavēlniecības ziņojumi.

Kurzemes cīņām sevišķu spožumu piešķiŗ tas, ka šīs frontes aizstāvji otrā pasaules kaŗā nekad netiek uzvarēti kaujas laukā.

Kurzemes cietoksnis apdzejots daudzu latviešu dzejnieku, pirmā kārtā Andreja Eglīša darbos. Atsevišķu cīņu tiešie notikumi attēloti dažās Ulafa Jansona balādēs — „Bēres Lestenē" un „Džūkstes izlūki". —

*

Tajā laikā notiek arī vairāki mēģinājumi vēl pēdējā brīdī atjaunot Latvijas neatkarību.

Tā kā Latviešu pašpārvalde Kurzemē vairs nedarbojas un iedzīvotāji padoti dažādu vācu iestāžu patvaļai, leģiona ģenerālinspektors atkārtoti iesniedz protestus Vācijas valdībai. Beidzot vācieši piekrīt Latvijas

Augšā pa kreisi - Bruņinieku krusta kavalieris vltn. Ancāns, pa labi - 42. kājnieku pulka karavīrs Zvejnieku augstienē 1944. gada decembrī

Vidū pa kreisi - ģen. Rūdolfs Bangerskis, pa labi - 7. latviešu pulka komandpunkts Kurzemē 1945. gada janvārī: no kreisās - maj. Zālītis, maj. Praudiņš, maj. Stīpnieks un pltn. Kociņš

Apakšā - Bruņinieku krusta kavalieris pulkv. Voldemārs Veiss

Nacionālās Komitejas (LNK) dibināšanai. Tas notiek Potsdamā (Berlīnē) 1945. gada 20. februārī. Par LNK prezidentu kļūst ģenerālis R. Bangerskis. Latviešu cerības, ka Vācija šo komiteju atzīs par Latvijas Pagaidu valdību, tomēr izrādās veltīgas. Tās darbību Kurzemē visādi traucē un ierobežo.

Kļūmīgi beidzas dažu latviešu virsnieku nodoms radīt pilnīgi neatkarīgas bruņotas vienības ģen. Kureļa vadībā. Vāciešiem izdodas tās ielenkt un daļu sagūstīt. Vairākus virsniekus soda ar nāvi.

Maija pirmajās dienās (Hitlers ir jau izdarījis pašnāvību) vairāki latviešu atklātības darbinieki saziņā ar leģiona virsniekiem nolemj Kurzemē sasaukt Tautas padomi un nodibināt Latvijas Pagaidu valdību ar pulkvedi R. Osi priekšgalā. 8. maijā izsludina Tautas padomes (tā sastādās no latviešu karavīru, pašvaldību un organizāciju pārstāvjiem) sēdi Liepājā.

Bet jau 7. maijā plkst. 12.00 trīs latviešu kara ziņotāji Liepājā, klausoties angļu raidījumu (BBC), uztver ziņu, ka Vācija bez noteikumiem padevusies saviem pretiniekiem. Nākošā dienā visās frontēs jānoliek ieroči.

128
DIVAS PASAULES

„Jūs žēlojat savas mājas,
Man citas pajumtes nava —
Mans karogs un mana slava
Man pāri plivinājas."
(Veronika Strēlerte)

Otrais pasaules karš Eiropā beidzas ar Vācijas galīgu sakāvi un padošanos bez noteikumiem. Nedaudz vēlāk amerikāņu atombumbas piespiež arī Japānu nolikt ieročus.

Cīņā pret Hitleru Padomju Savienība kopš 1941. gada ir bijusi Anglijas un Amerikas Savienoto Valstu sabiedrotais. Aizrāvušies ar Vācijas satriekšanu, rietumu valstsvīri neievēro briesmas, kas pasaulei draud no krievu komūnistu uzkundzēšanās tieksmēm. Sevišķi maldīgi ieskati par Staļinu ir ASV prezidentam F.Ruzveltam. Viņš cer, ka Padomju Savienība arī pēc kaŗa draudzīgi sadarbosies ar rietumiem un ka tai nav varmācīgu nolūku pret citām tautām. Tādā kārtā kaŗa noslēgumā sarkanā armija var iesoļot visā Austrumeiropā un Viduseiropā.

Daudzi latvieši Kurzemē līdz pēdējam brīdim cer, ka viņu kaŗavīru aizstāvēšanās cīņa beigsies ar brīvības atgūšanu. Tie tic, ka Amerika un Anglija nepieļaus krievu kaŗaspēkam iesoļot Kurzemē, kad vācieši būs sakauti. Atmiņā nāk 1919. gads, un tā rodas baumas, ka Kurzemes ostās gaidāma rietumvalstu kaŗa flotes ierašanās. Uz tiem, kas ir citādās domās, optimisti negrib klausīties.

Nekas tamlīdzīgs nenotiek. 1945. gada 8. maijā, kad daudzās zemēs līksmo par kaŗa izbeigšanos, sabrūk latviešu cerības Kurzemē.

Pēc padošanās noteikumiem Kurzeme nāk padomju kaŗaspēka rokās. Noteiktā laikā vācu kaŗavīri, paklausot pavēlei, noliek ieročus. Tādu pašu pavēli saņem 19. divīzijas vīri. Daudzi to atsakās pildīt un dodas mežos, lai turpinātu cīņu kā partizāni. Tikai nedaudzi latviešu kaŗavīri un iedzīvotāji laivās un kuģos izglābjas pāri jūŗai uz Zviedrijā un Vāciju. Tur viņi pievienojas tiem, kas aizbraukuši jau agrāk.

Ap 140 latviešu kaŗavīrus zviedru valdība nožēlojamā un gļēvā kārtā 1946. gada janvārī izdod boļševikiem. Veltīgi ir zviedru sabiedrības protesti, un drūmi izskan Stokholmas bīskapa Bjerkkvista brīdinājums: „Pasargi, Dievs, mūs no asins grēka!" —

Latviešu leģionāri Zviedrijā

Latviešu vienības Vācijā (15. divīzija u. c.) kaŗa pēdējās dienās cenšas ar kauju izlauzties uz rietumiem un tur padodas angļiem un amerikāņiem. Lielākā daļa nokļūst Zedelghēmas kaŗa gūstekņu nometnē Beļģijā. Gūsta laikā dibinās plašā latviešu kaŗavīru organizācija „Daugavas Vanagi". 1946. gadā latviešu kaŗavīrus atbrīvo, un viņi pievienojas pārējiem latviešu bēgļiem. To skaits brīvajā pasaulē pārsniedz 100.000.

Sākot ar 1945. gada 8. maiju, krievu komūnisti sagrābj savā varā visu Latviju. Formāli tā gan skaitās atsevišķa republika — Latvijas Padomju Sociālistiskā Republika — bet īstenībā tā atrodas pilnīgā Maskavas verdzībā. Komūnisti var tagad turpināt to, ko tie nepaguva paveikt baigajā gadā. Daudz latviešu izsūta uz vergu nometnēm vai tāliem neapdzīvotiem apgabaliem Sibirijā. Latvijas zemkopību sagrauj, un zemniekus padara par komūnistu dzimtcilvēkiem — kolchozniekiem (1949. g.), kuŗiem nekas nepieder un kuŗus nežēlīgi izmanto. Zemi cenšas industriālizēt, bet ražojumi aizplūst „lielās dzimtenes" vajadzībām. Krievu kaŗaspēks un slepenā policija pastāvīgi uzrauga latviešu zemi un tautu. Tomēr nekādi spaidi nespēj izdzēst latviešu tautas brīvības centienus. (1953. gadā mirst komūnistu diktātors Staļins. Turpmākos gados daļai izsūtīto izdodas atgriezties dzimtenē).

Līdz ar Latviju Maskavas virskundzībā nonāk Igaunija, Lietuva, Polija, Ungārija, Rumānija, Bulgārija, Albānija, Čechoslovakija un Austrumvācija. Krievu komūnisti cenšas savu varu izplest arvien tālāk un plašāk. Viņu gala mērķis ir komūnisma verdzības ievešana visā pasaulē.

Tā uzvarētā Hitlera vietā brīvajām rietumu valstīm nostājas pretī jauns un vēl bīstamāks ienaidnieks. Jau dažus gadus pēc otrā pasaules kara beigām sabrūk cerības par godīgu un miermīlīgu sadarbību ar Padomju Savienību. Tikai Amerikas atomu ieroči attur Maskavu no pārējās Eiropas pakļaušanas (totiesu komūnistiem izdodas paplašināt savu varu Āzijā).

Brīvās valstis Amerikas vadībā spiestas atkal bruņoties un apvienoties, lai aizsargātos pret komūnisma briesmām. 1949. gadā tās nodibina Ziemeļatlantijas savienību — "NATO". Iestājas stāvoklis, ko apzīmē par "auksto karu". Visa pasaule ir sadalījusies divās daļās — komūnistu vergu valstīs un demokratiskajās rietumu valstīs.

Brīvās pasaules stiprākais balsts — Amerikas Savienotās Valstis, nekad nav samierinājušās ar Latvijas pakļaušanu Padomju Savienībai. Par vienīgo likumīgo Latvijas pārstāvi tās joprojām atzīst Latvijas brīvvalsts sūtni Vašingtonā (prof. A. Spekke).

Latvieši savā cīņā par brīvības atgūšanu nav vieni. Viņu liktenis un mērķi ir kopīgi ar visām krievu komūnistu apspiestām tautām. Šo ļaužu skaits pārsniedz simt miljonus. Neviena vara, kas apspiež citas tautas, nebalstās uz drošiem pamatiem. Agrāk vai vēlāk tai jāsabrūk pret tautu brīvības centieniem. Tāds liktenis reiz bija arī ārēji tik varenai krievu ķeizarvalstij. —

Šai vietā pašlaik beidzas stāsts par Latviešu tautas piedzīvojumiem. Bet latviešu vēsture turpinās. Šīsdienas darbi un cīņas kļūst par rītdienas vēsturi, kas pievienojas agrākajai.

Šai apcerējumā ir izsekots latviešu tautas likteņiem no vissenākajiem laikiem līdz mūsu dienām. Esam redzējuši, kā pirmbalti, bruņojušies ar laivas cirvjiem, ap 2000. gadu pr. Kr. ienāk Latvijas robežās. Mēs esam izsekojuši vēstures liecībām par senajām latviešu ciltīm, viņu novadiem un kaimiņiem. Ir stāstīts par viņu simtgadējām sekmīgajām cīņām gan pret ziemeļu vikingiem, gan austrumslavu ciltīm.

Ilgie un asiņainie krusta kaŗi pret vāciem nobeidzās ar latviešu un igauņu zemju apvienošanu Svētās Māras valstī, kur valdnieki ir bīskapi un Vācu ordenis. Šai valstij izirstot, sākas ilga sacensība par šo iekāroto zemi dažādu varaskāru kaimiņu starpā (Polija-Lietuva, Krievija, Dānija un Zviedrija). Dažādas varas mainās, bet nevienai nav lemts šo zemi paturēt. Visur *mēs redzam arī bruņotus latviešu spēkus, kas piedalās šajās mainīgajās cīņās.*

Vairāk nekā 200 gadus atsevišķi pastāv un slavena kļūst Kurzemes hercogvalsts Rietumlatvijā. Kopš 1795. gada visu Latviju ar vācu muižnieku palīdzību sagrābj savā varā Krievijas ķeizarvalsts.

Bet tautas brīvības centieni nav iznīcināmi. Brāļu draudzes kustība, Rīgas latviešu cīņas, zemnieku sacelšanās, tautas atmoda un „jaunā strāva" ved pretim jauniem laikiem. 1905. gada Lielā latviešu revolūcija un latviešu kaŗapulku parādīšanās pirmā pasaules kaŗa kauju laukos liecina par varenu notikumu tuvošanos.

Nāk latviešu tautas lielais varoņu laikmets (1915.— 1920. g.), kad latviešu kaŗotāju slava pāršalc visai pasaulei un latvieši piedalās nevien savas, bet arī pasaules vēstures veidošanā. Iznākumā piepildās senie pareģojumi par „Gaismas pils" augšāmcelšanos — nodibinās brīvā latviešu valsts.

Kaut arī brīvības laikmets nav bez savām kļūdām un maldiem, tas ir spožākais latviešu vēstures posms. Šo lielo vēsturisko sasniegumu neviens vairs nespēj ne atņemt, ne iznīcināt. Nekāda vara to nespēj izdzēst no vēstures lapaspusēm un latviešu sirdīm. Tas nav pa spēkam arī austrumu vergu valsts viltīgajiem un nežēlīgajiem valdniekiem. —

*

Tie latvieši, kas kā bēgļi nonāca brīvajā pasaulē pēc otrā pasaules kaŗa, neatstāja savu zemi, lai meklētu labāku dzīvi svešumā. Viņi to darīja, lai paglābtos no komūnistu vajāšanām un turpinātu cīņu par savas valsts atbrīvošanu. To viņi vairāk vai mazāk arī darījuši. Tie ir iepazīstinājuši pārējo pasauli ar komūnistu īstajiem nolūkiem un patiesajiem apstākļiem šajā vergu valstī. Viņi sadarbojas ar pārējo apspiesto tautu pārstāvjiem, lai aizstāvētu un atgādinātu pasaules priekšā savas tiesības uz brīvību.

Latvieši ir centušies apvienoties organizācijās, nodibinājuši grāmatu apgādus un laikrakstus. Trimdā ir izdevies atjaunot lielu daļu no latviešu rakstnieku agrākajiem darbiem, daudz jaunu ir nākuši klāt. Kur vien iespējams, darbojas latviešu skolas, koŗi, teātŗa trupas un sporta biedrības. Kā varēdami, latvieši cenšas palīdzēt saviem tautiešiem dzimtenē un vergu nometnēs, sūtot drēbes, apavus un pārtiku.

Latviešu zinātnieki un mākslinieki ir pūlējušies turpināt savu darbu tā, lai tas nāktu par labu viņu tautai un nākotnes brīvajai valstij. Tas viss ir pamazām radījis cieņu un simpatijas cittautiešos.

Tāpat kā viņu tēvi un tēvu tēvi, latvieši nekad nav atteikušies no cīņas un tādēļ joprojām nav uzvarēti. Savā ziņā trimdas latvieši ir pat laimīgāki par pārtikušajām un apmierinātajām tautām — viņiem ir liels un augsts mērķis, par ko cīnīties — par atjaunotu Latvijas valsti.

Ne visi, protams, ir cīnītāji un ne visiem lemts sajust skaistumu, ko cilvēkam dod cenšanās pēc augstāka mērķa. Latvijas vēsture māca, ka visos laikos arī mums bijuši savi šaubīgie, mazticīgie un atkritēji. Tie ir nelaimīgi ļaudis, kas bez piemiņas ir nozuduši vēstures tumsā. Bet Latvijas vēsture arī rāda, ka visos laikos latviešiem ir saglabājies drošu un uzticīgu cīnītāju pulks (dažreiz pat ļoti neliels). Izšķirīgā brīdī tie atkal ir pacēluši savas tautas karogu un aizrāvuši sev līdz pārējos pretī jaunām uzvarām.

Latviešu tautas vēsture ir stāsts par latviešu tautas nemitīgo brīvības cīņu, par lieliem upuŗiem un slaveniem varoņu darbiem. Neviens upuris nav veltīgs, jo tas dod spēku, ticību un lepnumu dzīvajiem.

Tā tauta, kuŗai ir savi varoņi un kuŗa tos neaizmirst, nav salaužama. Latviešu tautas likteņa gaitas agrākos un tagadējos laikos var raksturot dažās rindās, ko rakstījis lielais latviešu brīvības cīnītājs un pareģis Jānis Rainis:

> „Mēness staru tilti
> Ved uz jaunu cilti,
> Kas to cīņu vedīs galā."

LATVIEŠU TAUTAS PIEDZĪVOJUMI

Abrene: 294
Absalons: 64
Afrika: 185, 378
Agrārā reforma: 306, 307
Airītes: 276
Ainaži: 192
Aiviekste: 54, 130, 140
„Aizbraucēji": 259
Aizkraukle: 88
Akels: 314
Akurāters, Jānis: 209, 211, 213, 235, 275
Albānija: 391
Alberts: 63-68, 70-75, 78, 80, 81
Aleksandrs I: 171, 173
Aleksandrs II: 179, 181
Aleksandrs III: 202
Alģirds: 104
Alksnis, Jēkabs: 302
Alnas Balduīns: 78, 79
Alūksne: 137, 155
Alunāns, Juris: 188-190, 196
Amerika: 98, 113, 161, 209, 218, 250, 262, 276, 295, 296, 310, 313, 340, 351, 367, 368, 379, 388, 389, 391, 392
Angļi: 115, 148, 262, 272, 275, 279, 285, 289, 298, 307, 310-312, 320, 332, 356, 388-391
Anglija: 142, 145, 146, 218, 221, 222, 312, 332, 333, 342, 346, 356, 357, 362, 363, 378, 379, 388
Apins (Apīnis), R: 298
Apse: 302
Apūles pils: 41
Aspazija: 209, 211, 218, 304, 305
Augustovas meži: 222
Augusts, Sigismunds: 160
Augusts Stiprais: 151, 152, 154, 157, 160
Austrija: 169, 316, 342, 356
Austrumjētzeme (zv. Ostergotland): 49
Austrumprūši: 24
Auzāns, A.: 240, 242, 245, 251
Avēns, P.: 271

Ābele, Kārlis: 152, 156, 159
Ādamsons, E.: 217
Āzija: 185, 378

Babītes ezers: 239
Balodis, F.: 352, 354
Balodis, J.: 268, 277-281, 283, 285, 289, 294, 347
Balti: 32, 34, 62, 67, 82, 104
Baltija: 56, 64, 67, 178, 180, 190, 191, 198, 202, 203, 204,
    261, 289, 295-297, 310, 315, 322, 336, 345, 357-361, 363,
    365, 367, 368, 372, 374
Baltijas jūŗa: 24, 28, 54, 104, 105, 117, 129, 130, 153-155,
    351, 374, 384
„Baltijas Vēstnesis": 196
Baltkrievija: 104, 169
Bandava: 79
Bangerskis, R.: 381, 385, 388
Barons, Krišjānis: 188, 190-192
Baumanis, Jānis: 196
Baumanis, Kārlis: 200
Bauska: 227, 244
Bēgļu Apgādāšanas Komiteja: 238
Beļģija: 218, 221, 312, 315, 362, 391
Bergmanis, G.: 177
Berķis, K.: 283
Bermonts: 286, 290
Bertolds: 62, 70
Bērziņš, A.: 347, 354
Bērziņš, J.: 303
Bērziņš, R.: 302
Beverīnas pils: 53, 69
Bīnemanis, B.: 158
Birka: 40
Bite, E.: 264
Bīlenšteins, A.: 199, 200
Bokalders, J.: 317
Boķis, G.: 302
Bolderāja: 167, 289
Bolševiki: 249, 258, 359-361, 364, 365, 380, 384, 385,
    389,
Bornholmas sala: 50
Brāļu kapi: 231, 247, 329
Brazilija: 325
Brechmane, A.: 327
Brechmane, M.: 327
Brēmenes Ādams: 43
Brēmenes archibīskaps: 61, 63
Brest-Litovska: 260
Brians, A.: 312
Briedis, Fricis: 228-232, 234, 242, 245, 259
Brisons: 289

Bulgārija: 221, 391

Celmiņš, G.: 349
Celmiņš, M.: 337
Cēsis: 51, 282, 349
Cēsu kauja: 282, 283
Cēsu pils: 70, 112
Cēsu rota: 268, 282
Chans: 107, 108
Chicago Tribune: 366
Cincendorfs: 162, 167
Cielēns, F.: 326
Cimze, Jānis: 186, 199, 200
„Cīņa": 213

Čaks, Aleksandrs: 228-232, 234, 235, 253, 261, 293, 299, 320, 326
Čakste, Jānis: 192, 220, 256, 257, 262, 306, 336, 337
Čakste, Konstantīns: 377
Čechi: 185, 356
Čechoslovakija: 332, 333, 356

Dailes teātris: 327
Dālbergs, Ē.: 152
Dandija: 50
Dāņi: 34, 38-44, 67, 70, 105, 118, 151, 153,
Dānija: 56, 64, 95, 105, 117, 129, 133, 319, 325, 358
Daniševskis, Jūlijs: 271, 303
Dankers, O.: 377
Dāņu pils: 70
Daugava: 45, 51, 53, 56, 60, 61, 62, 65, 67, 72, 73, 76, 77, 103, 117, 127, 128, 145, 154, 189, 201, 213, 228, 236, 252, 280, 285, 286, 287, 289, 322
„Daugava": 285, 286, 289, 290
Daugavas Vanagi: 382, 391
Daugavgrīva: 77, 223, 227, 228
Daugavpils: 294
Daugerutis: 72, 74
Deglavs, A.: 194
Demokratiskais bloks: 261, 262, 340
Deņikins: 285, 294, 296, 298
Dīcs, Svante: 156
Dienvidamerika: 145
„Dienas Lapa": 206-209
„Dievs, svētī Baltiju": 200
„Dievs, svētī Latviju": 264, 313
Dīriķis, Bernhards: 195, 196

Dņepra: 50
Dobeles pils: 88
Druvvaldis: 70
„Dvēseļu putenis": 247, 270
„Dziesmiņas": 189
Dzimtbūšana: 125, 132, 135, 163, 173, 193
Dzintars: 24
„Dzirkstele": 190
Džūkste: 385

Eberhards, ģenerālis: 290
Eglītis, Andrejs: 327, 386
Eglītis, Anšlavs: 327
Eiche, R.: 303
Eidemanis, R.: 302
Eiropa: 113, 127, 129, 130, 133, 142, 153, 157, 158, 185, 216, 221, 233, 309, 315, 319, 323, 324, 327, 336, 341, 343, 357, 363, 365, 374, 377, 380, 388
Elbas upe: 54
Elģers, Juris: 141

Ērģeme: 116
Ērika, L.: 327
Ēriks XIV: 117

Fabriciuss, J.: 302
Felkerzāms, Hamilkars: 176, 178-180
Ferdinands, Francis: 221
Fīrekers, Kristaps: 149, 150
Fīris upe: 50
Fišers, Jānis: 137
Folkvīns: 84
Franči: 148, 173, 262, 289, 307, 311, 312, 320, 362
Francija: 142, 145, 148, 171, 218, 222, 246, 254, 295, 296, 309, 311, 312, 323, 325, 332, 333-337, 356, 357, 362, 384
Fredriks II: 117
Fredriks IV: 151
Freivalds, Ē.: 275
Frīdrichs: 149

Gambija: 145
Gambijas upe: 145
Gauja: 51, 53, 67, 71
Gestapo: 376, 377
Gliks, Ernests: 137. 149, 155

Goldmanis, J.: 224
Goles, Rīdigers fon der: 274, 277, 285, 286, 287, 293
Goppers, Kārlis: 242, 244, 259
Goti: 32
Gotzeme: 56, 61
Grieķi: 185
Grieķija: 43, 50, 372
Grīns, Aleksandrs: 149, 152, 235, 243, 247, 270
Grīns, J.: 145
Gripsholma: 49
Grundmanis, M.: 268, 276
Gustavs V: 337
Gustavs II, Ādolfs: 129, 130, 138

Ģermāņi: 32
Ģērmanis, Jānis: 327

Hallarte: 162
Hamanis, J.G.: 177
Hanovera: 158
Harders, K.: 177
Haralds: 40
Havaja: 379
Helmanis: 296, 297
Helsinki: 275
Henricus de Lettis: 61 (skat. arī Latviešu Indriķis)
Herders, J. Gotfrīds: 177
Hermelina muiža: 167
Hēns, V.: 199
Hindenburgs, Pauls fon: 222
Hipelis, T. G.: 177
Hitlers, Ādolfs: 342, 354-358, 362, 363, 373, 374, 377, 379, 380, 382, 391
Holande: 142, 262, 319, 362
Holandieši: 115, 129, 148, 320
Horichs I: 40
Huņņi: 33
Hupelis, A. V.: 161, 163

Igauņi: 43, 48, 51, 53, 55, 60, 67, 69-71, 94-96, 110, 111, 118, 123, 126, 128-132, 202-204, 271, 275, 281, 282, 283, 287, 295, 359, 377
Igaunija: 67, 68, 70, 71, 77, 78, 87, 127, 129, 133, 135, 140, 153, 155, 163, 173, 174, 194, 203, 204, 257, 260, 261, 274, 276, 286, 296, 312, 314, 318, 325, 337, 342, 359, 360, 364, 367, 368, 376, 384, 391
Ikšķile: 61, 77, 236, 252

Imants: 62, 63
Imauts: skat. Imants
Indriķa chronika: 62, 69, 72, 73, 77
Ingri: 138, 155, 156
Innocents III: 64
Irlava: 186
Italieši: 233
Italija: 221, 310, 312, 333, 342, 354, 355, 356, 362
Izkolastrels: 350, 351

Īri: 185, 285

Jadviga: 105
Jagailis: 104, 117
Jānis III: 108
Jānis IV (Briesmīgais): 113-116, 118, 122
Jannaus, H. J.: 163
Japāna: 212, 221, 310, 312, 356, 380, 388
Jaunbebri: 175
Jaunpils: 385
Jēkaba baznīca: 112, 126
Jēkaba forts: 145
Jēkabs: 142-149
Jelgava: 145, 147, 187, 188, 194, 220, 223, 286, 287, 290, 321, 337, 349
Jersika: 51, 53, 71-75
Jersikas evanģelijs: 75
Johansons, Gothards: 171
Jūrpils: 40

Kaktiņš: 303
Kaktiņš, Ādolfs: 302
Kalēji: 87
Kalmāras ūnija: 105
Kalnings, R.: 316
Kalniņš, B.: 310
Kalniņš, E.: 283
Kalpaks, Oskars: 268, 272, 276, 277, 313
Kara ministrija: 267
Kārlis Lielais: 55
Kārlis IX: 127, 129
Kārlis X: 147
Kārlis XI: 133, 134, 137, 140, 150-152, 154
Kārlis XII: 150-155, 157, 158
Kārļa XI bībele: 137
Kārlis I Stjuarts: 145
Kārlis II Stjuarts: 145

Kārta: 79
Katrīna I: 155
Katrīna II: 165, 168
Kaudzīte, Reinis: 204
Kauguru muiža: 171
Kauņa: 275
Kaupe: 65, 67, 71, 77
Kelcha chronika: 155
Ketlers, Gothards: 117, 140, 143
Kirchenšteins, A.: 365, 366, 368
Knopkens, Andrejs: 112
Knoriņš, V.: 303
Knuts VI: 64

Koščuško: 169
Koknese: 72, 138, 215
Kokneses pils: 72
Kolchozi: 370
Kols, J. G.: 177
Komūnisti: 249, 260, 271-273, 291, 298, 302, 306, 311, 341, 344, 345, 367-372, 379, 384, 389-392
Konstantins, ģenerāladmirālis: 190
Konstantinopole: 45
Kopenhāgena: 275
Krakova: 105
Krauklis, Stepiņš: 153
Kreicbergs, J.: 249
Kremlis: 302
Krievi: 45-50, 53, 54, 56, 64, 69-71, 74, 75, 95, 107, 152, 153, 155, 159, 163, 165, 169, 171, 173, 190, 192, 193, 202-204, 208, 211, 212, 214-217, 219, 220-223, 226, 231, 232, 234, 238, 240, 246, 247, 249, 250, 251, 257, 267, 291, 292, 302, 315, 324, 340, 359, 360, 365-367, 369, 370, 376, 379, 389-392
Krievija: 50, 72, 117, 129, 147, 155, 159, 163, 165,169, 171, 173, 179, 181, 190, 191, 202, 210, 211, 212, 214-217, 219-223, 237, 238, 240, 246, 247, 249, 250, 251, 256, 258-261, 270, 271, 274, 286, 290-292, 294-297, 299-304, 308, 311, 312, 315, 318, 320, 357, 359, 364, 368, 372, 374, 382
Krimas karš: 179
Kroders, A.: 275
Kroders, Jānis: 215
Krodzenieks, J.: 221
Kronvalds, Atis: 195, 196, 198-200

Kromi: 293, 294
Krusta kaŗi: 55, 103
Krustneši: 72, 76, 81, 87, 88
Krustpils: 321
Kurši un Kurzeme: 33, 36-41, 44, 50, 75-79, 82-87, 94,
　　96, 116, 117, 126, 132, 138, 140, 143, 145-150, 154,
　　158, 169, 172, 173, 180, 181, 186, 191, 193, 195,
　　204, 214-217, 218-220, 223, 224, 227, 228, 232, 237,
　　238-240, 244, 246-250, 252-254, 256, 260, 272, 274,
　　285, 286, 312, 332, 359, 384-389
Kuldīga: 169
Kurzemes cietoksnis: 384, 385
Kurzemes hercogiene: 145
Kurzemes hercogiste: 122, 123, 132, 137
Kviesis, A.: 337, 349

Ķegums: 322
Ķemeri: 232
Ķijeva: 51, 104, 108
Ķoniņi: 97, 110, 111, 116

„Lāčplēsis": 201
Lāčplēša diena: 289
Lāčplēša ordenis: 289
Laima: 79
Lamiķis, 79
Landtāgi: 106, 165, 202, 203
Latgale: 33, 36, 38, 48, 67, 71, 126, 130, 132, 140,
　　141, 169, 181, 219, 220, 223, 256, 258, 259, 285,
　　294, 306, 307, 332, 382, 384
Latgaļi: 51, 53, 60-72, 74, 94, 169
Latviešu Avīzes: 188
Latviešu draugu biedrība: 188, 194
Latviešu Indriķis: 61
Latviešu Mozus: 138
Latviešu SS Leģions: 380
Latvijas Konservatorija: 324, 329
„Latvijas Sargs:"275
Latvijas Ūniversitāte: 324
„Latvju Dainas": 192
Lauksaimniecības Akadēmija: 324
LCP: 377
Ledus laikmets: 14-16
Leipciga: 130
Leiši: 53, 54, 61, 67, 69, 72, 73, 81, 83, 84, 87, 90, 93,

104, 105, 110, 117, 118, 122, 123, 128, 140, 169,
  204, 245, 295, 314, 377
Leitāns, Ansis: 188, 189
Lestene: 385
Lībeka: 56, 60
Lībieši: 40, 48, 51, 53, 56, 60-63, 65-67, 69-72, 74, 94,
  102
Licene: 130
Lielais ziemeļu karš: 152, 153
Lielinieki: 249-252, 256-259, 261, 267, 271, 272, 276,
  279-281, 292, 294-300, 302, 303, 305
Lielupe: 89, 277
Lielvārde: 215
Liepāja: 205, 220, 274-277, 280, 283, 290, 321, 322,
  249, 359, 388
Lietuva: 50, 71, 72, 74, 83, 84, 87, 90, 92, 97, 104, 105,
  115, 117, 124, 126, 127, 129, 132, 141, 275, 290, 312,
  314, 315, 342, 356, 359, 360, 364, 367, 368, 376, 391,
Lindanisa: 70
Līvi: 36
Livonija: 64, 67, 68, 78, 83, 86, 94-96, 98-104, 108, 109,
  111, 112, 113-118, 122, 124, 125, 127, 156, 276
Livonijas ordenis: 86-89, 99, 104, 106
LKNS: 251, 252, 268
LKP: 381
Lobe, K.: 381
Ložmetēju kalns: 240, 245
LPNP: 256, 262
LNK: 388
LSDSP: 209, 212, 345
Ludendorfs, E.: 222
Ludviķis XIV: 148
Lūse, H.: 327
Luterāņi: 112
Luters, Mārtiņš: 112, 132

Ļeņingrada: 138, 381, 382
Ļeņins, I. V.: 216, 250, 261, 270, 271, 297, 303

Magnus: 117, 118
Mājas Viesis: 188, 189
Mākslas Akadēmija: 324, 327
Manaseins: 199
Mancelis, Juris: 123, 149, 150
Mangaļi: 231
Mangulis, G.: 271

Māras zeme: 68, 78, 79, 94, 96, 99, 106, 109, 110, 111
    119, 123, 140, 191, 290
Margarēta: 105
Markss, Kārlis: 208
Markvarts: 82
Maskava: 75, 108-110, 111, 113-115, 118, 122, 155, 157,
    159, 173, 192, 293, 340, 358, 359, 364-368, 370, 372,
    378, 384, 391, 392,
Maskavija: 108, 110, 151, 154, 156, 157
Matīši: 159
Mazā Jugla: 252, 254
Mazuru ezeri: 222
Medenis, J.: 248, 259, 260, 294, 299, 301, 326, 350
Meierovics, Z.: 257, 262, 312, 314, 337
Meinhards: 60, 61
Meklenburgas Albrechts: 105
Melnā jūŗa: 104, 379
Melnais jātnieks: 152
Menders, Fr.: 346
Merķelis, Garlībs: 62, 63, 168
Mesli: 53
Meža kapi: 231
Mežotnes pils: 81, 87, 88
Mierlauks, A.: 327
Miezis, A.: 302
Minchauzens: 117
Minska: 300
Misiņš, J.: 240
Molotovs, V.: 359
Mongoļi: 54, 104, 108, 155
Msistlavs Drošsirdīgais: 53
Muhamedāņi: 83
Muntavs, V.: 357-359
Musolini, B.: 342, 356

Nacionālais teātris: 262, 264, 285, 304, 327
Nacisti: 355-357, 376-378, 382
„Nakts parāde.": 244
Nameisis 88-91, 97, 106
Nameitis: (skat. Nameisis)
Namejs: (skat. Nameisis)
Napoleons: 173, 185, 193, 222
Nariņš, J.: 154
Narva: 115, 153
Nāves sala: 236
Neatkarības rota: 268

Neikens, J.: 163
Niedra, Andrievs: 283, 327
Nikolajs I: 179
Nikolajs II: 214, 227, 249
Nikolajevičs: 223
Norvēģi: 105
Norvēģija: 56, 143, 158, 362
Novada būšana: 101, 125
Novgoroda: 50, 53, 60, 69, 71, 86, 108, 109

Oderes upe: 54
Olaine: 216
Olavs, Vilis: 238
Olovs: 40
Oranijas Morics: 129
Ordeņa brāļi: 113
Orla: 293, 294
Ozols, Vladimirs: 302
Orlovs: 217

Padomju Savienība: 297, 302, 303, 310, 311, 313, 314, 354, 356-359, 361-363, 367-372, 378, 379, 389-392
Palestīna: 83
Pārdaugavas hercogiste: 117
Patkuls, T. R.: 136, 140, 152, 159, 357
Parīze: 362
Peders: 283
Peipusa ezers: 86
„Pelēkais jātnieks": 152
Peniķis, Andrejs: 111
Peniķis, Mārtiņš: 97, 349
Pērkonkrusts: 343-349
Pērkons: 79
Pēteŗa baznīca: 73, 138
Pēterburgas avīzes: 190, 191
Pēteris Lielais: 151-159
Pēteris III: 167
Pēterpils: 156, 166, 190, 195, 212, 217, 238
Peterss, J.: 303
Piemare: 79
Piltene: 117
Piņķu muiža: 235
Plakāni: 231
Pļaviņas: 51
Plensners, A.: 275
Pletenbergs, Valters fon: 109-113
Pliskava: 50, 53, 69, 71, 86, 108, 155

Plūdonis, V.: 64, 76, 84, 211, 218
Podnieks, T.: 327
Poļi: 83, 104, 115, 118, 122, 123, 128, 132, 140, 169, 202
Polija: 105, 117, 122, 124, 126, 127, 129, 130, 141, 260, 294, 310, 312, 314, 315, 342, 355, 356, 358, 359, 374, 389
Polija-Lietuva: 138-140, 142, 147, 151, 154, 168, 169,
Polocka: 45, 51, 60, 67, 72, 73
Poltava: 158, 159
Poļu Vidzeme: 283
Portugale: 145
Poruks, Jānis: 163
Priedkalns, A.: 255
Priednieks, A.: 327
Prūši: 82, 83, 94, 173
Prūsija: 86, 88, 90, 104-106, 130, 158, 169
Pulkveža atgriezšanās: 276, 277
Pumpurs, Andrejs: 63, 200, 289

Radko,Dmitrijevs: 234, 237, 239, 242
Radivils, M. 117
Rainis, Jānis: 93, 207-209, 211-213, 217, 218, 234, 255, 281, 285-290, 304, 305, 326, 327
Rameks: 70,
Rāte: 103, 166, 167
Rauna: 138
Redukcija: 135, 136
Reiters, Jānis: 137-140, 150
Reiters, T.: 327
Reķis: 303
Rēnšelds: 153
Revolūcija, 1905. gada:212-221, 223
Revolūcija, Oktobŗa : 256-258
Revolūcija, Februaŗa : 248, 249
Rīdziņas upe: 65, 66
Rietumslavi: 54-56
Rīga: 62, 64-66, 73, 74, 76, 77, 78, 82, 84, 88-90, 96, 102, 103, 112, 117, 118, 122, 124, 126, 129, 130, 137, 138, 153-155, 159, 165-167, 175, 177, 186, 188, 193-196, 199, 201, 204-206, 208, 210, 213-215, 220, 223-232, 234, 237, 239, 242, 244, 246, 247, 252-255, 260-262, 268, 271-273, 277, 279-283, 286-289, 292, 298, 301, 304, 305, 312, 313, 322, 325, 327, 329, 347-351, 364-366, 373, 376, 382, 384
„Rīga": 194
Rīgas Latviešu Biedrība: 195, 196

Riksdāgs: 133-135
Rings: 40
Roma: 55, 78-80, 125
Rosija: (skat. Krievija)
Rozenbergs, A.: 374
Rubulis, J.: 256
Rubulis, V.: 256
Rudzutaks, J.: 303
Ruģēns, Jānis: 186
Rūsiņš: 68-71
Rūslāgena: 50
Ruzajevka: 299

Saeima: 308-310, 336-341, 343, 344, 347, 349, 355-357
Sakši: 64, 153, 157
Saksija: 151, 162
Salaspils: 77, 128
Salgale: 44
Sāmsala-Vīka: 96, 117
Sāmu sala: 67
„Sarkanais jātnieks": 152
Sateseles pils: 69
Satversmes sapulce: 305, 306, 307, 310, 336
Saule: 84, 87
Saules kauja: 86
Sēļi: 72, 74, 94
Sēlpils: 72
Serbi: 185, 221
Serbija: 221
Sermlandes apgabals: 44
Sibirija: 169, 217, 234, 245, 250, 300, 331, 372, 391
Sigtūna: 43
Silgailis, A.: 381
Sīmansons, D.: 285
Skaidrīte, J.: 327
Skalagrims: 41
Skalbe, Kārlis: 211, 226, 235, 257, 275
Skandinavi: 34, 38
Skandinavija: 346
Skots, Valters: 63
Skrunda-Saldus: 276
Skujenieks, Marģers: 262, 337, 349, 354
Slavi: 32, 33, 50, 54, 55
Sloka: 232
Smārde: 235
Smiglijs-Ridzs: 294

Smilga: 304
Smiļģis, E.: 327
Smoļenska: 300
Smoļinas ezers: 111
Sociāldemokrati: 208, 209, 211, 213, 216, 249, 256, 261, 279, 287, 306, 310, 345-347
Sociālisti: 208
Somi: 130
Somija: 260, 310, 312, 314, 333, 336, 360, 361, 372, 279
Somijas jūras līcis: 115, 155
Somi-ugri: 30, 48, 62, 67
Sovchozi: 370
Spāģis, Andrejs: 180
Spānija: 43, 155, 157
Spekke, Arnolds: 392
Spilva: 154
Staļins, J.: 303, 304, 354, 357, 358, 359, 370, 373, 384, 389, 391
Stokholma: 133-136, 275, 351
Strazdu muiža: 283, 286
Strēlerte, V.: 327
Strēlnieki:224, 226, 228-237, 239-248, 250-254, 257, 258, 259, 261, 273, 291-293, 298-302, 331, 382
Studentu rota: 268
Svētkalna pils: 92

Šaberts, J.: 327
Šeremetjevs: 155
Šite, Jānis: 184
Šteineks, V.: 150
Šteinhauers, D.: 167
Šteinhauers, J.: 167
Štučka, Pēteris: 270, 271, 303
Švābe, A.: 300, 307, 352, 377
Švābijas Filips: 68
Šveice: 208, 218, 233, 250, 255, 285, 309

Taani linn: 70
Tālava: 51, 53, 68, 69, 71
Tālavieši: 70
Tālivaldis: 53, 68, 70, 71
Tallina: 70, 112, 117, 275
Tannenbergas kauja: 222
Tatāri: 54, 107-109, 113-116
Tatārija: 155
Tautas padome: 262, 264, 388

Tautu savienība: 307, 312-314, 355-357, 361
Techniskā divīzija: 332
Tegetmeiers, Silvestrs: 112
Tentelis, Ā.: 352
Teodoriks: 66
Tērbata: 96, 118, 130, 138, 149, 155, 187, 188, 194, 195, 256
Tērbatas Ūniversitāte: 187, 206
Tērvete: 75, 82, 89, 92
Tērvetes pils: 87, 88
Tīreļa purvs: 239
Tobago: 145, 148
„Tobago": 145
Tolgsdorfs, Ertmanis: 126
Tomsons, Richards: 195
Torgnijs: 41
Traidens: 88
Trasuns, Fricis: 220, 256
Trikātas pils: 53, 70
Trikovskis: 234
Trīsdesmit gadu karš: 130
Trockis, L.: 250
Tukums: 150, 227, 244
Turaida: 65
Turcija: 158, 179, 221
Turki: 116, 168

Ugaunija: (skat. Igaunija)
Uksenšerna, Aksels: 132
Ukraine: 104, 158, 257, 260, 298
Ukraiņi: 158, 378
Ulmanis, Kārlis: 255, 262, 264, 270, 275-279, 283, 290, 296, 337, 343-355, 357, 360, 364, 366
Ungāri: 55, 185
Ungārija: 372, 391
Upsala: 41

Vācbrāļi: 162
Vācieši: 54-56, 60, 62, 65-67, 69-72, 74, 76-86, 89-91, 93-96, 99, 100, 102, 104, 105, 117, 122-125, 133, 138, 140, 154, 162, 165, 166-169, 174-176, 179, 185-189, 191-194, 196, 198-202, 205, 210, 211, 213-216, 218, 222, 223, 227, 231-234, 236-247, 250-254, 257-259, 261, 262, 267-270, 273-283, 286, 287, 304, 307, 308, 323, 340, 356, 357, 359, 363, 372, 373-377, 379-384, 386, 389

Vācietis, J.: 253, 259, 261, 271, 287, 296, 303
Vācija: 55, 60, 61, 64, 66, 68, 94, 130, 138, 150, 158,
208, 215, 221, 260-262, 267, 274, 276, 279, 297, 309,
311, 313-316, 327, 333, 342, 344, 354, 355, 360, 363,
372, 373, 374, 377, 378, 379, 382, 386, 389, 391
Vācu ordenis: 83, 86, 90, 93, 94-96, 105
Valdemāri: 64, 67, 70
Valdemārs, Krišjānis: 187-193, 195, 336
Valka: 110, 186, 256
Valmiera: 162, 186, 227, 244, 255, 282
Valters, Ferdinands: 199
Varibuls: 71
Varidots: 68
Vasaļi: 98, 106
Vaterlo kauja: 222
„Vecais Stenders": 172, 173
Vecpiebalga: 200
Vecsaule: 84
VEF: 322
Veisi: 232
Veiss, V.: 381, 382
Volchova: 381
Venta: 76, 276
Ventava: 79
Ventspils: 143, 145, 220, 359
Verharns, Emīls: 233
Vesceke: 72
Veselauska: 175
Vētra, M.: 327
Vidzeme: 33, 36, 48, 51, 53, 69, 126-129, 133-141, 147,
150, 151, 154-156, 156-162, 165, 168, 169, 171, 173,
178-181, 186, 191, 195, 214, 215, 216, 217, 220, 223,
227, 254-257, 259, 260, 272, 281, 282, 285, 290, 292,
324, 332, 337, 382
Viesturs: 67, 75, 76, 80-83
Vikingi: 38, 49, 50, 53, 54, 64, 72, 75
Vilhelms II: 262
Viļņa: 217, 314, 315, 359
Vilsons, V.: 295, 311
Vīne: 168
Virza, Edvarts: 88-92, 143, 149, 235, 247, 275, 276
Visbija: 60, 64
Višinskis: 365-368
Visvaldis: 71-74
Visvalža pils: 74
Vitauts Dižais: 105, 106

Vitebska: 181
Vītols, J.: 329
Vitrams, R.: 177
Vladivostska: 300
Volga: 50, 115
Vrangels: 298, 299, 312
Vseslavičs: 45

Zāle, K.: 329
Zālītis, J.: 224, 267
Zasa muiža: 167
Zēgerbergas klosteris: 60
Zemes dienas: 110
Zemgale: 33, 36, 44, 48, 50, 67, 76, 77, 83, 84, 92, 93, 117, 140, 148, 149, 172, 205, 223, 227, 228, 235, 237, 238, 245, 253, 254, 258, 332, 384
Zemgaļi: 75, 81, 82, 86-95, 106, 146
Zemgals, Gustavs: 262, 264, 337
Zemgaļu osta: 66
Zemitāns, J.: 275, 283, 285
Zemnieki: 106, 111, 112, 115, 117, 123-126, 128, 132, 133, 135, 136, 138, 141, 147, 150, 154, 156, 160, 161-165, 168, 171, 172, 173, 174-181, 186-188, 194, 204, 205, 217, 218, 238, 239, 283, 306, 317
Zemnieku Savienība: 343-345
Ziemsvētku kaujas: 242, 246-249, 251, 259
Zilais kalns: 201
„Zilais lakatiņš": 381
Zinību komisija: 206
Zīverts, Frīdrichs: 171
Zobenbrāļu ordenis: 66-71, 74, 78, 79, 83-86
„Zobu gals": 190
Zviedri: 34, 38, 40, 43-45, 49, 95, 96, 105, 117, 118, 127-136, 140, 147, 148, 150, 152, 153, 157, 158, 160, 311, 389
Zviedrija: 56, 105, 117, 122, 127, 129, 132, 133, 136, 140, 147, 151, 153, 224, 322, 324, 325, 340, 342, 384, 391

AUTORA PIEZĪMES

Šī grāmata ir sarakstīta no 1954. līdz
1958. gadam, pa daļai Sigtūnā, pa daļai
Stokholmā. Darba centrālais motīvs
ir latviešu tautas cīņa par savām
tiesībām un brīvību. Nolūks ir nevien
sniegt nepieciešamās zināšanas latviešu
tautas vēsturē, bet jo sevišķi — ierosināt
un ieinteresēt. Mērķis būtu sasniegts,
ja šīs grāmatas lasītājs justu vēlēšanos
par vienu otru jautājumu
meklēt tālākas un plašākas ziņas.

Stokholmā, 1959. gadā